纽约上空的中国夜莺

——《北京人在纽约》续

曹桂林 著

现代出版社

京新登字：010号

图书在版编目（CIP）数据

纽约上空的中国夜莺/曹桂林著. ——北京：现代出版社
1994.4
ISBN 7-80028-240-6

Ⅰ.纽… Ⅱ.曹… Ⅲ.长篇小说-中国-现代 Ⅳ.I247.5
中国版本图书馆 CIP 数据核字(94)第 01584 号

纽约上空的中国夜莺
——《北京人在纽约》续

曹桂林　著

责任编辑：陈红　封面设计：樊毅　插图：石恒谟

现代出版社出版

（北京安外安华里 504 号 邮编 100011）

中国人民解放军第一二〇二工厂印刷

新华书店北京发行所发行

开本：850×1168　1/32　印张 12.5

印数：000,001—200000 册

书号：ISBN7-80028-240-6/I.052

定价：10.50 元。

谨将此书献给：

我的读者，

我的朋友，

我的夜莺。

曹桂林

如果你爱他

就把他送到纽约

因为那里是天堂

如果你恨他

就把他送到纽约

因为那里是地狱

IF YOU LOVE HIM
SEND HIM TO NEW YORK
FOR IT'S HEAVEN
IF YOU HATE HIM
SEND HIM TO NEW YORK
FOR IT'S HELL

引子

邓卫恶狠狠地大骂一声。

雾气中，王起明半握右拳，下流地伸出了中指，做出了一个"FUCK BACK"的手势。

二十一集的长篇电视连续剧，就此告终。

接着是白纸黑字，明白地写着："后来王起明和阿春，苦苦地支撑着那家小毛衣厂。郭燕学成回国，宁宁不知去向，有的人说她在澳洲，也有人说在非洲看见过她。"

我着实不喜欢这个结尾，不喜欢，倒不是因为人家骂了王起明，而是不忍把老家人吊在悬念之中，这不符合我当初的动机。本来我是想，不蒙不骗地告诉家乡父老、兄弟姐妹一点儿那边的实事儿，别为我们这些人总操心，挂念，可这个结尾算是什么呀，叫家里人看了，不更是七上八下吗？

"不行，这不行。我抗议。我要找他们去。非跟编剧、导演

— 1 —

好好说道说道!"我嚷嚷着就要推门往外走。

我的小侄女拦住了我:"叔,您的病刚好,别上火,养病要紧,坐下消消气,我找点儿东西给您看看。"

"什么东西?"

"什么东西?原著哇。"说着,她进屋找着了那本书,翻到了最后一页:"您瞧,起什么急呀,哪点儿得罪您了,人家不是一点儿不差地按您的结尾改编的嘛?要说骂人,您书上的原话可比这个结尾骂的还难听。依我说,您的脾气是个艺术家的脾气,可就是不懂艺术。这个结尾的处理叫艺术手法,是要留给人们更多的时间和空间去思考。艺术家的高明就在于此,您懂吗?"

"我……"小侄女的话把我弄懵了,挺大个人,一时还真不知如何回答。可面对着一个二十来岁的小辈儿,脸上着实有点儿挂不住。于是,就想词儿进行解释。

"你懂艺术,可有些事儿你没我懂。比如,你知道叔叔为什么管他们叫王起明,郭燕,阿春,宁宁吗?"

"还真不知道。"

我得意起来:"听着,我告诉你。先说王起明:王,乃首也,王姓是中华民族的大姓。

近年来,一家中国人开的电脑公司叫王安,他又帮了大忙。王的广告,在北美处处可见,比比皆是。如今甭管在欧洲还是在美国,王已成为中华民族的MARK(标记)。比如美国人问你:

'WHERE ARE YOU FROM?'(你从哪儿来?)

你说:'FROM CHINA.'(从中国。)

他们往往会说:'OH, MR. WANG.'(噢,王先生那儿。)

所以,王就是中国,中国就是王。"

"真的？"

"当然了，这你不懂，你还太小。只懂艺术不懂这个！"我为占了上风，压下了小侄女的气焰而自得起来。

不过，她并没因此而生气，她笑嘻嘻地接着问："那起明是什么意思呀？"

"起明，顾名思义，起飞扬名。

中国是条巨龙，正在起飞，正在向世界冲去，中国的明天可以同世界各大列强媲美。

把王起明放在纽约，这个世界民族之林的角斗场中，厮杀拼打，他不软，不弱。尽管他身上有许多毛病，吃喝嫖赌，都沾上了边儿，男人喜欢的，他都上瘾。可事实证明，他还是条中华大汉。他成功，他失败，可他扑扑腾腾又站起来了，这不容易，真是太不容易了。他不赖，他成，他自信，他有希望。"

"呦，叔，真瞧不出还有这层意思哪。"

"对，你叔就是见不得人瞧不起咱们。从自私的角度上讲，我在哪儿生活，都受不得人家的白眼。"

"真有瞧不起咱中国人的？"

"这个嘛，别怪人家。好莱坞的电影是人家自己编，自己写的，这你管不了，也没法管。让中国人都留着小辫，贼眉鼠眼，要么贩毒，要么贩人口，无恶不做，这你也没有办法。

近年来，尽管国内输出到西方的形象也不少，也尽是些：有恨不敢骂，有爱不敢吐，有怨不敢申，有恩不敢报，没气没囊的人。

挽裤腰缠小脚，那只是二、三十年代的人。如今的中国是什么样？没人说话，没人反映，在西方谁也不知道，中国现代的汉子是什么样！"

"呦，叔，这么说您还有点儿使命感，想改变中国人形象呢！"

"别介，我没那么高的觉悟，你叔也写不出来完美的英雄，也弄不出个李玉和，方海珍什么的。"我点上支香烟，自鸣得意地抽着。

"叔叔，郭燕是什么意思呀？"

"城郭里的燕子呀，它飞不远，习性又是寄居在人家屋檐下，中国女人叫这燕那燕的特别多，人人都崇尚这种小动物，认为她乖顺。早年间，为了使女人不能远行，楞把两脚活生生的给摧残了，这才可敬可爱，无才便是德。可具有这种传统的女性，放到西方必败无疑，甭想在这个世界上占有一席之地。"

"那您认为，中国女人得叫阿春？"

"叫她阿春，好象没名没姓，不对。她真名实姓叫中国女人。

我敢说中国女人比世界上任何一个民族的女人都棒，承受力都强，又不乏咄咄逼人。虽然春天总带有寒意，可她意味着阳光即将灿烂，大地就要复苏。要记住，中国女人占了半边天哪。

中国女人在海外不仅语言比男人学的快，适应西方文化状况速度也比男人快。更可贵的是，她们还能保持着东方女人的贤惠，顺从的美德。

春天不就是季节的交换，阿春，不就是东西方文化的混合体吗？"

"那宁宁是什么意思？"

"宁宁不安宁。过早的到了西方，善恶不分，优劣不辨，于是就闹，闹得个天翻地覆，鸡犬不宁。"

"您要是早这么解释就好了，人家的结尾，会来个大团圆什么的。就怨您，也不说清楚。电视剧也播完了，改也改不了啦。

您呐，也别起急上火，接着写，往下编，其实老家人还挺关心他们的。"

"别介，没什么好写的了。再说，什么叫编哪，压根儿我也不会编。"

"要不您就写封信，往报上一登，老家人一看，放心了，不就得了吗？"

小侄女的话也挺有道理。写一封信，省着叫那么多人的心都悬在那儿。

可没想到，这封信，一写写长了，写了近三十万字。

一天，一个出版社的朋友，帮我把写好的东西整理了一下说：这是一本书，是一本好书，人物、情节，比你以前写的更生动，更惊心动魄，不如起个名，出了得了。

"书？这又是一本书？"

"是书，想个名，我给你出。"

"叫'来自纽约的一封长信'？叫'王起明遇到新阿春'？'我在纽约找着北'？'大西洋上的灯塔'？"

"都不对劲啊。"

"纽约上空的夜莺？"

"行！可以。就叫'纽约上空的中国夜莺'吧。"

"好！写上《纽约上空的中国夜莺》。"

1

信，是这么开的头。

是从那天写起的。

那天，阿春给他车上打了个电话。疯笑着叙述了她在股票市场上的惨败经过，笑的是那么开心，笑的是那么自然。

"全输啦？"王起明慌了神儿地问。

"哪能够，还剩点儿。"

"剩多少？"

"身上的衣服。"

"什么？你……"

阿春笑得更疯狂了。那笑声透着一种玩世不恭，那笑声透着一种轻松而又沉重。

王起明真恨，恨她这一年来的变化。一年来，她变得不怨天，不怨地，昏了头地只信生辰八字，自然流年。

"起明，你还记得那首歌吗？"阿春止住了笑问。

"没那份闲情。快告诉我，你在哪儿？"

阿春没有回答，小声地哼起了那首歌："你总是问个不休，何时跟我走……。"

"别唱了！你今后怎么办？"

阿春不理他，一直唱完"一无所有"。

王起明抱着听筒，没有再打断她。他知道，阿春想干的事，一定要干完；想说的话，一定要说尽；想唱的歌，一定要尽兴。

"一无所有"这盘磁带，是他去年送给她的。阿春心灵，很快就唱会了。她特别喜欢这首歌的情绪和感觉，也喜欢这首歌的歌词和旋律，着迷的程度不亚于十几年前阿春送给他的那首歌"假如你爱她，就把她送到纽约，因为那里是……

"到我家里来。"阿春唱完了歌说。

"你别动，在家等我，一小时后到。"

"你总是问个不休……"阿春又唱了起来。

"别讨厌，我挂电话啦。"

"……何时跟我走……"

王起明真的生气了，"啪"的一声挂断了电话。

2

王起明没有回厂，也没有回家，一加油门，直冲长岛驶来。送完货的车厢里装满了从曼哈顿买回来的各色配线。他不仅按时交了货，收回了所有的帐款，而且，还从安东尼那里又接到了几张大定单。看样子，今年圣诞前是闲不下来了。他在为自己在生意场上又一次复苏起动而感到幸运和高兴，又在为利润上的税收感到发愁和烦恼。

他决定不再买什么商业楼去冒险，而是准备做一次变向投资，扩大经营范围，发展境外生产，以此防卫税务局的重型抽扣。

他开着那辆灰色的中型货车，顺着 36 街，冲出了 MIDTOWN TUNNEL（中城隧道）。

眼下正值初春，季节交换。车上开暖气，有些过热；开冷气，有些过早，于是，他把前窗打开了一道小缝。春风吹了进来，吹乱了他的头发，乱发中几根透亮的白发，从乌黑带卷儿的发际里跳晃出来。

他把座位往后调了调，使肚皮上多余的脂肪感到舒服些。

他发胖了，一年来体重增加了 8 磅，尽管他的医生不时地提醒他多注意饮食，但他还是改不了爱吃面食和爱吃猪肉的"毛病"。两腮之间的下巴逐渐隆起，长圆的脸向方圆发展，可是他顾不得这些，形象对他来说，早已失去任何意义，现在他追求的是实惠，实惠的人生享受。

穿戴，大可不必讲究，美国是个不以衣帽取人的国度，再大的老板穿 T-SHIRT（T恤衫）和牛仔裤去谈生意，也是正常的事，况且他自己的理论是：讲究穿着的人，是天底下最傻的，穿得漂亮是给人家看的，人家的眼睛舒服不舒服跟你有什么关系。吃舒服了，钱才是真正花在了自己的身上。能吃的人，就想得开，想不开的人别说吃的多，一见饭就头疼。

他想开了，不再为婚姻的失败，感情的不顺糟践自己，他觉得这很幼稚。看看周围的人，想想移居北美的老同学，有几对是美满婚姻？有几个是幸福家庭的？和郭燕的关系，因为长久分居就不活啦？就不吃不喝啦？干嘛那么跟自己过不去。

使他心宽体胖的最大原因是宁宁，他的这块心头肉。

宁宁二十多了，长大了，成熟了，再不像初到美国的那几年，胡闹折腾了。

今年新年刚一过，她就回到家里，主动要求为家里分担点儿事。

"爸，我回来了，以前我……"宁宁提着背包站在他面前，低着头说。

"别说了，宁宁，回来就好，回来就好。爸知道，你早晚会回来的。"

"爸，你能原谅我以前吗？"

"宁宁，我…你怎么这么说呢？"他的眼圈潮湿了，"我也求你原谅我"。

宁宁放下手提包走过来，双臂勾住他的脖子，把头贴在了他的胸前。

王起明忍不住了，这么多年的思念，牵挂，心疼，悔恨，一下子涌了上来，他一边揉着鼻子一边说：

"宁宁，这谁也不怪，谁也甭恨，就赖这移民排队时间太长，7年哪！孩子，7年的分离，天各一方，怎么能一下子就追回感情，马上融合在一块呢？怪就怪我吧，悔不该当初……是，是我对不起你呀！"

"爸……"宁宁也哭了。

王起明拉下宁宁的手臂："宁宁，你等着，爸给你弄点吃的。"

他兴奋地跑进厨房，一边打开冰箱和干货柜，一边追忆着宁宁的口味。她到底吃什么，什么才对她的胃口？

"宁宁，你想吃什么？爸给你做。"他在厨房里问。

"什么都行，随便。"宁宁边回答，边环视着王起明刚搬进来的新居。

宁宁打心眼里喜欢这宽敞的客厅和舒适的摆设，只是这新家具的颜色，使她皱紧了眉头。全套欧洲进口家具，除了巨型电视机是黑色，OPEN（开放）式厨房里洗碗机是黑色，剩下几乎一片白，这使她记起了阿春最中意的色调，甚至，某些地方似乎 是在模仿阿春。

王起明一边点火，一边追忆着女儿平时爱吃的东西。

这可难坏了他。

火苗窜起很高，他心里也着了火，手里端着锅，头上冒出了汗，这倒不是因为他从来没下过厨房，没做过任何饭菜，而是，他实在记不起宁宁口味的好恶了。

她爱吃什么，好的是哪一口儿？王起明站在炉灶前发呆。

"爸，妈呢？"

"啊？你妈呀，她不在楼上吗？你打个电话问问，楼上的号码是（718）232－2333。"

王起明心里仍在琢磨女儿的口味。吃面条吧，她在南方长大的；闷饭吧，自己又不会炒菜。他突然想起，邓卫说她小时候最爱吃"萨琪玛"。正好，货柜里还有，他肚皮顶着灶台柜，伸手去拿。

"爸，妈不在。"宁宁放下了听筒说。

"噢，那、那她出去了吧，今儿礼拜六，她可能约了朋友去吃广东早茶。"

"还分居吗？"宁宁问。

"啊，不，住址，帐号，还是一个。"

"那报税和电话呢？"

"报税是一块儿，电话……电话分开了，她楼上，我楼下，这样…这样方便。"

宁宁点了点头，然后从客厅走进厨房，调小了灶上的火："爸，别瞎忙了，你会做什么呀，我还不知道？"

"不是，我只想找你最爱吃的萨琪玛。"

"什么年代的事儿啦，早改啦，不吃那玩艺儿啦。你歇着，我做吧。"

"真的？"

"嗯，我来给你做回饭。"

王起明听着，一股热流暖住他的心，他调转头擦着眼角的泪说："宁宁，爸爸从来还没吃过你做的饭呢，真懂事，大了。"

"爸，要么别麻烦了，叫外卖吧！"

"行，你说怎么办就怎么办。"

宁宁抄起电话："福州快餐吗？送一份'麻婆豆腐'，一份'辣子鸡丁'，两个'酸辣汤'，请多加辣。"

"宁宁，你那么爱吃辣的？"

"改啦，口味改啦。"

王起明看着女儿迅速地成熟，笑了。

3

"你混，你昏了头。"王起明推开阿春的门就开始大叫。

阿春站在落地窗前，望着草地上的北美山雀和地上的松鼠，不理会他的暴躁。

"难道你忘啦，十几年前，咱们在去大西洋赌城的路上，你是怎么对我说的？赌，要会控制，失去理智的人，早晚会败在庄家的手里。可那时，好歹我占个年轻，你如今已⋯⋯你怎么不想想你的将来？"王起明气得哆哆嗦嗦地点上一支烟，猛吸了两口，又说：

"嗨，算了，事儿过去就过去了，你也别急，好在，今年我正愁着多余利润的去向呢。"

阿春吹起了轻松的口哨，调子还是"一无所有"。

"阿春，股票输了是天意，眼下保你这幢房子，比什么都要紧，我知道，你的地税一年共有五六千，你还有8年的LEASE（房屋租约），一个月，连本带利付给银行1400，我算了算，15万怎么也够了。咱不再搞什么分期付款，不如一下子交给银行，清了得了。"说着，他从兜里掏出两张支票。

"这两张加起来是十六万多，过几天等进了公司的帐，我就提出来给你。"

阿春继续吹着她的"一无所有"。

"听见没有，烦不烦人呢。"

"起明，你太滑稽了。"阿春冷静地说。

"什么意思？"

"我现在是一无所有，你的不久，也是如此。"

"神经。"

"百分之百。"

"凭什么。"

"凭宁宁的归来。"

"不懂。"

"不懂就不懂，这是你们王家的事儿，与我无关。"阿春从王起明的手上拿过烟，轻轻地吸了一口，吐出个烟圈问：

"起明，你身上有CASH（现金）吗？"

"有，干嘛？"

"这月的电话费和我的饭钱。"

"真逗。"王起明笑着打断了她的话，从皮夹里掏出了 2000 块。"你的信用卡呢？"

"透支了。"阿春笑着回答。

王起明了解到她的困境了，她是个不到万不得已，从不向他张口的人。

阿春一边点现金，一边笑呵呵的问："写借条吗？"

"你病得真不轻。"

阿春看了看表，下午 3 点，又看了看王起明的脸，向他作了个媚态。

王起明习惯了她的一举一动和每个暗示。

"算了，没那个心情。"他抽了口烟说。

"不，今天我要，我非要。"说完她走进了卧室，王起明也站起身来，跟了进去。

长岛的天空总是那样晴朗，太阳不受任何空气中杂质的阻碍，直射进阿春的卧室，照在那软绵绵的大床上，照在俩个气喘嘘嘘，浑身赤裸的身体上。

王起明已失去当年的猛壮，阿春也比不了十几年前那样的娇媚。

阿春捏着他腰间的脂肪，咯咯地笑着。他用手抚摸着她的柔发，挑捡着拔下那些变黄，变白的发丝。

"老啦。"阿春小声地说。

"没有，没老，我的白头发比你还多。"

"行了，别拔了。我姥姥说，拔一根长十根。"阿春的语调还是那样俏皮。

"别信那些，再过几年，你去染染。"

"不染，就这样，你怎么样吧？"阿春严厉起来。

"不怎么样，不怎么样。"

阿春把腿和胳膊都放在了他的身上，用指尖滑着他的胸大肌，抬起眼皮，看着他说："起明，我恨你。"

"没错，不恨哪儿来的爱，反正咱俩爱爱恨恨，吵吵闹闹的也过了十几年了。"

"不，我真的恨你。"

"咳，别瞎恨了，先好好设计一下今后的日子吧。"王起明望着天花板，沉重地说。

"我不用你操心，至于你今后的日子嘛，倒是有人给设计好了。"

"我？有人设计我？"

"对。"

"谁？"

"宁宁。"

"宁宁？设计我今后的日子？你可真会乱琢磨。女人哪，心眼子就是多。"王起明猛吸了一口烟。

"她回来多久啦？"阿春问。

"快三个月了。"

"都干什么啦？"

"这个，该怎么说就得怎么说，她大了，知道顾家了，借她英文好的长处，现在都能独立去谈生意了。真的，客户都夸她聪明，懂事。阿春，其实她根本不妨碍你我的关系。实话告诉你，她甚至跟我说，理解我，同情我呢。阿春，你别多心。"

"她独立拉生意，是自己另立公司啦？"

"开玩笑，她是替我做。离了我，客户不会信任一个小姑娘。她不会另立公司，那样她根本做不起来。再说，她也不想另立，我也培养她，放手大胆让她干。"

— 14 —

"她一个人接定单，买原料，办配件，去银行不方便吧？"

"那当然，所以她要求，公司支票她也有签字权，就方便多了。"

"你答应了吗？"

"嗯，答应了。"

"给我一支烟，起明。"

王起明递了过去，给她点上。他发现阿春吸烟的动作异样，嘴唇有点儿颤抖。

4

阿春忽地坐起身来。

王起明看着她浑圆的后背，用手抚摸着她那光洁的皮肤，她的身材并没有因为时间的流逝而起变化，她还是那么性感，还是那么富有风韵。

"阿春，躺下，别冻着。"王起明心疼地说。

"起明，你能帮我拿个主意吗？"

"拿什么主意？"

"哥大（哥伦比亚大学）的周教授吧，年近 60，人有学问，可是只有一套 CO—OP（单元楼房），挣的是死钱。佛州（佛罗里达州）的傅先生吧，有两幢房产，两家餐馆，虽然人长得干干小小，可人家是真正独身，又比我小十几岁。"

"你提他们干什么？"

"两个人各有千秋，真拿不定主意。"

"拿什么主意?"

"别装傻,起明,来,坐起来,帮我合计合计,拿个主意。"

王起明一把将她按倒,压在她的身上,哈哈地笑着说:"好,拿个主意,我来给你拿主意。"说着,他略带点儿强迫性地摆弄起阿春来。

阿春一点儿没有反抗,但也没有积极迎合,表现得有些木讷。

王起明明白,这是女人的一种挑逗手法,这种手法,她不止一次地使用过。

他闭起眼睛尽情亲吻起来,吻她的腿,肚子,又往上移,直吻到前胸,吻到脖子,当吻到她的双颊时,双唇觉得湿漉漉的,睁眼一看,他吓了一跳。

"怎么了你?"他惊慌地问。

"没怎么,快点,你来吧。"阿春抽了一下鼻子说。

他像个泄了气的皮球,冲动、热情一扫而光,他坐了起来,披上衣服。多年的关系使他非常清楚,今天阿春绝不是在开玩笑。

"周教授吧,他那点钱连小康都很难维持,因为那俩小的,还要等四五年才到18。……"阿春凝视着屋顶,继续往下说。

王起明低头不语地听着。

"傅先生在经济上还算有基础,可比我小了整整一轮,他的用心我也清楚,和他结了婚,还不是继续干老本行。想起干餐馆就头疼,可是也没办法,不然人家娶我图个什么呢。"阿春说着,眼泪又不住地往下流。

是的,王起明不曾见过她这样伤感,也不曾见过她情绪如此低落,今天给人的感觉,她就像只趴在马路边,无人收养的猫啦狗啦那样可怜。

她从床头拿出张纸巾，擦了擦鼻涕说："起明，真的，帮我拿个主意，我很相信……"

"你住嘴，别说了。有我在，有我，我。你懂吗？"他大声地喊：

"这么多年，你自我意识太强，为什么不考虑有我，我的力量，我的存在！"

"你？你不存在了。你的力量更不存在了。你剩下的，只是一颗善良的心。"

"不！我立即去办离婚手续，不就是个手续吗，再说，美国的法律，分居一年，就算自动离婚，可我，跟她分了他妈的8年啦。"

"但是法律上，你们在住址上一天都没分过。"

"大不了，我明天就搬出去。一晃就是一年，到了一年，咱俩就结婚。"

"不，我不会要你。"

"为什么？你说，为什么?!"

"起明，你实际点，人总得要活下去，难道咱俩能天天对着西北风过日子吗？"

"我真不明白，你抽的是什么疯。我有钱！现在我身上就有16万，立马就可以顶下这幢房子。"

"那不是你的钱了。"

"怎么会，支票的TITLE（名称）明明写着我公司的名字。"说着，他赤裸着奔下床，去翻上衣的口袋，拿出那两张支票，递给阿春看。

阿春没有看，只是冷冷地一笑。

"不信，不信明天我就提给你，真不知道你是这么一种人。阿春，你真要分，就明说，不必跟我兜圈子。"

"王起明!"阿春连名带姓地叫着他,也赤裸着冲到了他面前:"王起明,我承认,我打过你的主意,可是,全完啦。我为什么把现金全压到股票上,就是指望着手上能存上一笔钱,和你结婚,踏踏实实地过后半生。可没想到,全泡汤了。"

"阿春。"他抱住了痛哭的阿春。

片刻,阿春静下来说:"起明,这3个月,你在银行取过大钱吗?"

"没有。生意上,进的大,出的少。"

"工人工资的支票谁开的?"

"宁宁。"

"郭燕呢?"

"她不懂英文,从不碰这些。"

"宁宁取过大钱吗?"

"取过。几万以上的原料钱,都是她签字付的。"

阿春挣开他的双臂,后退了一步说:

"看见我了吗?赤身裸体,一无所有,是吧?再看看你自己,与我有什么不同。"

"不、不,这不可能!这绝对不可能!"他一边说一边穿上衣服。

阿春也穿好了衣服。

王起明真想马上去银行,了解一下情况。他相信阿春的机警和判断。可这次,他不得不有些怀疑了。3个月来,宁宁扎扎实实地工作,认认真真地学习,他没有任何理由怀疑她,宁宁毕竟是自己的亲生骨肉哇。

"阿春,我走了。"王起明拉开屋门对她说:

"记住,人在失意时,往往会胡思乱想。好好休息吧,明天中午给你打电话。"

"等等，"阿春从抽屉里拿出一封信，交给王起明，"到家再看。"

王起明根本等不到回家，开到半路，他就停下车，打开车厢灯，看了阿春的信：

起明，我最亲爱的：

这是两张音乐会的票，多年来我一直忽略了你的艺术，你的专长，明晚的音乐会，就算是对你的补偿吧。

我打听好了，音乐会里有你的老同学，MONTREAL（蒙特立尔）交响乐团的李、肖两位都会来。后半场是一位著名的女高音独唱，听说也是从你们北京来的。

起明，这可能是咱俩最后一次相聚了。希望你按时。

阿春

5

全世界最著名的 CARNEGIE HALL（卡纳基音乐厅）就坐落在 57 街与第七大道之间的拐角处。

这座历史悠久的音乐厅，由几位当代的音乐巨头所把持，非犹太人、非西方人的音乐家，要想打进这里开独奏会或独唱会，他不是大师级，也得是举世无双的天才。

音乐会是晚上 7 点半开始，王起明不到四点就穿好了黑西装，扎好了领结，开车进了城。这倒不是因为怕阿春怪他不按时，而是蒙特立尔乐团的李大可和肖玫玫今早打来电话，通知他务必早到，一起吃晚饭，音乐会之后再一起叙叙旧，侃侃山。他俩每年春季来纽约演出，头一件事就是找他穷聊。

停好了车，穿过第七大道，他走进了音乐厅斜对面的希尔顿饭店。

到了10楼，找到了李大可、肖玫玫的房间号，正要按铃，两位从里边走了出来。

"哎哟，正好，你来得正好，先给我们看着屋子，我们俩得先 REHEARSAL（排练）去。"肖玫玫说着就往屋里拉他。

"别介，我来了，你们走，这算怎么回事呀。RE 什么 HEARSAL 呀，一个四管编制的大乐队，少一两个也不碍事。甭去了，请假。"王起明说着，仰面躺到了床上。

"说得轻巧，"李大可一边套上大提琴套一边说。

"你以为这是你们团哪，拿着大碗茶进排练厅，指挥棒举了半天还没有动静。起明，没那日子啦。"

"怎么着，少去一趟还能开除你们？"

"那可没准儿，新来的这个指挥，挺孙子的，这玩艺都他妈拉了八百六十遍了，可是回回得走台。"李大可嘟囔着背上了琴。

"过什么瘾哪，李大可。"肖玫玫早已背上小提琴，依在门边不耐烦了："平时也听不见你说脏话，一到纽约，一见起明，怎么就那么贫，说话那么脏，透着那么痞。"

"怎么啦，非得假迷三道地活着，这儿谁跟谁呀。行行，大可你们快走吧。"

王起明一翻身，打开了电视机。

"走，拉磨去，撅着眼子给人家拉去。"大可说着，"砰"地一声关上了门。

电视节目上，正在播放经济新闻，播音员以快速、沉重的音调报道着华尔街股市下滑的趋势。他不敢再看，昨天阿春的那种凄楚悲惨的模样还历历在目，深深地刺着他的心。

他关掉了电视机，回忆着今天早上发生的一切。

昨天从阿春那里回来，整整一夜没睡，为了证明阿春的判断，他起得很早，还没下床，就给楼上拨了电话。自宁宁回家后，她一直在楼上陪着郭燕，这很符合王起明的想法。一来自己图个清静，二来，郭燕也确实需要女儿陪着。她太需要宁宁了。

"郭燕，宁宁起床了吗？"他清了清嗓子问。

"爸，是我，有什么事吗？"宁宁的声音显然还没睡醒。

"也没什么，就是我身上有两张公司的支票，你要是有空就先去银行存一下。"

"噢，知道了爸，现在太早，等起床后再说吧。"

"行。那另外，再给我取出一张旅行支票，数额大一些，你要是方便，就帮我兑换好了，我就不去了。"

"多少钱？爸。"

"16万。"

"16万？这……这你跟妈商量了吗？"

"不用，你开出来就是了。"

"不行吧。"

"为什么不行，以前都是我一个人办，没问题。"

"不。爸，以前是以前，现在是现在，现在恐怕不那么方便了吧。"

"怎么不方便？你要是太累，就不用了，等到9点我自己去。"

"嗯…好吧。"

"好好睡吧，宁宁。"

"再见，爸。"

他放下电话，还是睡不着，索性披着睡衣进了浴室。

热水从喷头里冲了出来，他跳进浴缸，一边洗一边想。不方便？为什么不方便。除非银行有了新规定。美国的银行，如果有任何新变动都会通知客户，可最近没收到过什么通知呀，没收到过。这丫头还是太懒，想睡懒觉……

偏热的水从头上浇下来，浇透了全身，清香的洗头液刺激着他的感官，使他的头脑清醒起来。

三个多月来。他看出宁宁的巨大变化。她没那么懒，特别是有关银行的税收，财目表，客户的资料，她都问得相当清楚，相当仔细。不方便？不对。

他从镜子里看到自己从头到脚赤裸的身体，突然使他想起，阿春那"一无所有"的歌声，那歌声变成了单调的警笛，一阵阵地刺着他的耳膜。

他马上抄起浴室里的电话。

"喂，宁宁，16万没什么不方便，以前更大的数目我都开过。银行，本票，旅行支票都没问题。"

"你开那么多钱做什么用？"听筒里的声音是郭燕。

王起明猛地一怔，咳嗽了两声。好久没跟她说话了，心里有些紧张。

"噢，郭燕，是你呀。"

对方的听筒没回音。

"不做什么用，只是想在税务上周转一下资金。"他机警地说。

"那是会计师的事。"

"不，郭燕，你还不懂，以后我再向你解释。"

"那解释完再开支票吧。"对方的声音异常冰冷。

"郭燕，我急等用，这不关你的事。"

"我提醒你，王起明，这关我的事。公司是你我共同注册的，我占百分之五十，我已向银行交了委托书，我那一半委托宁宁全权受理。你也给宁宁写了代表你签字的权力，因此，她的权力比你大。"

王起明听完，赤裸的身体冒出一层冷汗。他扔掉了听筒，躺进浴缸里，喷头里的水，仍在不停地往他身上浇着。

等他从浴室里出来，擦干身子，再往楼上打电话时，电话已经没人接了。听见的只是宁宁的录音："HELLO，这里是(718)232—2333。请你留下您的姓名和电话号码，我们回来后，马上给您回电话，谢谢，再见。"接着，又是一遍英文。

"阿春……"王起明叫了一声，活像一条挨了棒子，又找不到主人的狗。

6

音乐会就要开始了。

西装革履的先生们和衣着华丽的女士们，随着剧场的最后一声钟响陆续地走进场内，坐满了整个音乐厅的4层楼。

舞台上的双簧管吹起了固定音高"A"，乐队随之迅速地调好了音。

王起明找到了他的座位，阿春已坐在那里等候他了。

阿春的头发盘起，高高地卷起一个乌黑的发髻。她今天穿了一套黑金丝绒晚礼服，雪白的脖子上戴着一串精美的珍珠项链，显得那么高雅端庄，但是王起明还是喜欢她平时鲜亮清丽的打扮，这时的阿春显得离他很远。他的阿春不应该是这样的。

王起明侧着身子在自己的座位刚一坐稳，阿春就握住了他的手。他看了她一眼，发现阿春脸上的妆与平时有很大不同，很清淡，清淡得眉眼之间好象根本没有描划过。

"你怎么不化妆？"他凑近趴在她的耳边，小声问。

"化了，刚去过洗手间，还没来得及补。"阿春说完，把头调转过去。

王起明没再问什么，他知道，她哭过，他还知道，阿春的泪，是从不让人看见的。他也十分清楚，她为什么这样难过。

一阵掌声响起，乐队首席坐到了他的位置，又是一阵更加热烈的掌声，一位年轻的指挥帅气地站在指挥台上。

节目单上介绍，这位年青的法国指挥家已具有相当的名气和地位，特别是对法国现代派作品的解释，不称权威，也称一流。

他的指挥棒一落，乐队"轰"的一声响，奏起了一个不协和，不流动的和弦，这一声巨响，震得整个大厅的空气仿佛被凝冻起来一样，延长音足足持续了两分钟之久。

王起明从小学的是古典音乐，对这种法国超前派的音乐，他从不感冒。更谈不上理解，可今天，不知为什么，从第一声起，这一不协和音就紧紧地扣住了他的心，似乎今天，他也能听出个门道来。

他凝神地听着其他部分的发展。

可是他糊涂了，乐队没演奏发展部，而是处于全面静止，只有那位年轻的指挥家在没命地摆动着他的指挥棒。

舞台上，只听见翻谱子的声音，没有任何乐器出声，长达少说一百来小节，他正在纳闷，突然一阵大镲劈头盖脸地击了下来，接着，是几声打击乐的木棒声。

然后是，静，出奇的静。

一提琴和二提琴不协和的小二度，隐隐约约地冒了出来，刺激着人们的耳朵，好久，好久。按王起明多年的乐队经验，这大概是个自由延长音，他盼着这叫人难忍的弦乐声赶快消失，听到新的变化。

指挥忙碌地翻着总谱，王起明知道指挥再聪明，体力再好，也背不下来这种总谱。

新的变化来了。

定音鼓从弱到强，一阵碎击，全体铜管乐，像炸了窝似的，各吹各的调，各奏各的音，节奏之杂乱，声响之混乱，王起明是绝没听见过的。

乱了，真的乱了，指挥好象失控了，木管也跟了进来，弦乐以最强拔弦飘在上面，低音提琴，大提琴在最粗的一根弦上乱拉。乱，真叫一个乱，乱得让你都坐不住。

王起明扭头看了看阿春，阿春闭着双眼，一动不动，认真的听着。

指挥和乐队疯狂了，努力地推出各种难以接受的音响和节奏，声势之浩大，气魄之宏伟，像是宇宙就要毁灭，行星失去了规则。

王起明这两天的心情已被阿春的伤感、失败，郭燕的冷漠、敌视和宁宁的不阴不阳，搞得心烦意乱，今天这位法国作曲家的诱发，和指挥家的引导，他好像理解了这个作品。

全乐队奏了十几分钟之后，再次出现了一片宁静和空白，静得耳膜嗡嗡作响，使人的感觉很不适应。

空白真长，乐队队员，得到了一次大的喘息。

王起明看见右边李大可在大提琴声部懒洋洋地坐着，左边一提琴手位置上的肖玫玫在用纸巾轻轻地擦着额头上的汗。全闲下来了，只有指挥一个人，在台上挥动着指挥棒，他头上的汗珠落在总谱上，发出了轻轻的"叭、叭"声。

空白，四大皆空，连空弦声都听不见了，什么都消失了。

王起明再次扭头看阿春，阿春的眼角闪着泪。他无心再去细听和分析这首作品了。他又想起了心事，想着宁宁后天回来将要出现的局面。

一声弦乐轻声拨弦，结束了这位法国作曲家的使命。

全场爆发起雷鸣般的掌声。

在休息厅里，阿春从洗手间出来后问他："起明，你是内行，告诉我，这作品怎么理解？"

"没法理解，它本来就是无标题。"他回答。

"是啊，没法理解。人要理解干什么，最好什么也不理解。"

"不，无标题也有内容，大概这个法国人是在解释乱字吧。"他喝了口白兰地说。

"乱？IT IS VERY CONFUSE。"（是糊涂。）

"嗯，是很CONFUSE。"（糊涂。）

7

此时，音乐厅的台后更是十分忙乱，上百人的大合唱队，涌到了舞台两侧，乐队的阵容也有新的改变，整个队形要重新安排。乐务忙着发放乐队分谱，灯光师在调整着灯光，舞台监督拿着对讲机里里外外地忙个不停。

肖玫玫夹着琴，和站在边幕内的女高音歌唱家正谈得火热：“你也是中央音乐学院毕业的？”

“嗯。77届的。”

“那你可比我小多了。”

“你叫什么名字？”女歌唱家问。

“肖玫玫。我先生叫李大可，也在这个团，拉大提琴的。”

“我叫夜莺，在纽约住。”

“噢，我知道，常在报上看见你的名字。前几天，还看见《纽约时报》评论你在 LINCOLN CENTER（林肯中心）的演出呢。你可给咱校争了光了。”

她俩正说着，走过来一位个子高高的年轻美国人，鼻子上架了副很时髦的眼镜，嘴上留着一对很帅气的小胡子：

“I'M SORRY, I HAVE SOMETHING TO TALK WITH HER.”（对不起，可以跟她说一点事吗？）他礼貌地对肖玫玫说。

“这是我的经纪人，叫理查德，也是我的男朋友。这位是肖玫玫，是同我一个音乐学院毕业的。”夜莺微笑着做了介绍。

“莺，你现在最好不要说话，今天晚上的演出对我们非常重要，回到你的化妆室，休息一下吧。"理查德说着，不客气地把夜莺拉走了。

"玫玫，音乐会结束后咱们再聊。"夜莺一边回头说，一边随着理查德走去。

理查德两年前做了夜莺的经纪人，后来就成了她的男朋友。他今年 36 岁，可吃这碗饭已不下十年。做这一行，不仅要对欧美歌剧市场了如指掌，更重要的是要有一个商业家的头脑，和一副音乐家的耳朵。

当理查德见夜莺第一面时，就马上看出，夜莺是一位不可多得的人才，是一块生财的无价之宝。当然，他对夜莺的感情，不能说就只看到夜莺是棵摇钱树，对她艺术上的造诣也相当地崇拜。对爱她的程度怎么形容呢，应该是说"爱不释手"。

夜莺起初对这位经纪人也很尊敬，后来逐渐地对他产生了感情。不过，她对理查德的反复求婚感到有些厌烦。不知为什么，他越是死缠，夜莺反倒越疏远他，理由是：没完成学业前，不考虑结婚。直到最近，夜莺完成了博士学位才认真地与他谈起过他们的婚姻大事。

8

下半场开始了，乐队的编制比上半场缩小了一半，但是弦乐声部加强了，庞大的合唱队站满了舞台和边幕两侧，直伸进观众席中，后面的天幕升了起来，亮出了管风琴那一排排黄澄澄的巨大音管。

王起明知道，莫扎特的晚期作品充满着宗教色彩，当时的管乐不很发达，古钢琴和弦乐占主导地位。莫扎特的"安魂曲"在中国时他也演奏过，但是像今天这样的阵容和规模，他还是头一次见。

"阿春你看，这些都是我的老同学。"他指着节目单让她看。

"是啊，这就是我为什么请你来的原因。"阿春低头看着自己手中的节目单说。

王起明借着座前的小灯，看着那位就要上场的女歌唱家的英文简介：

夜莺，1977 年在众多的考生中，以第一名的优异成绩考进中国中央音乐学院。1980 年初，在巴黎获国际声乐比赛大奖，随后赴美深造，就读世界著名的 JULIARD SCHOOL（朱莉娅音乐学院），完成了音乐硕士学位，并获取了艺术家文凭。1985年进读纽约大学，并在该校音乐系任教，同时完成博士学位。

近年来，她多次参加国际声乐大赛，曾获得美国大都会歌剧院声乐比赛第一奖；帕瓦罗蒂国际声乐大赛第一奖；维也那声乐比赛大奖；美声唱法第一奖……

夜莺的声音纯美，技巧娴熟，曾经主演过二十多部古典歌剧：《茶花女》中的维奥列塔，《蝴蝶夫人》中的巧巧桑，《罗米欧与朱丽叶》中的朱丽叶，《浮士德》中的玛格丽特……，中国歌剧《荒原》里的金妹子……。

……

管风琴奏出了"安魂曲"的前奏，弦乐也拉出了厚实的背景。庞大的合唱队用鼻腔哼唱出浑厚的大三和弦。

王起明立即收起了节目单，阿春帮他关掉了座前的小灯。

全场鸦雀无声，静静地等待着歌唱家的出现。坐在前排的记者，专家们也个个都竖起了耳朵。

也许由于演唱的人是自己的同胞吧，阿春也睁大了双眼。

夜莺穿着一件深绿色的拖地长裙出现在舞台上，她那高挑的身材显得那么匀称、修长，前领开得很低，丰满白皙的前胸上闪动着一枚银色的十字架。

她确实具备大将风度，松弛而又稳重。只见她的情绪很快就随着音乐进入了状态。

"阿里露亚，阿里露亚"合唱队唱出了引子。她也用拉丁文和上去：

"我的恩主，我的牧羊人……"

美，美极了。王起明虽然不懂声乐，但是，从那她高低声音的结合和统一，纯美的音色，圆润的嗓音，和她那控制自如的渐强渐弱感，他感觉到了她的价值。

乐队一个转和，夜莺唱道："仁慈的天父，我的耶和华，你的爱撒在我心灵上，我爱我的主……"

这一唱段难度很大。它要求，歌唱家不仅具备高超的技巧，

更需有像金子一般纯清的声音，夜莺把这一唱段完成的无懈可击。

整座 4 层楼的观众感情都被倾系在她那充满魔力的歌声之中，没有半点声响，没人移动自己的身体。

管风琴加大的音响，把莫扎特这首"安魂曲"掀起到了高潮，几百人的合唱队似乎也受到了女歌唱家虔诚真情的感染，屏着呼吸。他们配合得天衣无缝。

指挥不敢有大的动作，生怕破坏女歌唱家心灵中的境界。

她的歌声以最弱的音收尾，声音是在高音区，她控制得既纯又美，象一丝飘在蓝天上的白云，渐渐消失，直到弦乐以三个 PIANISSIMO（极弱）结束。

在这首咏叹调结束后，人们这才轻声地咳嗽了几声，移动一下坐姿。

阿春和王起明没有动，也没发出任何声音。

三首咏叹调唱完了，"BRAVO, BRAVO"的欢呼声从四处响起。

王起明和阿春也随着观众站立起来，热烈地鼓掌。

女歌唱家拖着长裙快步走到前台谢幕，观众欢呼着向她投撒着鲜花。她向观众频频地扬起手臂表示谢意，然后快速走向后台。

掌声更加热烈，观众席上有人带着大家开始有节拍地鼓起掌，欢呼声、掌声又再次响彻整个大厅。

阿春似乎很激动，也高呼着"BRAVO！"

王起明没有鼓掌，也没欢呼，他立起脚跟向四处张望，然后仰望楼上，"真他妈解气！"他高喊着粗话。

是的，他是在为中国人高兴，是在为自己的母校，为自己的老同学感到骄傲。

散场了，阿春挎着王起明的胳膊走出了音乐厅的大门，不知出于什么感觉，王起明走路的姿势都改变了，胸脯挺得高高的。阿春的神态也有些变化，一边走一边看他，又看看周围的人，好像在炫耀，她身边的这个人也很了不起，也很值得骄傲。

　　王起明挥手叫了辆出租车，为阿春打开了车门。

　　"阿春，今晚我要请老同学吃宵夜，你真不跟我一起去吗？"

　　"不。我想回家。"

　　"明…天我给你打电话。"

　　"不用了。"

　　"要么明晚我去你那儿。"

　　"起明，你一个人要多保重。我走了。"

　　"阿春，……"

　　"珍重自己，一个人在……"

　　"阿春，明天你在家等我。"

　　"……"

　　"阿春！"

　　出租车司机已等得不耐烦，不知嘴里骂了一声什么就"嗖"地一声把车开走了。

　　纽约初春的夜风仍旧很寒冷，王起明没穿大衣，没戴帽子，全身被冷风一吹，头脑又回到了现实中，刚才音乐会所受的感染情绪，象雨后彩虹一般刹时间逃离得无影无踪。

　　他站在寒风中，无意立即去停车场取车，他想多站会儿，想清理清理盘旋在脑海中的一切混乱。

　　离他不远处的音乐厅大门口，散场的人群一阵骚动。接着，一辆白色六门的 LINCOLN（林肯）大轿车停在他的面前。

　　女歌唱家夜莺正在走下音乐厅的台阶，她的演出服还没来得及更换，披了一件浅黄色的貂皮披肩，身边站着一个黄头发，衣着讲究的绅士。

一群日本人忽地围住了她，请她签名留念，用不熟练的英语不停地说着："你为东方人增了光。"

又有一群拿着照像机的美国记者围住了她，但那个站在她身边的年轻绅士，一手扶着她，一手分开记者，不客气地说："WE HAVE NOTHING TO TELL，NOTHING TO SAY。"（无可奉告！）

他俩离王起明越来越近，直走到停靠在他面前的白色大轿车前。王起明清楚地听到女歌唱家对他身边的绅士说：

"RECHARD，BE POLITE TO THE PEOPLE。"（理查德，对大家礼貌点。）

理查德没有回答她的话，只是一个劲地催她快上车。

一个记者挤上前来问："MISS YING YEH，WOULD YOU PLEASE TELL ME，IS THIS GENTLEMAN YOUR BOYFRIEND?"（夜莺小姐，您能告诉我，这位是你的男朋友吗?）

"YES!"夜莺笑容可掬地回答。

"HOW LONG YOU HAVE BEEN TOGETHER?"（你们相爱有多久了?）

"AROUND TWO YEARS。"（两年左右。）

"ARE YOU GOING TO BE MARRIED?"（你们会马上结婚吗?）美国记者向来是穷追不舍，死问到底的，要不是理查德立即把她塞进车里，那些记者不定还要问出什么样的问题来。

临关车门前，另一个记者追抢上来问：

"MISS YING YEH，ARE YOU REALLY CHINESE?"（夜莺小姐，你真的是中国人吗?）

— 35 —

夜莺坐好后，摇下窗子，大声对所有的记者说：

"YES，I'M FROM MAINLAND CHINA。"（是的，我从中国大陆来。）

9

"起明，咱们哪儿吃?"李大可和肖玫玫换好衣服朝他走来。

"你们提吧。"

"不怕贵的地方?"

"我怎么也得尽地主之谊吧。"

"行，咱们就宰他一回，GOLDEN PALACE（金宫）怎么样?"肖玫玫提了个中国城餐馆的名字。

王起明一听笑了："那叫什么宰呀，有胆就近，去中央公园里的法国餐厅。"

"走。"

中央公园的法国式餐厅虽然已近午夜，但外面停车场上仍然停满了大大小小各式各样的汽车。

三个人走进餐厅，刚一入座，侍者就礼貌地用法语问：

"BON SOIR，MESSIEURS，QU' ESTCE QUE VOUS ALLEZ COMMANDER?"（晚上好，先生们想要些什么?）

"UNE BOUTEILKLE DE CHAMPAGNE S' IL VOUS PLAIT。"（请先来瓶香槟）肖玫玫支走了法国侍者。

李大可皱着眉头说："一听这法语就脑仁疼。"

"怎么啦，不是就你们方便吗，你们都会法国话。"王起明说。

"别提这法国话了，晦气。"

"王起明，你不知道。"肖玫玫向他解释道："魁北克的法国佬们，天天喊着要独立，要脱离加拿大，再几个月说要选举啦。这次一定悬，去年只差几票，今年非独了不可。"

"咳，我当什么事呢，他独不独立，碍你哪根儿筋疼啦。"王起明一见侍者端上来的香槟就说："甭管他，先喝。"

"不管他?"李大可接过酒杯说："这直接关系到我和玫玫的利益和生存，本来加拿大就地大人稀，经济实力、政治地位都是美国的孙子，老美一咳嗽，它就先气喘，魁北克要是再一分出去，还不成了美国的嫡拉孙儿，搭拉孙儿啦。"

"你是拉琴的，管他哪门子政治啊。"王起明劝李大可。

"这不是政治，这是生存。我们乐团是靠魁北克蒙特立尔市养吗?不是，是靠整个加拿大!他一分出去，谁养我们哪。这还没分呢，就两年没提薪了，还嚷嚷着要解散，你说我们俩都这岁数了，解了散，上哪儿找饭辙去?"

"再考别的乐团呗。"

"说得轻巧。柏林墙一倒，苏联一解体，成千上万的音乐家涌到北美，任何一个乐团，哪怕只有一个OPENING（名额），成批成批的东欧音乐家就会来竞争，还全是年轻的，技术又没挑，哪轮到我们呢。"李大可一边说着丧气话，一边大口大口地喝着香槟。

侍者走过来，站在了肖玫玫的身边。

"起明，爱吃什么，你点。"肖玫玫说。

"我不会说法国菜名。"

肖玫玫突然想起了什么似的，说："等等，咱们把夜莺也叫过来一块吃吧。"

— 37 —

李大可放下酒杯说："玫玫，你有病啊。人家是名歌唱家，哪能跟咱们这儿凑热闹呀。"

"不，她挺随和的，今晚上我俩在后台聊的时候，她还说，要有中国同学的 PARTY（聚会）别忘了叫她。"玫玫认认真真地说。

"我看不必了，她被一个老外用高级轿车拉走了。"王起明拦下肖玫玫。

"你看见啦？"

"亲眼所见。"

"没事。"玫玫接着说："那老外也挺爱聊的，人挺好，就后台那点儿工夫，把他俩的恋爱史全告诉我了。"

"他怎么说的？"李大可好奇地问。

"追了她两年啦，他是夜莺的经纪人啦，DOCTER（博士）啦，等等，等等。"

"那你怎么通知他们呀？"

"方便，夜莺给了我电话号码，近着哪，就住附近。"

"算了算了，还是咱们一块聊着随便，一有老外，我就觉着别扭。"王起明说是这么说，实际上，他很崇拜这位年轻的女歌唱家，真想见见她台下的风采。

"要么就试试，一个学校的同学，聊聊也挺有意思。"他又说。

肖玫玫去打电话，没一会就回来了。

"定好了，15 分钟后到。"她兴致勃勃地说。

"魁北克闹独立，我也得独立独立吧。"等玫玫坐稳，大可接着侃："别等乐团真散了，轮到我没辙的时候再说，还是我先独了吧。去年初，我开了家'大可饺子馆'。"

"还有脸跟起明说呢，从开张那天起就赔，一直赔到现在。"

一提起餐馆来玫玫就一脸的不高兴，她接着数落李大可："找后路想做生意也行。可我真不明白，他走火入魔似的非开饺子馆。这不可倒好，现在我们俩是白天在乐团拉琴、晚上在厨房拉磨。一年了，拉琴拉出来的钱，又在厨房里磨没了。全扔进餐馆里也不够。"

王起明和这两口子远在十二三岁上音乐学院附中时就是同学，虽然他离开学校比他俩早，但分开后仍然一直保持着来往，所以对他们的个性和人品了如指掌。别看他俩在业务上都属尖子，可论做生意，根本不是那块料。

大可的专业同王起明学的一样，都是大提琴，可自幼大可就表现出了他超人的才华，开窍早，入门快，中学没毕业，就已开过几场独奏会了。文革后，在市里已成为小有名气的独奏家。他擅长巴赫的五首无伴奏，更精通德沃夏克和柴可夫斯基的大提琴协奏曲各大乐章。

肖玫玫不仅是附中的校花，小提琴拉得也十分漂亮。他记得，她最拿手的是"勃拉姆斯"的小提琴协奏曲。世界著名小提琴大师斯特恩访问北京时曾亲耳聆听了她的演奏，也不得不为她那不可多得的音乐天份和扎实的基本功所赞叹不止。

真没想到这两位天才的音乐家怎么就开起了饺子馆。王起明深深为这两位老同学、两位艺术家而惋惜。

"夜莺。"肖玫玫突然叫了一声。

王起明顺着她的喊声望去，只见夜莺出现在门口，朝着他们走过来。他觉得台上、台下的夜莺判若两人。她身高一米七十左右，穿了一条白色的紧身牛仔裤和一件纯白色羊毛衫，那件灰色的貂皮大衣很随意地披在肩上。也许是刚才舞台上的兴奋还没有消失，她脸上仍旧放着光。

"你的那位哪？"玫玫问。

"他不来。"

"为什么？"

"我不会让他来。"夜莺微笑着说。

"我来给你介绍。"玫玫迎上去，拉着夜莺的手，向桌边走过来。

"这位是王起明，也是咱们学校毕业的，现在是纽约格兰纺织公司的大老板，倍儿发。这位是李大可，我的丈夫。"

"你好，你好。"夜莺笑着向他们打着招呼。

侍者等他们坐定后，又一次走上前来。

"夜莺，你是客人，你点吧，爱吃什么随便点，反正今天有王大老板在场做东，不用客气。"玫玫大声地说。

"请请，夜小姐，请吧。"王起明说着，礼貌地把菜单递给了她。

"如果你们相信我，那我就试试。"夜莺爽朗地说着，转身对侍者用熟练的法语点道：

"奶汁鲟鱼块、法兰西沙拉、烧烤蜗牛、油煎蛙腿和玉米番茄汤。"

"想不到夜莺小姐的法语这么地道。"王起明对她礼貌地表示赞赏。这不是因为夜莺比他小十来岁感到拘谨，而是他觉得，对这种层次的人就应该这么说话。

"嗯，发音真准，比我这个在蒙特利尔生活了十几年的人还强。"李大可也对夜莺的法语发音大加称赞。

"我说你们俩别太土行不行，夜莺是歌剧名流，音乐博士，人家会好几种语言哪，意大利语才是她的正宗。"玫玫说。

"不，我的正宗是汉语。"夜莺笑起来。

吃饭时，王起明感到一阵一阵的不自在，听着他们不时地用英语，德语，意大利语交谈着乐句的处理和各大乐团、各大指挥的特点，用法语争论着对新潮意识流音乐的观点。他突然感到，他成了格格不入的局外人。他感到与他们之间有个屏障，这厚厚的屏障使他觉得自卑，觉得自愧。这种自卑和自愧使他认识到，他与他们之间有着遥远的距离。特别是李大可和肖玫玫，这两位自幼他就欣赏的音乐家，也都在连连点头，洗耳恭听般地听夜莺对古典音乐和当代作品的分析理解。他们俩人眼睛里渗出的那种目光，那种对夜莺敬佩的目光，叫他坐立不安，好不难受。

王起明插不上嘴，也不认真听，表现出对他们所谈的内容不屑一顾，自斟自饮起来。

说是不认真听，可眼神仍不时地打量着这位女歌唱家，注意着她的举止，观察着她的表情，他感觉出，这位出色的歌唱家，音乐博士，确实学识渊博，举止高雅。

王起明突然又感到，他，一个做小买卖的商人，竟能坐在这群艺术家中间，居然还能与被众人崇拜的歌剧名流夜莺小姐一起共进晚餐，真应该是无比自豪和幸福……

"王大哥，您觉得我今晚的'安魂曲'PART TWO（第二部分）唱得是不是有点儿拖？"夜莺也许是怕他受到冷落，转过头来问他。

"嗯……行，挺棒，挺投入的。"他说了句内行人，外行人都能讲出的简单评语。

"谢谢您。"

"嗨，夜莺，甭问他这些，他现在满脑子就是钱。人家看不上咱们这些卖艺的。"玫玫打趣地说。

"过了，严重了，钱是有些，不过…"

"你说这事也绝了。"李大可打断了他的话："咱们一天到晚吭哧吭哧地练，练了大半辈子，学位一个接一个地苦熬，终了，

— 41 —

图个什么呢？就图个熬出头上台献艺。献给谁呢？就献给您？"
他指了指王起明：

"献给这些二道贩子，还算说得过去，大部分是献给那些狗
屁都不懂的商人，有钱有势的小姐、少奶奶。和那些只讲体面，
装的温文尔雅的政客。听着顺耳，大家鼓几下掌，听着不顺耳
啦，人家就翘起腿，闭目养神。您说，这叫什么事儿呀。夜莺小
姐，你说呢？"

"嗯，很有意思。"夜莺笑着说。显然，她对李大可的这番理
论有着不同的看法，但又不愿做出反驳。

王起明对李大可的这番话倒很想反驳，这话刺痛了他的自
尊心。他认为自己还是有灵感，有艺术气质的人，很不愿意把
他与那些不懂音乐，到音乐厅来只是为了追求高雅层次和装体
面的商人、政客相题并论。

他认为自己在美国行商是不得已，是求生存，是特型商人，
或是艺术商人。可琢磨来琢磨去，觉着又没这么个词儿。天底
下没这么个说法。

看来，这辈子自己与音乐和艺术是扯不上关系了。他想。

"起明，你说呢？"李大可转过头来问他。

"各村有各村的高招儿。"他突然冒出了一句电影《地道
战》中的那句台词。

夜莺，李大可和肖玫玫停住了刀叉，都感到有点诧异。

"我说呀，……"王起明看了看他们说："这个世界并非只
有艺术家最高尚，每一种人都有他应有的地位和价值。"为了使
自己找出心态平衡的依据，他又重复了一遍"各村有各村的高
招。"

"赚钱？赚钱怎么啦，哈佛大学的人类学家论证：商人的智
商大都高于政界、科学界及艺术界的人。经商本身就是艺术，也

— 42 —

是个天份。要是人人都能经商，这世界上的人不都成了资本家了。您说是不是？"

"嗯，有道理。"夜莺点头赞同。

王起明似乎受到了鼓励，又喝了口香槟，侃谈起来。

"音乐家出身能做买卖，这本身就是个奇迹。赴美的老同学，有几个做成生意的？这么多移民，有谁不到两年就买了 3 幢大房子。我并没觉得我这样做损失了什么，从某种意义上讲，这也叫做一种成功。"

"起明是挺能耐的。"玫玫点着头说。

王起明更加来劲儿了，连干了两杯，红着脸说："拉琴的怎么啦，不也得自己动手拉吗？唱歌的怎么啦，不也得自己唱吗？牙医又多什么啦，不也非得自己动手给病人捅臭牙吗？"

说到这儿，夜莺抬头看了看他，他不在乎地继续侃："这些行业，跟打工也差不了多少。我赚钱，从不自己动手。和客户喝喝咖啡，聊聊天南地北，几万，十几万的利润就赚到手了。要说别的咱不敢夸口，老子就是有钱，有房，有产。不信，你们甭管谁，个人，朋友，有什么吃饭、住房的困难，跟我言语一声，冲着哥儿们的面子，我承包到底，绝不含糊！"

"真的？"夜莺问。

"那还能假吗，我王起明说出来的话，绝不咽回去。"

"我有一个同学，也是咱们学校的，她正在找房子，王大哥，你能帮她一下吗？"夜莺实实在在地问。

"没的说。明儿搬进来都行。"王起明仗义地拍着胸脯。

"明天恐怕太仓促，我先同她商量商量，过几天我再给您回信儿。"夜莺说得十分认真。

"一言为定！"

"谢谢您，不过，房租……"

"好说，好说。"王起明疯了似的又扬手灌了一大杯。

李大可和肖玫玫睁大了眼睛望着他，他抓了块餐巾擦着头上冒出的汗，擦着由于激动而涨红了的脸。

王起明觉得这样好受些，心态也平衡了许多，甚至还觉得，这样他才找到了他的价值和他所应得的位置，尽管这个地位很弱，很虚，很不实在。

10

内华达州，离拉斯维加斯不远的一个养马场上，理查德带着夜莺来选马。这里是典型的美国西部庄园，到处都可以闻到清香的马粪味，到处都可以看到一群群矫健的赛马。

理查德的家乡在内华达州，父母和亲属们至今仍然住在这里。他们过惯了乡间的日子，儿子的事业再红火，钱再多，老俩口还是不肯搬到纽约，那个叫人容易得心脏病的鬼地方。

理查德要给夜莺买匹好马，去年在西部几座大城市结束演出路过老家时，他把夜莺带来见了他的父母。他问她喜欢老家的什么，夜莺说是赛马，他答应一定给她买匹好马。今天，他无论如何也要履行他的诺言。

理查德今天打扮得象个COWBOY（西部牛仔），头上戴了顶毡礼帽，穿了件牛仔衣，肩上飘着细皮穗儿，瘦牛仔裤下蹬着一双马靴。

夜莺的打扮也是一个十足的COWGIRL（西部女郎），穿了一套紧身的深红色牛仔服，牛仔服的前胸和双肩上镶着闪亮的铜钮扣，腰胯间斜扎着的红皮带和高筒马靴配在一起，使她今天显得特别帅气，比在舞台上的形象还要动人。

理查德挑选出一匹白色高头骏马，把夜莺扶上坐骑，他左脚一蹬马鞍子也跨了上去，接着便扬鞭催动坐骑飞奔起来。

骏马飞快地跑着，叶莺的长发飘在理查德的脸上。理查德缓缓地拉住了马缰绳，轻轻地亲吻着她那可爱的脸颊："I LOVE YOU（我爱你）。"

"I LOVE YOU TOO。"（我也爱你）夜莺也回头幸福地吻着他。

他们俩今天回家乡，不仅为了买马，而且还要托父亲饲养这匹马，待他们一年一度回乡探亲度假时享用，更重要的是，让父母大人认认这位来自东方中国的女孩儿，他们未来的儿媳妇——夜莺。

11

办公桌上，电子计算机的屏幕亮光映在王起明的脸上，象是涂上了一层淡淡的银灰色。他仔细地查看着安东尼的每一张定单。

他用指尖按了一下 PGDN（下一页）的键子，立即，出货的日期表格和每一张定单的单价显示出来，然后，他把烟卷叼在嘴角上，搓了搓手，说了声"走，"食指一碰 TOTALE（总价），随之全部出货的价钱显示了出来。他看了一眼总数，笑着"哼"了一声，关掉电脑，回到了客厅。

客厅很静，整个客厅是他的世界，虽然大部分时间他感到孤独，可是，这里也给他带来不少愉悦。他可以看他爱看的书，可以自我欣赏，自我陶醉在他喜欢的古典音乐之中。他根本无法像楼上那位一样，整天介抱着电视机，看那些没结没完，哭闹打骂的港台连续剧。

他双手抱着头，仰面躺倒在柔软的沙发上，看了看壁炉上的大钟，已经晚上 8 点钟了。他在等着郭燕和宁宁回来，思考着怎样与郭燕交谈。

阿春的提醒虽然不无道理，可是，直到现在，他仍不相信，宁宁的返家，会对他今后的日子有什么影响。可是，他必须要弄清楚这一切。

一阵轻盈的汽车马达声在窗外响了起来，平稳地滑进他家的 DRIVE WAY（车道）。他知道，是她们回来了。她们是开着他那辆刚 刚买的新型豪华车出去的，这辆车，车体宽，马达轻。

随着 JERRY 爱犬的几声狂叫，楼上的门打开了，从楼上传下来的脚步声中，他听出回来的人不只是郭燕和宁宁，一听那几声重重的脚步，不用说，准是那个想起来就叫他头疼的斯蒂文。

"郭燕吗？"他立刻给楼上拨了电话。

"NO。I'M STEVEN。"（不是，我是斯蒂文。）听筒里的声音是斯蒂文油嘴滑舌的腔调。

"请你让我太太听电话。"他严肃地说。

"OH，YOUR WIFE。HOLD ON。"（找你太太。等一下。）

他马上用手捂住听筒。怎么说呢，他觉得恶心。

过了一会儿，郭燕来接电话。

"郭燕，请你下来一趟好吗？我想跟你谈谈。"他以非常诚恳的语气对她说。

"不行，我太累了。"

"我觉得咱俩有必要好好谈谈，而且这个事很重要。"

"太晚了，有事明天再说吧。"

"不。郭燕，明天早上我就要办。"

"是去银行吗？"

"对。"

"为那 16 万吗？"

"对。"

"你去银行试试吧。"

"什么意思？"他尽量压制着自己。

"我要睡了，明儿早再说。"郭燕不等他回答，就挂上了电话。

他想拨通号码再打一次，可手指拨到一半儿又停住了。他要想一想，冷静地想一想。先去银行试一试。试什么？我就不信银行不让我取走我的钱？那是我的钱！简直是笑话。无知的女人。可怜，可悲。

可是，为什么阿春预言到，他将一无所有呢？难道她真的作了什么手脚？真的跟银行立了什么契约？他又想起了郭燕前天临走前说的话：公司是双方共有的，她的百分之五十已委托给了宁宁，你也授给她签字权，因此，她的权力比你大。

真的吗？真的是她设下的圈套吗？他回忆着这三个月前前后后所发生的事儿。

宁宁回来不久，除了他觉得孩子长大了，懂事了，也觉察出宁宁的一些异常举动。本来，虽然宁宁也恨他，可比恨他还更

— 47 —

恨郭燕，但是，这次宁宁不仅不再提起"妈妈以前对不起我"，反而郭燕一提往事，她还把话岔开，主动要求上楼陪伴妈妈。

为了不伤害女儿的自尊心，为了避免父女俩的感情再次出现裂痕，他对斯蒂文宽容了再宽容，忍耐了再忍耐。

尽管他对这个油嘴滑舌，比他小不了几岁的未来女婿恨之入骨，可表面上还是接纳了他。但他却很讨厌郭燕对斯蒂文的态度。郭燕不仅天天给他做这做那，还接长不短地请他下馆子，最近，竟允许他在楼上和宁宁过夜，甚至还买了一辆新"本田"送给他。

王起明打心眼里不赞同这码子婚事，他认为宁宁还太小，斯蒂文的社会经验过于丰富，快四十岁的人了，也不见他有什么正当职业，可对吃穿玩乐，倒比谁都讲究。王起明认为，宁宁应该找一个有真才实学的老实人，所以，对于斯蒂文的住址、电话及工作地点，他一概不打听。当然，斯蒂文也绝不会轻易就告诉他。

郭燕对斯蒂文的态度则完全不同。她除了不打听他的住址，单位和电话外，其余什么都向他"请教"，为得到更多的"知识"，她不惜重金买他的"人情"。

王起明知道，郭燕在暗地里同他叫着劲。她在争取宁宁，也在拉拢斯蒂文。

王起明虽然不像郭燕表现得那么露骨，可他也在做工作。

上个月底，他带着宁宁去交货，在回来的路上，他说：

"丫头，明天是周末，爸想休息一下，你能陪爸去趟华盛顿吗？"

"呦，我和斯蒂文都约好了，带妈去大西洋。"

"算了，总去大西洋有什么好玩儿的？"

"不行，都约好了。"

— 48 —

"丫头，你就不关心爸，不疼爸啦？"

"不是，可我们都…"

"宁宁，去华盛顿不光是休息，亨利这个犹太佬说有笔大生意。"

"亨利？"

"就是跟安东尼闹翻了的那个合伙人。现在，他在华盛顿另立门户啦。这个老家伙真能扑腾。"

"他的公司有发展前途吗？"

"当然。他在这个行业里整整干一辈子了。"

宁宁想了一会儿说："好吧，那就说定了，我陪你去华盛顿。"

到了华盛顿，王起明和宁宁跟老亨利谈好生意后，他把她领到国会山庄的高台阶上，站在了首都的最高处，他感慨万千地说："宁宁。你知道你现在是在什么地方吗？"

"国会山庄。"

他指着远处的一幢白房子："那里呢？"

"白宫。"

"是啊。宁宁，我们的脚下，是全美国的心脏，你明白这意味着什么吗？这意味着我们王家，要在这块土地上扎根，把我们创办的基业世世代代相传下去。在这块土地上，同我真有血缘关系的就你一个。我没有儿子，也没有第二个孩子，我努力工作，赚钱，置产，就是为了我们王家的后代。现在这里已有两幢房子姓王了……"

"噢，爸，那个尖尖的塔是什么呀？"

"是林肯纪念碑。"他接着说："宁宁，好好听着，别打岔。爸没别的指望，就盼着你能尽快地长大，成熟起来，接替爸手里的这摊儿产业。"王起明向女儿掏着这些肺腑之言。

"我真希望你能早一天接手。这你总该明白，这就是爸为什

么带你出来做生意，见世面的用心所在。宁宁，爸不是传统守旧的中国人，可也不希望看到，我辛辛苦苦挣下的家业……"

"你早婚。"

"啊，什么？"

"你结婚太早。"

"是啊，由于太早，不成熟不懂感情，时至今日，我与你母亲的关系…"

"我的意思是你生我太早，你比我才大22岁。"

"那又什么样？"

"太年轻了呗。"

"年轻，年轻不是有更充足的时间来协助你，你也帮助我，共同建立王家基业吗？"

"对，爸，美国青年独立得早，有时跟他们在一起我都感到害羞，你能再放多点权，让我独挡一面吗？"

"慢慢来，慢慢来。"

"你看，有时你表现得很开通，很年轻，可有时你又显得特死板，特老气，活像一个老头子。"

王起明有点不高兴了。

"我老？斯蒂文比我才……"

宁宁瞪了他一眼。

12

周一早晨，郭燕按响了门铃，王起明赶紧打开门。

"你不是有事找我吗？"郭燕主动问他。

"到客厅里坐会儿吧。"

他把郭燕让进客厅里，就到厨房去热脱脂牛奶，他仍然记得她的习惯。

"不用了，有事快说吧。"郭燕坐下后说。

不一会儿，他为她热好了奶，自己冲了一杯淡茶。

"郭燕，今天我什么都不想瞒你，请你有什么话也别埋在心里头。这么多年了，咱们习惯不同，感情不合，这 你我都很清楚，都这个年龄了，没什么比坦诚更重要的了。做人吗，总得讲个人情，阿春对咱家的帮助，这一点也不必多说了，人的运气也是十年河东，十年河西，她现在遇到了经济上的麻烦，咱们也得拉她一把。昨天我对宁宁说，先从银行提出 16 万，就是准备帮她度过难关。我明白，你一定不会同意，不过，我还是愿意告诉你。其实这种事，以前没跟你说，我也办过，这回同你说也有宁宁的意思，我也愿意和你打个招呼。"

"我要是不同意呢？"郭燕瞪着他说。

"那我只好自己处理了。"他也不让步。

"好，那你自己去处理吧。"说完她直起身来往外走。

"郭燕。"他叫住了她："你要是真的觉得，咱俩再也不能维持下去的话，你坐下来，商量商量，也许能找出个解决办法"。

"你指的是离婚？"

"对，假如你同意。"

"我要是坚决不同意呢？"

他点上烟，然后猛吸了两口。

"你能谈谈不同意的理由吗？"

"可以"。

"那好，我听你说。"

"你得还债。"

"什么？"

"还债！"

"还什么债。"

"大概你忘记了，你是怎么来的美国！"

"这跟还债有什么关系？"

"对，有关系，你必须还上这笔债！"

王起明不止一次听她这么说了，几乎是一提出离婚，郭燕就提这笔债务，他也不知为此发了多少次火，而回回也都是不了了之，可今天，他没发火，他真想还这笔债，真想让郭燕开出个价码来。好在有美国的法律，有现成的财产，大不了，损失一半儿，或一多半儿，也没什么，他吐出了口浓烟说："好，好，郭燕咱谁也别生气，这笔债我是要还，今个儿，咱们平心静气地商量，你开个数，或者开个条件，反正孩子也大了，解决这个问题也不太难。"

"也不那么容易。"

"容易，咱们现在什么都是双份的，你一个房子，我一个房子，你一部汽车，我……"

"没那么便宜。"她的声音高了起来。

"要么房子全归你！"他也开始控制不住自己的声音了。

"我不要，我没能力付清剩下的分期付款！"

"那你要什么，要怎么样?!"他的脾气上来了。

"等你付完了房子所有的债务，我就离。"她也毫不示弱。

"什么，等全付完，那我他妈快六十啦。"

"你才知道哇！"

"这个债我没法还！"

"不，要还，还一辈子！"

"放屁！"

"你放屁！"

宁宁突然闯进屋，直冲到郭燕的身边，扶着她说"妈，别气着，您身体要紧。"

"宁宁，妈的命怎么那么苦哇。"郭燕抱着宁宁哭诉起来。

"这个挨千刀的，外面养女人，他准备不要咱娘俩了，宁宁，你，你能答应吗，好女儿，你得给妈作主哇。"

"妈，没事。"

王起明气得跳了起来，"郭燕，我正告你，咱俩的事就是咱俩的事，你不能挑唆孩子介入，她无权也不能解决！我没错，我有权处理我自己挣的钱财，我现在就去银行"。

"你去吧。"宁宁冷冷地说。

王起明发动汽车直奔了银行。他气鼓鼓地先将两张公司支票存进了帐号，然后到柜台领取旅行支票。

"对不起，王先生，这个数字王宁宁签字才有效。"银行小姐恭敬地对他说。

"为什么?"

"因为有您和您太太的共同委托签署。"

"那好，我撤销我的委托。"

"那不符合银行的手续，您必须和您太太共同签署一份文件，才能生效。"

好哇，干得真漂亮！

王起明气急败坏地又发动起汽车，冲回家来。

正好，郭燕和宁宁还在一楼。

王起明进门就冲着郭燕大喊："郭燕，你放明白点儿，你要是成心这么干，别怪我不客气，从现在起，公司及家里的事情，我一概不管，我看你怎么活。"

宁宁冲他嘲讽地一笑。

王起明又对宁宁喊道："宁宁，爸爸对你可是一片真心，如果你想利用我和你妈的矛盾，从中渔利，你，你永远对不起我。"

"你对得起我吗？"

"我没工夫和你争这个，宁宁，你必须马上跟我去银行取钱。"

"没门儿！"

"什么，我打死……"

"嗵"的一声，门猛地踢开，斯蒂文冲着王起明狞笑着站在了门口，他右手扶着腰带，腰带上露出的手枪柄闪着阴森森的黑光。

13

两天后，他搬到了地下室，准确地说是被赶到了地下室。

"小人，小人，全是他妈的一帮小人，你们欺骗了我的感情，利用了我的善良。"他歇斯底里地骂着。

"谁欺骗谁，谁是小人，你心里清楚。"郭燕也声嘶力竭地喊着。

"妈，别急，这不是急的事儿。"宁宁表现得异常稳重，她转过身胸有成竹地对王起明说："爸，你要是实在觉得同我们合不来，可以走。"

"走，我凭什么走，这房子是我辛辛苦苦挣来的，要走的不是我，而且……"他突然刹住话锋，想对宁宁作最后的争取。先看了一眼在一旁看热闹的斯蒂文，然后放平语调说：

"宁宁，听我说，我知道你没那么坏，也没那么多心计，我看得出来，你在受谁指使，你千万可别做傻事，做众叛亲离的傻事。你头脑一定要清醒。"

"爸，说真心话，你还是离开这个家的好，不然，会出大事。"

"我绝不走，我死也要死在这里，这份家业是我创下的，这一切一切都是我亲手用血汗堆起来的。"他又忍不住叫喊起来。

"那好，你就赖在这里吧，假如你觉得自在、舒服的话。"宁宁还是那样冷静。

"对，我的家，我的房子，我当然很自在，很舒服。"

"不过，我也事先告诉你"宁宁接着说："一楼，我和斯蒂文准备搬下来，一是楼上太挤，二是为了工作方便。"

"我去叫警察，你们这是侵占民宅，是违反美国法律的。"

"请吧，可是我还是有必要提醒你，房契上的第一拥有者，当初你填的是妈妈，如果警察真的来了，把你轰出去，你也要考虑一下你自己的脸面。"

王起明心里明白，这个房契上的名字是郭燕在前。当初他只是想，虽然不爱她，可也毕竟跟了自己二十多年，即便将来分离，给她留个安全的住处，也算是对得起她，可却想不到，今天竟会出现这样的结局。没错，他还有另一幢房子，可是他已经全部出租了，在出租合约期限未到之前，他没有权力轰房客出去。想到这里，他哆哆嗦嗦地说：

"好，我走，我走，几天后再说，我先搬到地下室去。"

说着气鼓鼓地就去开通往地下室的侧门。由于激动，手不住地打颤，几把钥匙捅了半天才把门打开，还没等走到最后一层楼梯，一件东西就砸在了他的背上。

"这是你的枕头。"是斯蒂文，他一边往下扔着东西，一边笑哈哈地说：

"这是你的被子，这是你的衣服，这是你的车钥匙，这是……"

"斯蒂文，你这个流氓，你这个拆白党，你这样的我见得多啦，早晚会跟你算……"

"这是你他妈的床垫子！"随着斯蒂文的一声怒骂，他的话被打断，床垫子迎头盖下来，把他打瘫在地。

楼上的欢笑声和三个人急匆匆的脚步声传进他的耳朵里。

他推开压在头上的床垫子，捂住耳朵抱着头坐在了地上。

太可怕！太可怕了！

"不，我要去找阿春，去找阿春！"

他冲出了地下室的门，发动汽车，直朝长岛驶去。

当他来到阿春的房门前，门上的封条把他吓呆了，封条上清楚地写着"非本银行允许，任何人不得入内"的字样。

他焦急万分，房前屋后地找，找阿春能留下的足迹，找阿春给他留下的任何一件物品，边找边掉着眼泪。他深知阿春的为人，深知她不会什么也不留的就走，他坚信，阿春一定给他留下了点什么，他去翻信箱，果然，发现了阿春留给他的一封信：

起明，好！

我走了，去哪里，别打听。

我走了，人总得要活下去。实际一点吧。我已到了这把岁数，不能一辈子陪伴你了。

回想十几年来，我想我没有对不起你，你也没有对不起我，我做过的事情，一点也不后悔，我很幸福，一生中最好的光阴能同你一起渡过，我知足了。以后的岁月，只是求个归宿。女人嘛，到了晚年，还是找个有安全感的地方，心里才能踏实。

起明，你不久将会变，变成不是你的你。男人嘛，还有时间，但同时也要找个好的归宿，你前面的路程很险，珍重加小心。

记住，去开辟新的生活道路吧，最好在海外，远离你目前所处的环境。

阿春

他回到了地下室，心潮翻滚难以入睡。他想阿春，想阿春的一切，想这十几年来，他们休戚与共，她给与他无尽的情感、关爱、温暖，她……

半夜，他突然坐起身，打开灯，找来了一大堆白纸，放到了桌子上，他想写，他要写，要写爱、写恨、写回忆录，他要写阿春。

他从地下室的吧台上，取出了一瓶中国烈酒，对着瓶嘴，满满地灌了一大口，抄起笔，在第一页写下了一个书名：

《我的阿春》

他又放下笔，不知怎么写，不知该从哪里下手。汉字提笔就忘，英文又没那么好，怎么写？怎么写？他急得的直咬牙。追忆自己写方块字的历史，好像除了文革时，写过几张不伦不类的大字报外，就再也没有写过什么。

不管，反正要写，反正我得写，他重又抄起笔，在《我的阿春》大字标题下开始用力地写下：

"二月初，北京的天儿，真冷，天还没有大亮，灰兰灰兰的晨空里……。

从这以后，他真的开始写了，真的就跟那方块字叫上了劲儿。

他没日没夜地写，不停地写，写，写……

几个月过去了，稿纸渐渐地高了起来，他反复地研读写好的稿子，高兴地笑了。

楼上还是那么闹，一闹闹到大半夜，可一点儿也没影响他，他的心情平静极了，他的精神放松多了。

平时，除了到附近的超级市场买些烟和能充饥的食品外，他根本不出地下室的门，地下室有厨房，有厕所等等一切设备，还多了个酒吧台，写累了，可以在吧台上饮上几杯。

他忽然觉得这太好了，没什么不好，自从到了美国以后，还没有一天这样舒心过，心灵这样安宁过，他再也不觉得寂寞了，再也不愁找不到沟通的对象和宣泄的渠道了。他像神仙一般，在地下室过着仙界一样的生活。美，美极了，再也没有比这能干自己想干的事儿更美了。

　　除了专心致致地写《我的阿春》以外，一些零碎事也在不停地打扰着他。他出租的那所房子是属在他名下的，所以，房客的交租，契约的更换，他不得不出面。不过，这算不了什么，比起操管整个工厂，由接单到生产到发货，不知轻闲了多少倍。一个月花不了他几个小时。利用这个房子的租收，来维持自己写方块儿字，这在美国可是独一无二的了，真可称全美国的特权人物了。

　　就这样，他的书终于写完了。

　　他高兴，他满足，哼哼叽叽地把一大堆稿纸包扎好，寄到了北京的出版社。他不关心这部书能否出版，只关心、希望阿春能发现，看到这些他写的字。

　　寄出书稿的第二天，他生怕自己空下来，又马不停蹄地开始了《我的阿春》续。

14

纽约的天气逐渐变暖，院子里的鲜花竞相开放，小草静静地闪着绿光，地下室的温度慢慢地升高。

硕大个地下室没有冷气，窗子窄小，额头上的汗经常把稿纸打湿，纸上的笔迹也越写越潦草。王起明常常写着写着站起身来，扒到小窗前，踮起脚跟伸长脖子，鼻子对着草地足足地吸点新鲜空气，可又不愿意多站起来，这样会耽误时间。他要写的东西，要说的话太多太多了。

前几天，他在去收房租的路上捡到了个破电扇，拿回地下室通上电，行，还真转，就是因为年久缺油，工作起来吱吱呀呀地杂音不断，但仍影响不了他写字。从这以后，这架破电扇就成了他的伙伴，几乎每天 24 小时都陪伴着他，即使后半夜温度下降，他也不愿把它关上，它是地下室唯一能发出声响的物件。

电话铃声也是令他振作一下的响物，可他怕它响，怕它响个没完。无非都是住那房子的房客打来的。不是嫌冷气不足，就是要求扩展门窗，遇到这种情况他总是不客气地对房客说：

"SORRY，I CON'T OFFER IT。IF YOU WANT TO STAY, STAY。IF YOU WANT TO LEAVE, THEN LEAVE, I DON'T CARE。"（对不起，我不能提供，您想住就住，不想住就走人。）

他这样对待房客，房客也自有办法对付他，其中一对南美洲夫妇，见他不管不理，末了，拆坏了窗子，捅漏了水管，搬走了冰箱，房租一分没交，走人。至今那间房子还空在那里。

又到了月底，电话又开始忙起来，甭接也能猜出，不是叫他去找人修水管，就是让他给他们买新冷气。

这天，他写得正值兴浓，舍不得停下手中的笔去接电话，可那一声接一声的铃声，简直叫他没法再写下去，他抄起听筒就喊：

"I TOLD YOU, IF YOU DON'T WANT TO STAY，YOU CAN MOVE OUT！"（不想租的尽管走。）

"MAY I TALK TO MR. WANG？"（我可以跟王先生讲话吗？）回答电话的是 一位很有教养的女人声音。

"WHO'S CALLING？"（是谁？）他还是那么不礼貌。

"THIS IS YEH YING？"（我是夜莺）

"WHAT？YEH，YEH YING？"（什么？夜，夜莺？）

"YES。"（是的）。

他不由得一惊，怎么也想不到会是夜莺打来的电话。他灵机一动，耍了个小花招。他不愿暴露出刚才那个粗暴的声音就是他，不想让夜莺知道他是这么一种人，于是，他用手半挡住话筒，站起身来，冲地下室深处喊了一声：

"王先生，你的电话，夜莺小姐找你。"

再过片刻，他把手从听筒上慢慢移开，像是换了一个人似的说：

"噢，夜莺，能听到你的声音很高兴，怎么样，最近好吗？演出忙吗，我真想再次有机会聆听你的音乐会"。

"谢谢您，王大哥，我所以这样冒昧地给您打电话，是有件急事想求您。"

"说吧，什么急事。"

"我的同学吴颜到纽约了，也是咱们学校的，她急需一个住处，我这里离曼哈顿太远，她的学校就在城里，我想，上次您……"

"好，好，夜莺，可以带她随时来。房子的地址你拿笔记一下。"

夜莺记完了地址后，感激地说："您真是一个不食言的人，太谢谢您了。"

"你们什么时候来？"

"晚上7点可以吗？"

"没问题，我在那里等你们。"

"那好，再见。"

王起明放下电话，回忆起了那场音乐会和法国餐厅的饭局，回忆着饭局中的夸夸其谈，他羞红了脸，一直红，红到脖梗子。

看了看表，离晚上7点还有几个小时，他想起了那幢房子里，那套被南美人破坏得一塌糊涂的房间，他准备利用这段时间去整理一下。

他开车先去买了桶白油漆，又买了块16平方米大小的地毯，然后就到那幢房子里干了起来。

他自己什么工具都有，计算一下，他要换水管，修窗子，接下来刷墙壁，最后铺地毯，时间相当紧迫，得一小时完成一项工种。他"叮叮当当"认认真真地干起来。他不清楚自己为什么这么卖力，也不明白对夜莺的这一要求，为什么会如此地认真对待。

不一会儿，他像变成了另外一个人，头发上粘满了白灰，衣服上满是污迹，双手和脸上都已分辨不出原来的肤色。

自打作了老板，这些杂活就从来没有干过，向来都是花钱雇人，但是，今天自己动手干，不仅没觉得脏累，反而越干越起劲，越干越有趣。他本来就是个干什么事情都非常仔细执着的人。

他干得忘记了吃饭，他干得忘记了时间。

窗子修好了，水管子换了根新的，墙壁刷得雪亮，就差铺地毯了。

"叮咚，"有人按门铃。

他用手背擦了擦鼻子，打开了门。

"请问王先生在吗？"是夜莺。她问完又抬头看了看门牌。

他咧开嘴笑了笑，他真的觉得好笑。不用照镜子，从夜莺的表情中就可以看出，自己是副什么模样了。

"您就是吧。"夜莺也忍不住笑了："来，吴颜，我给你介绍一下，这位就是我跟你说过的王先生，王老板。"

"来来来，请进请进。"他把她俩让进了屋。

"怎么样，夜莺，你来看看，还满意吗？"他指着刚刚整理好的房间。

"太好了，王大哥，其实不用这么费心，您那么忙，这就很感谢您了。"夜莺看着亮堂堂的房间说。

"夜莺姐，那家俱……"吴颜不好意思地问。

王起明一拍大腿说："哟，亏你提醒了我，别急，吴颜，地下室里有两套半旧的双人床垫，你要是不嫌弃，我带你们去看看。"

他们来到地下室，灯一亮，吴颜简直高兴得要蹦起来，

"太棒了，王大哥，这几乎就是套全新的呀，还有电视机，V. C. R.（录像机），沙发。太棒了，王大哥这得要多少钱？"

"你拿去先用吧。"

"太棒了！"吴颜跳着脚说。

"不，该怎样就怎样，要不然连房子带家俱一起租。您看怎么样？"夜莺商量着对他说。

"别那么看不起人，我不缺这个。"

三个人回到楼上，王起明叫她们先出去吃饭，自己还要铺地毯，等她们吃饭回来也就差不多了。

"不不，咱们一起干。"夜莺提议。

"什么，你也会干？别开玩笑了。去去，先吃饭去，小姐们"。

夜莺笑了："王大哥，我会干，而且我肯定干得不比您差。来，吴颜，你拉着那头铺平，王大哥，您先歇一会儿。"说着她拿起锤子，把小钉含在嘴里，沿着墙角，跪在地上，象模象样地钉了起来。

王起明站在那里，用手捶着发酸的腰背，看着夜莺熟练地挥舞着锤子，动作敏捷而又准确。他不敢相信，眼前这个干粗活的姑娘就是舞台上光彩四射的女歌唱家。

"王大哥，"夜莺一边铺着地毯一边说："您一定很累了，先去冲个澡，不然您这个形像会影响我们俩的工作。"说完两位姑娘笑出了声。

王起明走进浴室，他被镜子里的自己吓了一跳，白漆把头发粘得打成了卷儿，以鼻梁为中心，左半个脸，被白漆染得煞白，右半个脸被油污涂抹得个净黑。整个一个阴阳脸。煞是难瞧，可怕。

他迅速打开喷头，让温水尽情地喷洒着自己。

等他冲完洗净回到房间，夜莺她们已把地毯铺好，搬进了家俱，正在调试电视和音响。

"王大哥，您这些电器是配套的吗？"夜莺爬在地上，查看着机器问。

"忘了，多少年前买的了，搬一次家就扔一批。"

"真可惜，"吴颜心疼地说。

"不不，也不算扔，就是搬了新家，这些旧的不用，存放在地下室里，天长日久就忘了。"他说这些话的目的是为了不使吴颜感到不舒服。

"总买新的多浪费。"吴颜说。

"是迫不得已，为了免税逃税。"他再次解释。

"有说明书吗？"夜莺趴在地上，继续摆弄着那些电器。

"早丢了。夜莺，真想不到你这么……真是不可思议的事。"他摇晃着头说。

夜莺一连查看着电器机上的小黑字，一边说：

"这些都是兴趣，甭管干什么，搞清，弄懂，不是最有趣儿的事儿吗？"

王起明想，她的歌之所以唱得那么好，恐怕与她这种个性多少有些关系。

不一会儿，夜莺把所有的连接线接通，电视机亮了，音箱响了。

"好了，我该走了。"夜莺站起身来，掸了掸衣服说。

"不，不。一块儿吃饭吧。"王起明客气地说。

"回去太晚，我的那位会猜疑生气的。"夜莺坦白地说。

吴颜听着，有些不高兴："你的那位真扫兴，一点儿也不象个老美。甭管他，咱们先吃饭。"

"不好，不好，还是你们吃吧。吃完就早点儿休息，明天你还有课。王大哥也该休息了。"

"我没事儿。"王起明很想留住她，同她多聊聊。

"以后有的是时间。再见。"夜莺说完便跑了出去，发动起她那辆白色的 TOYOTA（丰田）小汽车。

"吴颜，你饿了吗？"夜莺走了以后，他问。

"有点儿。"

"你想吃什么？"

"你要是不在乎，我书包里有方便面。"

"好。下面。"

吴颜在房间里收拾行李，王起明到厨房煮面。

不一会儿，他就把两碗面端进了屋。他们一边吃一边聊起来。

"吴颜。你跟夜莺是同班吗？"

"呦！"吴颜一怔，接着笑着说："这说明什么呢？只能说明夜莺姐比我长得年轻，长得漂亮。"

"我可没那个意思。我的意思是，看样子，你俩的交情还挺深。"

"她比我高五班。换句话说，她来美国后，我才进的学校。我俩在中国根本不认识。"

"那她跟你怎么那么铁？"

"我也来美快两年了，铁不铁的，反正她待我没的说。"

"你俩是怎么认识的？"

"这个吗，说来话长。去年，我和她一同参加了全美美声唱法比赛，她拿了头奖。二奖是个美国人，三奖是个法国人，我才拿个特别奖。打那以后，我们就认识了。"

"不错，不错，你们都挺有出息。"

"后来，夜莺认为评委对我的评分不公平，她还去找了他们。可是，评委仍然坚持他们的意见。最后，气得夜莺姐还发了火儿。"

"你觉得夜莺唱得怎么样？"

"一句话：炉火纯青。她得头奖，当之无愧。"

"我听她唱过，确实不一般。"

"可是，夜莺姐死活认为，我比她有前途。她说，再过三五年，她将到大都会去看我的演出。我真是不敢想，将来能有这么一天。"

"真羡慕你们。"

"王大哥。夜莺姐是个实在人，你知道，不管在东方，西方，在这个行当里，都充满着勾心斗角，相互拆台。"

"同行是冤家嘛。"

"对！我俩都是女高音，可她从来不忌妒我，还一个劲儿地认为，我的音质条件比她好，素质比她强。真的，这不是光说说，她真这么认为。她见人就这么讲，逢圈子里的人就这么推荐。"

"那你认为呢？"

"我？我怎么能同她比呢？她在中国，就早已是有名的歌唱家了。我当初的入门，还是听她的唱片，看她的录像，模仿她的呢。"

"这也难说，青出于蓝而胜于蓝嘛。你要增强自信心。"

"是啊，她也常常这样说。她说，我除了在高音区有些不通，中音区注意别唱得太撑，其余没什么毛病。缺的是名学校，名老师的推荐。要是具备这两点，我一定能杀出来。"

"我想她一定能帮助你。"

"是啊。我这次来纽约，就是要报考朱利娅音乐学院，这也全是她的主意。可我还是有点儿犹豫，我哪来那么多钱哪！"

"一学期得多少钱？"

"这个……我知道您是大老板，有钱。可我的事儿就不用您操心了，夜莺姐已经帮我预付了。"

15

书出版了，《我的阿春》真的问世了。王起明看着一本本从北京寄来的新书，双手把书捧到自己的脸上，用力地闻着清香的油墨味，激动地淌下了热泪。

他一个人在地下室，时而像个得胜的长跑冠军，把书抛向空中，时而又像个刚入学的天真孩子，爱惜地翻阅着书中的内容。

很快得知，他的书不仅出版了，而且，大陆的不少报纸上还做了连载。紧接着，美国的华文报纸也对此书给予了很高的评价，《纽约时报》，《华盛顿邮报》也写出了评论。

王起明真弄不懂，这是怎么一回事儿？更弄不懂怎么还会有这么大的轰动，也弄不清，为什么会有那么多人喜欢这本书，喜欢他的阿春。

不久，不仅大陆电台录制了广播剧，而且电视台还准备改编成连续剧，最近，又有人想把它拍成电影。

这种成功的喜悦，用语言是难以形容的，按他自己的话说：这比买下几幢房子还刺激。

可是，就在他陶醉在自己的成功喜悦时，楼上打来电话，令他必须尽快把那幢房子的房客统统赶走。

"为什么？"他问郭燕。

"因为线库太小，已放不下存货，斯蒂文准备打通地下室放线。"郭燕用商量的口气接着说：

"如果你同意的话，我们也准备付你房租，不会叫你受任何损失，不知你的意见如何？"

"休想。"他不屑一顾地挂断了电话。

他再也不愿意与她们交谈了，再不愿意和这些纯物质的脑袋打交道了。

电话又来了。

"什么事儿？"

是宁宁的声音："既然是这样，也请你付你住地下室的房租吧。"

"行，给你们。没事儿了吧？"说完，他又要挂电话。

"等等。"宁宁喊住了他："爸，同你商量一件事儿，安东尼的那些大定单、合同，非要你出面签字，否则……"

"行。我签。"

"你要是签了字，你的房租可以免收。"

"怎么都行。"他象一个战俘一样，答应了他们提出的一切条件，因为他觉得，这些不必争了，他的事业，他的寄托根本不在这上面。他有他的计划。

他要找阿春，把书寄给她，把所有关于这本书的报道和反映都告诉她。

他把电话打到"湘院楼"和熟悉阿春的一些朋友那里，可是，所有的回答都令他失望，没有任何人知道阿春的去向和下落。

他苦恼，苦恼极了。遗憾，遗憾透顶。为了补救这种遗憾，他逢人就送书，认识不认识的全送。

他向北京的出版社订购了大量的精装本。等这些书一到，他第一个兴冲冲地跑到那幢房子里，送给了吴颜一本。

"这书是你写的？"

"对。我写的。"

"我早就听说过这本书，北京的亲戚来信，一再向我推荐。作者原来就是你呀。真想不到，黑心肠的资本家，大地主还会写书。"吴颜笑得"咯咯"地响。

"我心不黑。我不是……"

电话铃声打断了他们的谈话。

吴颜马上打开电话机上对讲器的键子，一边翻书，一边问："HELLO，是谁呀？"

"我。夜莺。"对讲器的小喇叭里传来夜莺带有磁力的声音。

"夜莺姐，我告诉你个新鲜事儿，我的房东会写书。"

"我知道。"夜莺说："这本书我看了，是家里人寄来的。昨晚一夜读完的。他写得很真实，很棒。"

"夜莺姐，他就在这儿。"

"是吗？能跟他说几句吗？"

王起明没用对讲机，拿起了听筒，清了清嗓子，又撤撤喉咙，庄重而又严肃，使人感到他俨然就是一个大作家。

"你好，夜莺。"

"王大哥，我很佩服你的写作天份，也喜欢你书中的阿春。恭喜你所获得的成功。"

"不，不，过奖了。这不算什么成功。你才是真正的成功者。你才为咱们中国人增了光。"

"你太客气了。我由衷地感谢你，为我们这一代的新移民，说了真话。"

他说不出话来了。想不到夜莺会这样回答，他眼圈潮湿，嗓子哽咽着放下电话，回到了他的地下室。

刚刚坐稳，电话铃又响了起来。

"HELLO，我是夜莺。我真不知说什么才好。你那么忙，又做生意，又写书，你的时间是宝贵的。我托给你的事儿，耽误了你的时间，真对不起。吴颜告诉我，这一阵子，你帮了她不少忙，为她做了不少事情，真的谢谢你，给你添麻烦了。"

"你太客气了。

"不是。我心里真的过意不去。特别是你不收她的房租，这是不行的，绝对不行的。"

虽然我们都是好朋友，但谁也不能占谁的便宜。吴颜的困难是暂时的，她是个很有才能的人，她的天份决定着她，一定能杀进大都会歌剧院。我们一起帮助她吧。"

"夜莺，"他吸了一下鼻子说：

"夜莺，我懂，我懂你的意思。我也感谢你给我这样一个机会。"

"王大哥，我明天要去欧洲演出，我得先收拾一下行装，等我回来咱们再聊。"

"好。哎，夜莺，你能寄给我一盘你的录音带吗？"

"你喜欢哪一部歌剧？"

"我……"他一时答不上来，因为他对歌剧并不熟悉：

"就是上次，你在卡纳基音乐厅唱的那部莫扎特的'安魂曲'吧。可以吗？"

"好！我一定寄给你。"

两天后，他收到了一个大信封，是夜莺寄来的。里面不仅有莫扎特的"安魂曲"，还有一张500块钱的支票，并注明：这是吴颜的房租。

王起明拿着磁带和支票，呆呆地看了半天。

16

夜莺在赫尔辛基的最后一场演出结束了，芬兰国家文化局设宴，宴请《魔笛》一剧的全体演员，祝贺他们的圆满成功。

夜莺对理查德酒会上的谈话不满，尤其是对她的介绍，使她非常生气。她不止一次地提醒理查德，不要只是一味地介绍她是美国的著名演员，同时要介绍她来自中国。可是理查德总是忘记。

酒会后的舞会上，夜莺对理查德的表现更加不能忍受。他夸夸其谈地向人们介绍，夜莺是他发现的，甚至不经她同意，逢人便说他是夜莺的丈夫。似乎他可以主宰夜莺的一切，俨然他就是她的主子。

更使她愤怒不已的是，他在与另外一些欧洲国家的歌剧院洽谈合同的时候，时间、曲目都是他一个人说了算，使她感到自己成了一个商品，被人随便买来卖去的一个普通物品，而不是一个演员。

她气得一甩手跑回饭店的楼上。

睡不着觉，就坐在屋里等着理查德回来和他理论。

理查德很晚才回来。不等他开口，夜莺劈头就说：

"理查德，请你记住，我不是你的商品，我是人，是中国人。"

"我有什么做错了吗？"理查德惊奇地问。

"是的。你做错了，当你同别人定合同，谈条件时，为什么不征求我的意见？"

"为什么要征求你的意见？那是我的工作。"

"可是，出去演唱的是我，而不是你。"夜莺的声音有些控制不住。

"你累了，需要休息。"

"不。你只是我的经纪人，不是我的主人。"

"你错了。指望我作经纪人的歌唱演员多得很。我之所以对你这么尽心，是由于看在你我不同的关系上。"

"可是，你必须要尊重我的意见。"

"是。我的宝贝儿。"

"尊重我们中国人。"

"是。我的心肝。"说着，理查德走上前要与她拥抱。

"不。不行。"

"为什么？"

"起码今晚不行。"

最后，她虽然屈服了理查德的热情，但在黑暗中，摸着那只订婚戒指，心里却油然生出一阵阵不舒服和委屈的感觉。

17

在安东尼的合同上，王起明签了字。客户打来的电话，他也开始接了，不仅接，还为宁宁做了担保，担保她的女儿完全有能力完成这批大定单；担保万一有什么困难，他自己可以出面解决。另外，他向客户解释了这些日子为什么没有亲自出面的原因：一是身体不适，二是下厂进行了严格的质量管理。

王起明之所以这么做的原因很简单，除了他自己已经厌倦了这种无休止的赚钱生涯外，他真心地想帮助她们。如果她们在这个生意场上能站稳、立足，对他也没什么不好，正好可以减少对他的负担，更专心致志地写《我的阿春续》。

楼上的人则认为，一切想法和计划全部实现了。因此，连日来，一到晚上，她们闹得更欢，几乎天天大宴小酌地请人吃饭，打牌，或开 PARTY。

王起明则紧关着地下室的门，一切来客避而不见，这正中楼上人的下怀。他们对工人和熟悉王起明的朋友也都这么解释："王老板不在纽约，他回大陆了。"

看来，人真是各有所好。他对楼上的这番解释非常满意，也正中他的下怀。你们可以放心地去赚钱，我可以安安静静地写书，两全其美，何乐而不为呢？

楼上天天晚上这么折腾，对他在地下室的写作，或多或少有些影响。不过，他有他的解决办法。

他利用白天的安静拼命地写，到了晚上，他可以到另外那幢房子里去，找吴颜聊聊天儿，听听唱片，或帮她修修车什么的。

吴颜一点儿也不讨厌他，不仅不讨厌，而且还希望他来。要是隔个一两日没去，吴颜还打电话过来，约他过去坐坐。

"只要不影响你的学习和休息，我当然愿意来看你。"他对吴颜说。

"不会影响，王大哥。你知道，学习压力大，打工精神紧张，一个人回到屋里，寂寞得很，巴不得你能过来聊聊，谈谈你们老移民的经验。我感激你还来不急呢。"吴颜也总是这么回答。

通过一段时间的接触，王起明了解到吴颜的确不容易，虽然夜莺帮她预付了朱利娅音乐学院的学费，但是生活费她必须自己解决。她在学校图书馆打工的微薄收入，将将够支付房租、电话和加汽油的费用。至于听导师的课，这笔昂贵的费用，她就不得不利用周末两天，在MCDONALD（麦当劳）打工的收入来补贴了，除去税金，一周也就能挣上一百多块。听一堂课的费用正好用去一百，加上过桥费，几乎是一分不剩。所以，她根本没有多余的钱去买新衣服和置办漂亮的演出服。就连平时去AUDITION（考试）穿的那套正规点儿的时装，还是王起明送给她的呢。

　　吴颜，今年26岁，长得和夜莺有点儿相象，也是有个高挑修长的个子。她们都是从十亿人里，从几万名考生中选拔出来的才女。

　　歌剧，是一种音乐、戏剧和文学的综合艺术，所以，作为歌剧演员，不仅要具备自身的气质和良好的业务基础，在外型上，也要求十分严格。歌剧的鼻祖是意大利，次之德国，法国……这样，一个真正的歌唱家，首先在语言上也得过上几道难关。

　　中国的歌唱家之所以能在西方歌剧界里占有一席之地，其一，就是他们不仅具有歌唱的功力；其二，就是语言过关。还有一点，被西方女声歌唱家们所羡慕的是，这些中国的女声歌唱家们的优美体形。西方女高音的表演者，唱得尽管也很出色，可是，个个体形不是像油桶，就是似面缸。

　　夜莺比吴颜高五班，如果说把她俩作个比较的话，王起明的感觉有明显不同。

　　虽然从她们的外型，演唱风格和仪态上都感觉差不多，可是，说到根上，还是有点儿不一样，到底哪点儿不同，哪点儿不一样，他也说不出个所以然来。但是不管怎么说，他从心底里佩服这两位来自中国，来自母校在美国闯荡的独身姑娘。

吴颜有一架不到两个八度的小电子琴，她平时在家练声就用这个，每当王起明用手指头按着这架日本产的CASIO时，所发出的声音，都令他感到既滑稽，又可笑。可笑的不单是它发出的奶声奶气的娘娘腔，而是这样一位具有天才的中国女高音歌唱家，在北美，在最现代化的都市，竟用儿童玩具来练声，来练习完全与它不匹配的莫扎特和威尔第的歌剧咏叹调。

他看在眼里，不声不响地利用周末，开车去了趟长岛。

每逢周末，长岛的各大小镇子上，到处张贴着 GARAGE SALE（旧货出售）的小告示，人们把一些不用的，过了时的衣物、家具，甚至是电器，放在自家院内的草坪上，打发孩子去"经营"，这样既满足了孩子们当老板的好奇心，又培养了他们第二代的经济头脑。

与这些 GARAGE SALE（旧货出售）的孩子们打交道，王起明很有把握。凭他十几年商场的经验，孩子们根本不是他的对手。再说，在这个非正式的交易市场上，不仅可以砍价，而且可以杀价，杀它个没边儿没沿儿。

王起明准备给吴颜买台钢琴。如今的他不可能像当年一样，不皱眉头地就去买一台新的了。他也得去挑便宜货。

他开着车转了几家，发现了一台斜站在草坪上的钢琴。

他跳下车，用手指弹了一个音阶，然后，对着一位看上去只有十三四岁的小男孩儿问：

"HI！BOSS, HOW MUCH IS THIS PIANO?"（嘿！老板。这台钢琴多少钱?）

"EIGHT HUNDRED."（800块。）

"TOO EXPENSIVE!"（太贵了。）王起明转身要

"FIVE HUNDRED。"（500 块。）小孩儿忙说。

"DON'T BE KIDDING。"（别开玩笑。）

"HOW ABOUT THREE HUNDRED, SIR ?"（先生，300 块怎么样?）

王起明没回答。

小男孩儿接着说："THIS IS VERY GOOD PIANO, ONLY FIVE YEARS OLD, MY MOTHER BOUGHT IT FOR ME, I LIKE IT, BUT I DON'T LIKE TO PRACTISE. HOW MUCH YOU WANT TO PAY FOR IT ?"（先生，这是架好琴，我妈给我买了刚刚 5 年，我很喜欢它，可我不愿意练琴。那你告诉我，你想付多少钱?）小男孩儿有点儿着急。

王起明看着小男孩儿那急切的样子，他不禁笑了起来。伸出一只手，作着成交的动作，小男孩高兴地也伸出一只手，两掌一击，说了声"DEAL"。

"买卖"做成了。

傍晚，他开着车，把琴送到了吴颜家。

"太棒了!"吴颜一见钢琴简直要乐疯了。

"来，搭把手，往里推推。"他见吴颜这么高兴，心里顿时产生了一种满足感。

"王大哥，我知道，这台钢琴一定花了你不少钱，可现在我没这个能力还，等以后……"

"还什么，便宜得很，跟捡的差不多，来，先顶住门。"

"不。王大哥，这样我心里会不安的。就算你暂时贷款给我吧。"

"你可真逗。这点儿钱也值得贷吗?"他一边往里推琴，一边

气喘嘘嘘地说。

钢琴放好了。他擦了一下额头上的汗说："过来，试一试。"

吴颜蹦跳着坐在了椅子上，弹了段快速的音阶和琶音："太美了！"

"音有点儿不准。"他打开琴盖儿说：

"不过，这不是大毛病，弦松了，赶明儿找人调调就好了。"

吴颜弹了段儿贝多芬的小奏鸣曲后，搓了搓手说："王大哥，你坐下，我给你唱一段儿。"

王起明坐了下来，吴颜唱了段《茶花女》中的"饮酒歌"。有了钢琴，吴颜高兴地找着新感觉。

吴颜唱兴正浓，一阵门铃声打断了她的情绪。

她走出房间去开大门："你找谁？"

"王起明在这儿吗？"

王起明听出，这是郭燕的声音，连忙站起身来。一边往外走着一边想着她从来不到这幢房子来，今天来这里干什么？

他走到门口，发现宁宁跟在她身后，门外还站着斯蒂文。

"王起明，我告诉你，"郭燕的脸拉得很长。

"别以为你口袋里的钱就是你的。现在的定单量这么大，周转资金不够用。你必须把这里的房租统统交出来，放在生意上。你我现在还是一家，你还没和我离婚，这里的房租也是共有的。"

"我没有钱！你不是不知道，这里的房租收入，一半儿得交给银行，付 PAYMENT（分期付款）。"王起明对郭燕的无理取闹十分气愤。

"你没钱？可你却有钱送钢琴，养女人。"

"你？……"

"我怎么啦。我活的光明正大，不像有些人，为了骗点儿东西整天介向男人献殷勤。"郭燕越说越觉得自己占理儿，叫着王起明的大号继续说：

"王起明，我告诉你，你现在，在中国、美国大小也算个知名人士了，你要是继续胡作非为，我就找记者写文章，登报纸揭露你。让你身败名裂，臭名远扬，一文不值。"

"好，你随便吧。"

"王起明，你等着。"郭燕像是背完了台词，宁宁一推她，甩门就走了出去。

"谁呀，你老婆吧，真凶啊！"吴颜吓得站在原地，傻呆呆地说。

"没事，来，吴颜，接着唱。"

"起明。"吴颜不知为什么改变了对他的称呼："来，上屋里坐。"

他俩回到了房间，吴颜依在钢琴边，手扶着琴盖说："这两天晚上我又看了遍你写的书，了解到你的内心世界。我觉得，在这个时代，离婚算不了什么，更何况又在美国，彼此认识不到对方的价值，没了感情，不如早离早散。起明，像你这样四十多岁的男人，离了不愁找不着理想的。你有钱，有名，有事业……"

"不，不，吴颜，你错了，这些统统是假像，我什么也没有，一无所有。"

"怎么一无所有，明摆着的，你有房子。再不济，你还是有美国身份的人吧，年轻的姑娘谁不追逐这些。女孩子心目中的偶像，要么是有才气，要么有名气，要么有产业有事业，你全占了，你愁什么，我要是……"

"吴颜，我得走了。"

"你……"

"好了，你好好休息吧，明天一早还要上班呢。"

吴颜把王起明送出门外，看着他的背影，心里一阵酸楚，觉得他怪可怜的。

18

夜莺从芬兰回来了，她一到纽约机场就给王起明打了个电话，通知他今天晚上过来看他们，并分别给他俩带来了礼物。

"你还是好好休息几天，过两天再说吧。"王起明客气地说。

"不行，后天我又该飞了。"

"去哪儿？"

"柏林。合同定得太密，还是今天晚上吧。"夜莺说完就挂上了电话。

王起明不仅从吴颜那里得知，夜莺是个满天飞的人，合同一个接着一个，就是他偶然翻翻报纸，也能在文艺版上见到她的行踪。

王起明在"今日明星"一栏里知道她下半年将在台北举行独唱音乐会，年底在日本演出《浮士德》，明年初新加坡还将邀请她唱《保利花》，接着台北又要邀她去唱《荒原》里的金妹子……，尽管王起明知道她几项大的日程活动，可据吴颜讲，她的临时演出活动，多得不计其数。

晚上，夜莺把带来的礼物送给了他俩，送给吴颜的是一盒录像带，上面录着这次她在芬兰皇家大歌剧院演出的《魔笛》实况，她给吴颜看的目的，是想请她听听"夜后"那两段难度极大的咏叹调，自己在技巧和音乐处理上还有哪些不足，并对照赫尔辛基各大报的评论，两个人交流一下。

送给王起明的礼物比较简单，是她从赫尔辛基大教堂带回来的一枚银制十字架。

"谢谢你，夜莺，不过这玩意我不大信。"王起明说。

"你先收下吧，往后再讨论。"说完夜莺就打开了录像机，吴颜和王起明立即坐下来，激动地观看着夜莺在芬兰的演出盛况。

录像是从实况转播中翻录下来的，王起明虽然不懂芬兰语，可从电视播音员的语气、声调和表情上分析，这是一次盛大的演出。

接着屏幕上出现了夜莺的生活镜头，播音员似乎在介绍，这位中国姑娘的生平以及她历次所获奖的记录。在这一组镜头里，赫尔辛基电视台，不知从什么地方搞来了一些中国东北的镜头来详细说明，这位世界级的著名女高音出生地就在中国的北方。

"夜莺，你是东北人？"王起明问。

"嗯，长春市。"

"你可没有东北口音哪？"

"外面呆久了。"

画面上摇过了一群芬兰国家领导人后，乐队奏起了序曲。

王起明全神贯注地看着夜莺扮演的"夜后"，认真地听着她的每个唱段。

歌剧《魔笛》是莫扎特的晚期作品。这个近乎疯狂的作曲家，把"夜后"的音域拉得太宽，甚至超过了一般人的声带负荷。在配器上，他不惜让"夜后"与整组的铜管乐硬拼，音量还必须盖住全体管乐。

当夜莺唱完一般女高音不敢碰的那段"灵上的忏悔"后，观众席上响起了巨大的掌声。紧接着，屏幕上出现的是芬兰国家的首脑们斯斯文文的拍手和微笑。

王起明看着看着，鼻子有点发酸，心脏跳得极快，他不敢相信，这位活生生的"夜后"此时就坐在他的身边。

"刚才那几句，我唱得还不够理想，是不是 HI－F 应该再唱得轻巧些。"夜莺双手托着下巴问他俩。

王起明紧握手中的十字架，没有回答，他看得很入神。他不是被"夜后"的魔法威力所震慑，而是被眼前夜莺的才能深深地振动了。

录像放完了，他长吁了一口气，站起身来刚要走。

"王大哥，"夜莺叫住了他："明晚 8 点，我在中国城的金宫酒家有个独唱节目，是商界组织的，到场的都是中国商人，你要是有空不妨去一趟，我想这可能对你的生意、信息和交往会有些帮助。"

"不，现在我不是生意人……"但他停顿了一下又说："好吧，我去，我当然要去，一定要去。"

CHINA TOWN（中国城）金宫大酒楼已座无虚席，来宾都是华人商界的头面人物。

组办者请来助兴演出的有：舞蹈"小刀会"；民族器乐合奏"金蛇狂舞"，广东音乐"步步高"，"鸟投林"，"江南丝竹"，"丝竹调"，"花好月圆"；钢琴独奏"黄河"，最后是夜莺的独唱。

夜莺今晚没有特意打扮，只穿了一套极普通的生活装，轻盈地走上舞台，站在钢琴前，整个大厅便立刻荡漾在她那充满激情的圆润歌声中：

我爱你中国

我爱你中国

我爱你碧波滚滚的南海，

我爱你白雪飘飘的北国……

我要把最美的青春献给你
我的母亲，我的祖国
我爱你……

王起明被她那激昂跌宕的歌声所激动，控制不住自己的感情，哗哗的眼泪情不自禁地流淌下来。他不明白自己是怎么回事，是思乡？是爱国？还是……也许什么都有，反正，那声音，那歌词此时此刻是那么强烈地震撼着他。

他站起身捂着脸，跑出了金宫大酒家，站在电线杆下任凭泪水冲刷着双颊，站了好一阵。

后半夜，地下室静得出奇，静得连他自己都感到可怕。他翻来覆去地睡不着，琢磨着自己的心事。

"要是阿春在就好了。"他自言自语地说。他再次打开阿春最后写给他的一封信，当重又看到信中最后一行字的时候，他的眼睛猛然一亮，似乎此时他才终于明白了阿春的意思，全部理解了她最后的一句话：

"……你要小心，珍重，去开辟生路吧，最好是海外，远离你所处的环境。"

……

对，他要走，他要去海外，他要回北京。

19

　　他的双脚，一落到北京的土地上便不由得浑身上下一抖，这一抖，把纽约的烦事苦事，怨事愁事抖得个一干二净。

　　北京的乡风一吹，似乎一下子把他吹明白了，他觉得在这里找到了自己的位置，找到了自己的价值。

　　报上说他"是年轻有为的企业家"，"才华横溢的小说家"，"卓有成就的服装设计家"，……这家，那家，那么多个家，该是什么样呢？

　　走出北京机场的大厅，他苦苦地琢磨着。得摆出个什么样的姿势，得拿出一种什么样的派头，才像个"家"呢？可又一想，哪来的这么多个家呀，实际上，没家，真的没家。

　　他还挺能折腾，没过几天的功夫，就热热闹闹地办起了一个服装厂，又沸沸扬扬地开起一个服装店。其实，他真没把心思放在做生意上，给他当董事长他不要，让他掌握财权他也推辞。

　　那他的心思搁哪儿了呢？很简单，他这趟回来，两眼根本没盯着钱。他是来寻找阿春说的"海外生路"。他理解这生路，绝不是指钱，而是像阿春一样，找个归宿。

　　自打他下了飞机，两眼就开始瞎寻摸：他要找个人，能跟他说话的人，能听他讲他那些不顺心事儿的人。当然，这个人最好是个女性。

　　没费什么劲就找着了，他找到了一只"丑小鸭"。管人家叫丑小鸭，确实有点冤枉，这姑娘不丑，就是个儿矮点儿，体瘦点儿。

丑小鸭，管他叫"大面瓜"，他管丑小鸭叫"泥娃娃"。泥娃娃管他叫"煤油桶"，煤油桶管她叫"小牙签"。他称她为"糖三角儿"，她称他为"密麻花儿"。总之，他同丑小鸭在一起过得挺愉快，挺有趣。生活了一段时间，他又觉得她挺可爱。

丑小鸭虽然比他小个十多岁，可要是长了毛，比猴儿还得精，不久，她郑重地向他提出：

"可爱并不等于爱，谈开了吧，爱还是不爱，别总这么着，要是总这么着，老娘可没工夫陪你。"

"别生气，爱和可爱相差不太远，你想，要是没有缘份……"

"什么叫缘份，我不懂，除了缘份还有别的没有？"

"别的？"

"你是面瓜，说你面瓜还算便宜了你，实际上，你，你什么也不是！"

"别，别这么胡说，我有三个头衔：企业家，作家，服装设……"

"你胡说，你没家！"

丑小鸭这句话还真刺着了他，一语中的。

他没了脾气，认真地向她讲述了自己从有家到没家的经过。讲得是那么的坦诚。丑小鸭也并没因为他这段潦倒的历史而疏远了他，反而对他更加尊敬，更加关怀。

他更加认识到，这只小鸭一点儿也不丑。

正在他生意大红特紫的时候，纽约来了长途电话，是郭燕打来的。

"你必须马上返回纽约，美国的事情非常紧急，出了货，客户不付帐，没有钱就没法买线，下一季的样品又得等你设计。你必须马上回来！"

"你们不是干得挺好吗？我不可能马上回去。"

"好，王起明，我实话告诉你，你不回来，我就去，我去到中国政府那里告你，告发你是一个大骗子，是陈世美式的臭流氓，让中国政府把你赶出去。"郭燕恶狠狠地骂。

"好，你来告吧，我等你。"他对郭燕的威胁采取了强硬的态度。

宁宁和风细雨的声音出现在话筒里："爸，情况是相当危急，你不回来处理，整个公司就垮了，安东尼只认你不认我。"宁宁说了实话。

"好吧，宁宁。"他也软下来，"我马上给安东尼打电话。做生意不是件容易的事，这正是锻练你的时候，你要学会冷静处理。"

"你光打电话不管用，他要求你马上回来。"

"我做不到。"

"爸，你想没想到，你不回来，生意垮了，产业丢了，心疼的可是你呀，那是你一手建立起来的。"

"没什么心疼的，我在哪里都照样生活，在哪里都会照样成功。"

"北京的生意好吗？"宁宁的声音又突然缓和下来。

"非常好，前途无量。"他照直了说。

宁宁改变了口气："你要是不马上回来，我也不管了，你知道，妈妈是插不上手的，这样就会加速公司的垮台，你不在乎，我也不在乎，你不心疼，我更不心疼！"

"宁宁，"他也急了：

— 87 —

"宁宁，我有责任提醒你，你千万别鬼迷心窍，上人家的当。我再重申一遍，我没有儿子，也没有第二个孩子，我创下家业，本应全是你的，你不努力做，垮了，最大的受害者是你，懂吗，是你本人。"

"……"

"我再告诉你，斯蒂文这个畜牲，他不会心疼的，他不是真心爱你，他不仅要你的人，更盯着你身后的这些财产，那个家伙是个拆白党，你要留神。"

"我没工夫听你唠叨这些，你到底回不回来？"

"不，我要开辟我自己的生活道路。"

"好，你等着瞧吧！"宁宁说的非常有把握。

电话战结束了。

"不妙。"丑小鸭说

"甭怕。"他说。

"有火药味。"

"那怎么办？"

"走。"丑小鸭双手插着腰，把头向门口一摆，前额上的刘海儿也跟着摆动起来。

她虽然年轻，个子矮小，可是遇到了事儿却果断而沉着。

她像那脚下踏着风火轮翻江闹海的哪吒，把中指和食指并在一起，伸出胳膊向门口一指，干脆地说：

"走！亚运村。"

20

王起明和丑小鸭搬到亚运村的第三天深夜，门被一脚猛地踢开，闯进来郭燕、宁宁还有斯蒂文。门里门外，也立刻出现了几条凶神恶煞般的壮汉。

空气非常紧张。

"你们要干什么！我警告你们，这是犯法的！"丑小鸭冲向前。

宁宁异常清醒，她把王起明拉到一边说：

"你都看到了吧，我不会像我妈一样，死揪着你的个人生活问题不放，这与我无关，不过这也是我早就料到的。我现在关心的是另外的问题，这个问题解决好，一切就平安无事"。

"什么问题？"他并不着慌。

"只要你同意，我们也立即可以收兵回营，从此谁也不碍谁。"

"什么问题？"王起明依然冷静地追问。

宁宁把写好的几张协议书放到了桌子上：

"请签字吧。"

王起明仔细地看了起来。

一张协议书是美国公司正式属于斯蒂文所有，另一张是北京新开的工厂和商店，署在王宁宁的名下。

他全明白了，是来摘桃子的。

"让我考虑一下，好吗？"他慢吞吞地说。

"爸爸，"斯蒂文死皮赖脸地突然开口叫他：

"爸爸，您辛苦的干事业，为了什么？不就是为了我们这一辈儿的孩子吗？我们又为谁？不全是为了咱们这个家吗？爸，您说对不对。爸爸？"

王起明气得火冒三丈，跳起来骂到：

"谁他妈的是你爸爸，你他妈的是谁，我，我操你的大爷，你他妈的算是哪根葱啊？"

门口的几条大汉，移动了一下身子，像是抄起了家伙。

"住手。"宁宁喝住了他们：

"爸，还是签了吧，不然他们会动粗。"

丑小鸭一听，瞪着眼睛说："动粗？我叫警卫！"

"小姐，这没你事。"宁宁走到她的面前，眯起双眼说：

"我懂，你赚这两子儿，也挺辛苦的，别因为管了不是你应管的事，砸了饭碗，伤了身子。大款要膀，别处膀去。瞧见没有？他变成穷小子啦。"

"你少侮辱人！"

"你要是不知好歹，我就告诉你点儿实情，这一点，你不会不知道，西城区的馒头皮，海淀区的大刀片儿，全是我死铁。"

丑小鸭的声音比她还高几倍："这我不怕，公安局七处，卫戍区一师，全是我哥儿们。"

"我签，我签，我签行了吧。"王起明绝望地叫着。

……

不久，他自己买了张机票飞回了纽约。

一路上，他的心犹如被尖刀搅得粉碎，他不吃不喝。他在想，北京的这八个月，闹闹轰轰地就像是一场大暴雨，下过之后，从里到外，从上到下，被冲得干干净净。脑子里也被冲刷成一片空白,什么也没剩下,唯一留有印象的是那只丑小鸭。但遗憾地是临走时没见上她一面。

是的,他承认,他没认真地对待过她,也没有认真地想过,她是否真的受到了伤害,会不会对她的前途留下什么阴影。

他又想,阿春叫他去海外另辟生路,恐怕指的不是回北京,不是她们可以随时查寻得到,跟随得到,房获得到的地方。也许阿春指的海外是莫桑比克,危地马拉,厄瓜多尔什么的,那些中国人不爱去的地方?或是她们根本无法查找到我的国土?

天哪,偌大个地球,怎么找不到我可以生存的地方啊。

他摸摸上衣口袋,那里装着《我的阿春》广播剧的录音带,他要找阿春,他下决心,一定找到她,回到她那里去。

回到了纽约,他又躲进了那个冷冰冰的地下室。11月底的地下室冷得要命。

回到地下室的第一件事,就是查 WHITE PAGE(电话簿)。

他哈哈冻僵了的双手,开始找寻哥伦比亚大学的电话,在物理系一栏里,查 CHOU 字母。

周教授找到了,回答是,他上星期刚完婚,新妻子不是阿春,而是刚从大陆来美的同乡,以前是他的佣人。

他又开始查找佛罗里达州的电话簿,手指在 F 字母打头的一栏,往下移,FA. FE. ……一直移到 FU。他停住了手指,对照着号码,打了起来。

地下室没设暖气,可他的心并不冷,他的心在跳,在“蹦蹦”地跳。

他希望这个号码就能找到阿春,就是阿春嫁给的那个傅先生家。他盼着听电话的是阿春,他盼着能听到她那熟悉的声音,那不阴不阳的腔调。但他也不怕接电话的是傅先生。如果真的是姓傅的接，他准备开诚布公地把话挑开了，告诉他："嘿，小子，你上当了，阿春根本不爱你，她是要你玩的。阿春是我的人。"

"HELLO。"电话有人接了。

真的是她，他太熟悉这个嗓门儿，这个腔调了。

"阿春，阿春，是我，是我。"

"什么事？"阿春一点不兴奋，一点不诧异。她根本不打听他是怎样弄到她的电话的。

"我要你。"他语气坚决。

"我不要你。"她语气更坚决。

"我要你，我非要你。"

"……"

"阿春，我要死，见不到你，我就死了。"

"……"

"我没活路了，没你我就不想活了，阿春，你听着没有，你听我说呀，我冷，我怕，我不知道我还能活多久。阿春，说话呀，你，你听见了吗？"

"嗯。"

"阿春，你要我吗，你可怜我吗，你……"

"你死去吧！"她冰冷地挂上了电话。

王起明了解阿春，她越这么说，越证明是有希望，他又拨通了电话。

"喂，阿春，难道咱俩一线希望都没有啦，我想你呀，想死啦。"

"……"听筒里没回答，但能听到她轻轻的唏嘘声。

"阿春，我马上飞过来。"

"别，你千万别。"

"明天上午飞，大概中午就到了。"

"我…我求你啦。"阿春真的哭了。

"我有你的电话号码，还有你的地址，明天中午，我就会飞到你的身旁，你最好叫那个比你小12岁的博先生先躲一躲，不然一定出人命。"

"起明，你混蛋。你，你是个无赖。你还要怎么样？你说，你还要我怎么样？这是我选的路。我的，我的路！"

王起明知道完了。阿春的话要是这么说，就别再缠下去了，他太了解她了，她做出的决定，不可能说改就改，她要走的路，前面就是火坑，也非跳下去不可。

"阿春，我的书在中国红了。"过了一会儿，他喃喃地说。

"知道，一切一切全知道。起明，这不是挺好的吗，有什么活不下去的，多来劲哪。"

"我想给你寄一本。"

"又说傻话。"阿春的声音似乎又回到了从前：

"起明，你有时真是个糊涂虫，傻话连篇。你忘了我的中文读写能力了，太费劲。简体字又得猜着看，报上说，不是有人要拍电影吗？等电影出来，我第一个看，再买一份 COPY！"

"那是猴年马月的事啦，"他的情绪也恢复了正常，阿春能这么对他说话，他心里得到一些安慰。

"拍电影？真不知道他们能拍成什么样，找谁演，真要是把我的阿春演歪了，还不如不拍。"

"不，你又说傻话，你还不懂他们？他们不会演丑演歪了的，我倒是担心，把我演得太好太美了，他们一定会这么搞，还一定会演出一个又美又善的家伙来，其实我哪有那么好呢。"

"阿春，我这儿有几盘录音带。"

— 93 —

"广播剧吗?"

"你怎么知道?"

"你那点事谁不知道? 我还知道, 人家又到北京拆去了, 拆了个稀里哗啦, 对吗? 你现在一个人跑回美国, 不知道该怎么办啦, 对吗? 起明, 你有写作才能, 继续写, 写下去。这是一条路。这条路好, 投资不大, 一支笔, 几张纸, 总会买得起的, 脑子是自己的, 是人家拆不走的, 永远属于你一个人。"

"阿春"

"嗯?"

"你呢, 过得好吗?"

"我, 我在等你寄来广播剧的磁带。"

21

他寄去了广播剧的磁带, 但没听阿春的话, 邮件寄出的第三天, 他去了佛罗里达州。

10 月的佛州, 空气里都带着火, 好像太阳离这里特别近, 把崭新的柏油马路烤得又软又粘。远道来的游客们, 好奇地做着实验, 打碎两个鸡蛋倒在地上, 片刻之间, 就成了两面焦的鸡蛋饼。

王起明站在 NEW ORLAND (新奥尔兰) 机场外, 挥舞着手臂轰赶在他头顶上不停团团打转的飞虫。

"去 DISNEY 吗?"(迪斯尼乐园)

"去 SEA—WORLD 吗?"(海底世界)

"去 TOPLESS CLUB 吗?"(脱衣舞俱乐部)

出租汽车司机围在他的左右,拉着生意。

他哪儿也不想去,只想赶快租辆汽车,尽快见到阿春。

租好汽车,看好了地图,他开着车上了那发黏的高速公路。

他无心去观赏窗外的佛州风光,把冷气开到最大,最强。冷风吹在他的额头上,身体上,但他仍觉得气短胸闷。

他心里没底,这样不打招呼就来,不知道阿春是否肯见他。

他气短胸闷是因为他有一种预感:那个姓傅的王八蛋,仗着有两个臭钱,天天欺负她。阿春并不快活;那孙子太年轻,除了把她当作发泄的工具外,就让阿春在他店里干粗活。他甚至还预感到,阿春虽然不爱那姓傅的,可每天也得苦撑笑脸委屈求全。

不,不行!想到这些,他加大了油门,恨不得立即飞到阿春身旁,揍那姓傅的一顿。

阿春的住处远离机场,不在市中心,是一个很偏僻的小镇子,地图上明确指示,到达那里,需要四个多小时。

佛州的公路两侧被细细高高的椰子树和矮矮墩墩的芭蕉树装点得十分秀丽。两棵椰子树中间栽一棵芭蕉树,两棵肥肥胖胖的芭蕉中间又窜出一棵椰子树,交相辉映,别具一格。

王起明一边开车,一边胡思乱想。望着两旁急驶而过的两种植物,瞎琢磨起来:

这两种不同的植物就像两种不同的人品。一种人图利,图实惠,就像那芭蕉树,矮矮墩墩,实实在在,不管别人说它长不高,说它没多大的出息,可它扎扎实实地吸足了大地给与的各种养份,摆动着肥胖的叶子,自得自在地活着;另一种人呢,图名利,慕虚荣,就像那椰子树,细细长长,直冲蓝天。它沾沾自喜地炫耀自己比别人长得高。它自以为是，似乎他的脑袋能够着云彩，可再一打量，它除了头顶上长着几片绿叶外，从上到下往下一捋，光杆无毛，秃得就剩下一层皮。

真是的，在这个世界上，那么多人，各色各样的人种，怎么一细分析就这两种呢？

天渐渐黑下来，佛州半岛的温度也开始渐渐地冷却下来，他关掉冷气放下了车窗。

快到了，他感觉到了一股带着咸味的海风。

车灯晃着前面的绿色指示牌，路标上写着，下一个路口就是 WILLIAMS VILLAGE（威廉姆斯村），阿春就住在这里。

这是一个高级渡假村，村的外围，是几个巨大的高尔夫球场，绿茵茵的草坪尽头是一幢幢没有地下室的平房。

这些平房的设计十分讲究，与纽约和长岛的住房比较起来，风格截然不同。

这里的使用面积非常大，尤其是客厅的面积，比东部地区的能大三四倍。浴室更是大得出奇，浴盆像是为双人准备的。化妆室比卧室也小不了多少。

王起明在最兴旺时期曾买下过离这里不远的一幢别墅，后来因为生意太忙，无暇来此渡假，于是就压价转让给了房地产公司，所以，他相当了解这里的地形和环境。

终于到了，老远他就看到了阿春的客厅，借着客厅里闪出的光亮，他发现落地窗前，好像站着个人，是个女人，从站立的姿势看，王起明断定这就是阿春。

他把车停在了远处，兴冲冲地打开车门，向着那幢明亮的房子跑去。

他没有叫喊，想给她一个惊喜。

他两脚奔跑在柔软的草坪上，发出了"嚓嚓"的声音。他跑出了汗，脱掉了外衣，顺手扔在草地上。他的双眼模糊，他拉出背心的下摆，去擦眼泪，边跑边噘着嘴嘟哝。他像个被丢失了的小孩子，抱怨家长总不拉着自己的手。

跑着跑着，就在离那灯光不到十米处远，他突然停住了脚步，在那明亮的客厅里，他还看见另外一个矮小的人影在晃动。

他"咕咚"地一声趴在了草坪上，像个贼，不，像个潜在敌人前沿的侦察兵。

他喘着粗气双膝跪在草地上，匍匐爬行。离那扇大落地窗越来越近，他清楚地看到，阿春面朝窗外，依着窗框站立着，那姿势跟从前一模一样。以前，她总是爱这么站，左腿吃着力，右腿弯曲地搭在左腿前，脚尖轻轻地顶着地。

客厅里，那个晃动的矮人不见了，他正要起身跑过去，突然耳边响起了他最熟悉的声音：

"现在是小说连续广播节目时间，请听第五章，阿春初遇王起明。"

她在听，她在听我寄给她的录音带。

王起明继续往前爬，他不想打扰她，不过，他要爬到离她最近的地方。

已经三四米远了，阿春在全神贯注地听，一点儿也没发现他。王起明停了下来，把头枕在手背上，同她一起听着：

"纽约的雪，说下就下，这雪，用鹅毛般的大雪来形容，够劲儿吗？不够。得说像絮被子，一层层地往地上铺……"

这是那位北京最著名的播音员的声音；他把王起明的大白话朗诵得像诗一般，紧紧地扣住了阿春的心弦。

"雪，还在不停地下，车窗外，各家各户的圣诞彩灯，一亮一灭，映在阿春那美丽、性感而又激动的脸上。她仰起头，把那鲜红、闪亮、潮湿的双唇迎向王起明。王起明也低下头，吻住那滚烫、颤抖的两片……"

他一边听，一边抬起头向阿春望去。他似乎看见阿春在不停地流泪。

播音员继续往下朗诵："王起明，没向阿春道声晚安，就冲出了汽车……阿春的车没有立即发动，她目送着王起明，走向他家的大门。"

录音机的声音突然断了，接着是往回倒磁带的声音，"啪"的一声又开始播放，放的还是那段，"纽约的雪，说下就下，这雪……"

这段来来回回地重复了好几遍，两个人，一里一外的听啊听啊，听不够的听。

他趴在草地上，调整了一下手臂，使自己的姿势更舒服。他又吧唧几下嘴，闭上眼睛，尽情地享受着。

草地上越趴越凉，夜雾越下越大，他没有觉得冷，他像婴儿躺在摇篮里一样，听啊，听啊，摇哇，晃呀，自在极了。

突然，录音机被人关掉了。

他抬起头，看到那个矮个子又出现在阿春身边，个头才齐到阿春的肩膀，这一定是傅先生。只听他操着公鸭似的嗓子说："我的好太太，我的好 SUSAN（苏姗，阿春的英文名），都快听一天了，老是这段，有什么好听的。"

"挺有意思的，是我以前的一个老朋友写的。"阿春笑着向她解释。

"一个人在家做月子，是好烦的，你要常听高兴的，上次我托人从台北带来的'今夜我们说相声'的带子，笑死我了。可你不爱听。别总听这玩意儿，伤身子。"

"没事。"

"阿春，啊，不。SUSAN。你看，我总改不过嘴来，真该死……"

"没关系，习惯就好了。"

"SUSAN，你猜，今天我给你买回来什么录音带了，叫'黄金排档连环套'。"

"行。等会儿听。"

"SUSAN，晚上的风太硬。来，关上窗子，你还没出月子……"

"别，别关。这样我舒服。"

婴儿的哭声传了过来。

王起明趴着，听着，看着，眼泪把脸前的草地湮湿了。

傅先生抱着婴儿，一溜小跑地回到了客厅：

"SUSAN。你该喂喂他了。"

"好，我来喂。"阿春说着解开了衬衣扣。

"你说，他长得象不象我？但愿别长得象我一样矮。"傅先生指着她怀里的婴儿说。

"DON'T WORRY ADOUT THAT。"（别瞎操心）阿春说完。吻了一下怀中的孩子。

"我也要。"傅先生踮着脚尖儿，仰起脑袋，嗫起了他的嘴。

阿春弯下腰，低下头，也亲了他一下。

"我还要。"他那姿势，就象还不会飞出窝的秃尾巴的小麻雀，叽叽喳喳地来要食，煞是难看，煞是臭不要脸。

王起明再也看不下去了，可他又不敢站起来，更不敢冲进去。他没有理由这么做。

他伤透了心，捂着鼻子，捂着嘴，气儿出不来，窝在了肚子里，硬邦邦的。气鼓鼓的肚皮，顶着草地一上一下，弹得他那厚厚的脊梁也一颠一颠的。

— 99 —

22

王起明留起了胡子。

他认为,他和阿春这极难翻的一页,总算翻过去了。阿春逼着别人非叫她 SUSAN,很明显,就要同前半生的阿春分断开,在分段部划上句号。他王起明既然改不了名字,就改形象。他不仅留起了胡子,还蓄了长发。

《我的阿春》写完之后,他掉了颗槽牙,"《我的阿春》续"刚写到一半,前帘儿的门牙又缺了一颗,他懒得去镶,不想去补,照着镜子呲牙裂嘴一笑,还挺满意,嘿!够味儿。够什么味?够纽约大街上臭要饭的味儿!够那个在地狱里刨了十几年土的基督山伯爵的味儿!还不够,最好变成《夜半歌声》里的宋丹平才够味呢。

他不洗澡,不刷牙,不剪头发,更不换衣服,连他自己都觉得臭。

他省下时间拼命地写,写《我的阿春》续。可不知怎么搞的,写出来的东西,总不满意,不满意就撕。撕完再写,写完了再撕,地上堆满了烂纸团儿,桌子上,扔满了横七竖八的烂钢笔。有一次他实在写不下去,气得举起钢笔扎在了自己的腿肚子上。鲜血顺着脚脖子往下淌,他不觉得疼,只恨在自己的笔下,再也找不着阿春的新感觉了。

他想写爱,竟把阿春写得像个纯真无知的少女;他想写恨,又把阿春描绘成一个喜怒无常,面目狰狞的老妖婆。

他的句子不顺，罗里罗嗦。搜肠刮肚，又找不着新词儿。实在是没了辙，他放下手中的笔，不想再写字了。

可又闲得无聊，他就翻看《世界日报》，一条新闻吸引住了他的视线。看着标题，他咧嘴大笑起来。报纸上醒目地登着：光芒四射的中国夜莺登上了华盛顿歌剧院大舞台。

正文篇幅不长，但字体用的是大号字，因此占了整整一版：

"夜莺，这位才华横溢，驰骋欧美的中国女歌唱家，在米兰刚刚脱掉《浮士德》中"玛格丽特"的紧身裙，又在巴黎穿上俄式宫廷晚礼服，饰演"答基阿娜"；结束了俄罗斯式的大决斗，在奥地利又举行了《费加罗的婚礼》；《茶花女》爱的心扉在费城打开之后，她又飞往东京，赶演《蝴蝶夫人》。下个月，她又将脱去身上这些洋行头，换上对襟土布小棉袄，为饰演《荒原》中的金妹子匆匆向华盛顿赶来。

《荒原》歌剧的作曲勤向，被誉为中国的"普基尼"，华盛顿大歌剧院首次投入大资金鼎力相助制作《荒原》歌剧。

由中国人写，中国人演，用中文唱的全新举动，确实是里程碑式的首创。

它证明了中华民族的艺术实力，证实了龙的传人即将腾飞。

歌剧，是音乐、文学、戏剧、舞蹈、美术的总体艺术，它代表着一个民族，一种文化的兴衰成败，不管我们来自大陆、台湾，香港，新加坡或是本土出生的华裔，都会为这一光辉时刻的即将到来而欢呼，都会为这些闪烁着璀璨光芒的炎黄艺术家们而感到无比地自豪。

著名女高声歌唱家夜莺，将领衔主演《荒原》第一女主角——金妹子。全世界黄皮肤的人们，将期待着她，盼望着她再次获得成功。"

王起明激动地扔掉手中的报纸，冲出地下室的大门，向着吴颜的住所跑去。

12月的纽约，天空上降着初雪，他身上那件散发着酸味的大衣下摆，被风吹得飘了起来，蓬乱的头发随着他的奔跑一蹦一跳，初冬轻薄的雪花落在他的脸上，立即溶化成脏水流淌下来，洗刷着他那张满是污垢的脏脸。鼻孔冒出的哈气里，还飘着一首歌，从他哼哼呀呀的声调中能分辨出，那是《茶花女》中的男主角"阿尔佛来德"唱的"饮酒歌"。

他兴奋地一口气跑到了吴颜家门前，伸出敲门的手，马上又缩了回来。他有些犹豫。

自打从北京回到纽约以后，他就很少到这里来看吴颜了。

第一次是几个月以前的事，他下飞机的当天晚上去了那幢房子，主要是为了收房租，当时他身无分文。

出来付房租的不是吴颜，而是一位衣着考究的中年男子，他打开一个名牌黑皮夹，说了声："谢谢，"礼貌地把钱递到了王起明的手里。

吴颜躲在他身后，披着睡衣，用手理着头发说："王大哥，你回来啦！真对不起，我……。"

第二次是几天前，王起明开车出去买香烟回来的路上，路过她家门口时，又看见那个中年男人，他正在擦一辆新汽车，吴颜在新车周围高兴地打着转转。

在王起明认为，一个独身女孩，半工半读实在辛苦，交个异性朋友，帮帮忙，是理所应当的，不过他很为吴颜惋惜，不抓紧时间钻研苦练，浪费了她这些先天的好条件。可他又想，吴颜是个精明的女孩子，况且已经二十七八，绝不会乱交朋友，不会做出什么不理智的事，上当受骗。

现在他站在门前迟迟没有敲门，他不知道会不会打扰人家的生活，会不会让人家觉得他讨厌。

"门外是谁呀？"屋里传出来那男人的问话。

"我，王起明。"

"噢，王大哥呀，有事吗？"是吴颜在问。

"没有太大的事，要么……对不起，我先走了。"

"王大哥，别走，我有事。"吴颜喊住了他。

不一会，那男人打开了门，把他让了进去。

吴颜一见他，对他的蓬头垢面先是感到惊讶，然后不由自主地用手挡了一下鼻子：

"王大哥，夜莺姐昨晚从华盛顿打来了电话。"

"是为这个吧！"他哗啦哗啦地抖着手中的报纸。

"对，你知道啦？夜莺姐知道你回到了纽约，让我务必通知你，她已经给咱们定好了首场票，就放在肯尼迪艺术中心的售票房。"

"太谢谢她了。"

吴颜又从上到下打量了他一下，有些不好意思地说：

"王大哥，您知道，听歌剧是要……"

"我有，我有干净衣服，有非常合体的西装。"

"行，那咱们剧场见"

王起明刚一迈出门坎，吴颜就捂着鼻子，立即关严了大门，并在门里边大喊：

"王大哥，别忘了扎领带。"

"有，我有上等的丝领结。"

他走下台阶，吴颜和那男人的几句对话，他听得清清楚楚。

吴颜："原来他是多有钱，多帅气的一个人，怎么突然一下子，就潦倒成了这个样子。"

男人："生辰八字不顺，穷是人命，富贵在天。"

吴颜："真想不到哇！"

男人："这房子不还是他的吗？"

吴颜："那管什么用，还不是控制在他的老婆手里。"

王起明没有理睬，他跑下台阶，报纸顶在头顶上，迎着纷纷扬扬的瑞雪，鼻腔里哼出的还是那首"阿尔佛来德"唱的"饮酒歌"。

23

J. F. KENNEDY ART CENTER（肯尼迪艺术中心）坐落在华盛顿 D. C. 的市中心，离它不远的是 WATER GATE（水门大厦）。因尼克松总统在这里现过眼，被人家轰下台这一丑闻而闻名天下的建筑物与之相比，就像是一座平平常常的居民楼。

肯尼迪艺术中心的左侧，是一片清澈碧绿的湖水，它的前方是五角大楼，后面便是林肯纪念碑。

肯尼迪艺术中心，地处山丘顶端，方方正正的建筑物全部由大理石筑成，四周被高台阶所环绕，要想爬上这座世界艺术精粹的宝殿，必须花费一番气力。于是乎，这里成为世界级艺术家向往的圣地，特别是它那超现代化的巨大舞台，更是成千上万的歌剧名流梦寐以求的角逐战场。

走进肯尼迪艺术中心宽敞的大厅，会看到高高的屋顶上，悬挂着一面面世界各国的国旗，好象是在向各个国家、各个民族的艺术家召唤：有胆量的艺术家们，不妨到这里来一展绝技，亮亮歌喉。是金是银，是冠是季，将由这里估断评说。

这一点儿也不夸张，世界歌剧巨头 PAVAROTTI（帕瓦罗蒂），DOMINGO（多明哥），SUTHERLAND（苏瑟兰娣），FRENI（佛兰尼）都曾在这里闯过关。《华盛顿邮报》，《今日美国》，《纽约时报》等各大新闻媒体，都设有专门的音乐评论家，长在这里吹毛求疵。在这些音乐判官眼里，不要说你在台上有点纰漏，哪怕就是稍一打磕巴，一个楞神，也准保叫你在这里栽一个炭头土脸的大跟头。

王起明出发前，在浴缸里足足泡了俩钟头，又用干毛巾沾上高强洗涤剂在身上狠命地搓，真好像是去了一层皮。他又找来一把剪子，把长荒了的长发作了番修整，再用剃须刀在满脸络腮胡子的边缘勾划出一条整齐的线。

换上黑色燕尾服，他站在穿衣镜前摆了半天姿势，左臂弯到胸前，寻找着"奥涅金"挽着"塔基阿娜"步入宫廷的感觉。又对着镜子点了点头。他不敢大笑，生怕露出那颗没了根儿的豁门牙，一转身，走出门外。

他倒出了躺在车库里一年多没有心思去驾驶的那辆卡迪拉克，开到加油站灌满了汽油，一溜烟地照直奔向了华盛顿。

美国的文武官员都已按时到齐，歌剧院院长作了简短的首演讲话之后，把作曲家勤向介绍到前台。

在一片掌声中，《荒原》歌剧的序曲悠扬地奏起。

王起明挺直腰板，直盯着舞台。他的右边，坐着吴颜和她的那位男朋友。

《荒原》讲的是 30 年代旧中国的一个故事：

一个叫金妹子的姑娘，爱憎分明，美丽泼辣。但不幸的是她被逼嫁给了胆小怕事、软弱无能的财主少爷钱大生。

可金妹子却另有所爱，同村的"下山虎"与金妹子自幼相好，也是钱家的世代仇敌，因杀死钱大生的亲生父亲而被打入十八层地牢。为得到金妹子，"下山虎"越狱逃回到那座贫瘠的小山村。

两人终于相见，互诉真情。"下山虎"为求生存，永得金妹子，杀了她的丈夫钱大生，又捅死了他的儿子，同金妹子私奔他乡。

追兵迫在面前，"下山虎"突然良心发现，杀人的手哆嗦起来，带血的刀掉在了地上。

金妹子骂他为什么会心善手软，贪生怕死，不断地抽打他的脸，叫他快些清醒过来。

最后双双变成罪恶的封建势力之下的枪下鬼。

这个故事情节相当简单，与西方歌剧的内容大同小异，可今天，王起明看得十分动情，眼泪也几乎是从头落到尾。

第一场，饰演金妹子的夜莺一出场，就吸引住了他的双眸，当金妹子亮起她那柔美、清亮的歌喉唱到：

"大麦呀，穗穗长。

越过那山头，是那红高粱啊。

我在窗下把你盼

盼呀，盼呀，盼呀

盼你快快回到我身旁

……"

虽然这歌词落于俗套，可是却被夜莺唱得出神入画，那北方秧歌色彩极浓的弦律，激荡在整个华盛顿大歌剧院大厅里。

下山虎接着唱道：

"妹子，妹子

你在我心里

你是我，我是你

永远不分离

妹子妹子……"

……

是作曲家勤向创作的弦律美？还是男歌唱家唱的动人？或许是由于勤向此时起用了全乐队的编织，把那男子汉的肺腑之言表达得淋漓尽致？要不就是道出了王起明自己也要说的同样话，不知道，反正他眼圈湿漉漉的，闪着晶莹的泪花。

金妹子与"下山虎"的二重唱，更叫王起明心潮汹涌，热浪翻滚。

金妹子唱："你是我，我是你，有了孩子，就有了我们。"

下山虎唱："我是你，你是我，有了孩子，就有了我们。"

金妹子唱："生下他，他就是天，生下他，他就是地。"

重唱："生下他，他就是天，生下他，他就是地。"

豪华巨大的华盛顿大歌剧院里，坐满了屏住呼吸的听众，除了少数几位黑头发的东方人外，几乎全部是西方音乐界行家，虽然他们不懂中文，又第一次听到这种粗犷中多少带有野蛮味道的弦律，但他们都被这柔情万般的男女恋情深深地吸引住，被夜莺那迷人的歌喉和精湛的演技所打动，直至演到：

追兵赶到，"下山虎"举刀不忍劈砍时，金妹子狠命地抽打着他的嘴巴，高唱："醒醒啊，你醒醒！"

"啪啪"两声枪响，俩人中弹倒下……

僻静的山村，村中疯癫痴子呆傻地唱着："光屁股来，光屁股去，光屁股来，光屁股去，"引来山顶上的鬼灵哭嚎……

这才使全场观众想起鼓掌赞叹。骤然响起的剧烈掌声，把王起明重又带回到了现实中。

他第一个站起来，拼命地鼓掌，玩命地鼓掌，直鼓得他双脚离地，蹦起好高好高。

吴颜的男朋友斯文地用手托托眼镜，一边理着脖子上的领花，一边莫名其妙地望了望王起明，冲着坐在身边的吴颜，无可奈何地摇了摇头。

夜莺一次又一次地谢幕，不断地接受着人们送给她的鲜花，鲜花挡住了双眼，她把一束束鲜花，又回撒向观众。

鲜花，鲜花，他想起来了，今天下午当他刚一抵达华盛顿，就跑到花店预定了一个又大又漂亮的花篮，并要求直接送到歌剧院后台。

花篮的丝绸缎带上还写着两句话，一句是："中华夜莺任你飞"，另一句写着："万里长空任你唱"。署名：王起明。

他与吴颜和吴颜的男朋友，一同来到后台。

他们看见一间标有"夜莺"名字的化妆室的门前，围着不少记者和她的崇拜者。王起明向门口的警卫通报了姓名后，门被打开了一道缝，吴颜他们也跟着挤了进去。

夜莺正在卸装，理查德站在她的身后。

王起明进了门，没等他开口，夜莺忙站起身说：

"哟，怎么留起胡子啦？"

他没有回答，只是紧紧地握住夜莺的手，激动得一时不知说什么好。

"夜莺姐，你发挥得太好了。"吴颜抢上来说。

夜莺和吴颜她们打过招呼后，就把王起明拉到了化妆室的墙角，墙角里坐着一位不言不语的中年男人。

"来，王大哥，我给你介绍一下。这是《荒原》的作曲勤向老师。"

"您好，勤老师。"王起明紧紧地握住勤向的手。

"你写的书我读过，久仰久仰。"勤向的声音沙哑而洪亮。

"在报上看过对您的介绍，敬佩敬佩!"王起明的音调也比平时高出了许多。

勤向是个不太拘小节的人，他站起来一欠屁股，身子半依着化妆台，就放开嗓门对着王起明大声地说：

"那是吹牛，这你还不明白，吹你的也不少，可惜呀，吹鼓手，永远找不准音高!"

"同感，同感，吹完了就贬，贬够了再吹。"

"哈哈哈哈"，勤向爽朗地大笑起来。看样子，这里要是有酒的话，两位非碰杯不可。

"你刚听完这出歌剧，说说你的意见，我最爱听带新鲜味儿的。"勤向旁若无人地叫着。

"勤老师，这我可不敢……"

"BE QUIET PLEASE."（请安静点。）站在夜莺身后的理查德礼貌地对他俩说。

勤向像是听不懂这句英文，继续跟王起明大侃：

"你得现在马上说，等明天再听你说，就是经过思考分析的了，什么事一经过分析，八成都会不准确。我要听最直接的初感!"

"好，那我说。"

"请。"

"真他娘的棒!"

吴颜的男朋友，停住了与理查德的交谈，走过来小声对他俩说：

110

"请两位注意，这里是歌剧院后台，不是路边酒馆儿，请加以收敛。"

"什么意思？"王起明借助勤向的情绪，高声问他。

"西方人很注重在公共场合下的礼仪，大声喧哗被视为没有文化，西方人在场时，也尽量避免使用中文，否则，那是一种不礼貌。"

"请问您是……？"勤向站起身来问。

"我是吴颜小姐的男朋友，北美六元地产公司董事长。"

"我说你是装孙子！"勤向大怒。

"你……"

"斯文、礼貌、绅士、教养，是吗？我要是装着玩，比你装得可漂亮。"

王起明也站起身，不顾周围众多人的注视，也忘记了夜莺、吴颜就站在身旁，他说：

"我倒要向您请教个问题，美国人看勤向的歌剧，不也都得听中文？咱这平常聊个天，讲讲中国话，你挑的哪门子眼？"

"你，你们总得分个场合嘛！"吴颜的男朋友也忘记了自己的绅士派头，大声吵了起来。

"我就是不分场合，我就是没时没晌地说中国话。"王起明压过了他的嗓门：

"听得懂的，一块说，听不懂的就去学。"

"对！"勤向也附和着说：

"对，我压根儿不会说英文，会说我也不说。爱听的，坐下来听，不爱听的，走人。"

吴颜的脸有些挂不住了。她深知艺术家们的个性，也有些责怪她的男友，不知深浅地去冲撞勤向。勤向为了《荒原》歌剧能用中文原文演唱，为了使世界歌剧曲目里也有中文一席之地，他做了近一年多的努力。即便这样，还险些使这次演出流产。在上演的前三周，华盛顿歌剧院才真正做出让步。至今他的气儿还没消，现在又有人为了说中文还是英文的问题挑他的理儿，你想，他能不火吗？

"好，好，算我没说，随诸君便，各位随意。"吴颜的男友边说边退却下来，回到理查得旁边，轻轻地说了句：

"I DON'T THINK THIS OPERA COMPOSED BY HIM。"（我不认为这部歌剧是出于他的笔下。）

"NO，I DON'T THINK EITHER，"（我也这么认为。）理查德点点头说。

"HE BEHAVES LIKE A MONSTER！"（简直像头野兽。）吴颜男友又说。

"YES，CHINESE MONSTER. CHINESE PIG！"（对，中国野兽，中国猪。）理查德像是在自语。

"什么?!"王起明的火一下子冲到了脑门上：

"还了得你！"他嚷着举起了拳头奔过去。

屋里的人们慌乱了。

"OUT！"（滚出去！）夜莺突然大喊一声。

王起明立即停住了脚步，他这才明白了自己的位置，拖着沉重的步子向门口挪去。

"NO，YOU STAY！"（不，你站住。）夜莺指着王起明的后背，喊住了他。

"YOU，OUT。"（你出去。）夜莺又把手指的方向转向了理查德。

"ME?"（我?）

"YES，YOU！"（是的，就是你！）

王起明的花篮送到了，一篮鲜艳的花束摆在了夜莺的面前。

24

新年到了，纽约人一反平日与人冷漠的态度，似乎都变得人情味十足。

礼品店前，排起了长队。百货公司里挤满了人群，大家争抢着购买各色各样的贺年卡和五花八门的小礼品。

忙乎了整整365天的人们，这时，总算也得到了一些收获。墙上挂满了各色各样的贺年片，桌上堆满了五颜六色的祝贺卡，八杆子打不着的人，也都想起了对方，各种吉祥话儿，各类温馨的语言，一时间使你觉得：人类还是有着无限温情，总还没有忘记咱们都属同类。

新年放假的时间不短，加上圣诞节，前后总得休息十来天。

"华盛顿后台"风波过后，王起明的心情一直非常沮丧和不安，不安的是，生怕由于他的冒失举动，影响了夜莺与理查德的关系，悔不该当时那样鲁莽。

为这事儿，他一人闷在地下室，打碎过杯子，砸烂过烟缸；为这事儿，他提笔忘字，写不下去。于是他给住在加拿大蒙市的肖玫玫和李大可打了个电话，请他们从侧面为自己说说情，劝夜莺忘掉那天的不愉快。

"HELLO，大可吗？"电话一通，他着急地问：

"新年这几天你们俩有空儿吗？"

"有空，空得很哪，既没演出，饺子馆也歇业。"大可回答。

"起明，怎么你也闲得无肌六瘦了吧？"玫玫拿起另一个电话。

"玫玫，你要是有时间，给夜莺打个电话好吗？"

"还打什么电话，后天我们就到纽约，到她那儿去。她约了一些老同学，说在她家开个 PARTY。你不知道吗？"

"我……"

"她说，她也准备通知你，一年就这么几天，你一定得去啊，没你就不热闹啦！"

电话里，另外一条线接了进来，王起明忙说：

"你们先 HOLD（别挂），我有电话进来。"

他马上按了一下 HOLD 的键钮，另一条线里立即传进来夜莺的声音：

"HELLO，我是夜莺……"

夜莺住在长岛的 STONY BROOK 大学，虽然她在 PORT JEFFERSON（杰佛逊港口）买了一幢漂亮的公寓住宅，但平时根本没时间去住，因为她在大学任教，又要忙于国内外的演出，时间非常紧张，所以，在该校 INTERNATIONAL STUDENT COMLEX（国际研究生宿舍）又租了一套单元房。

夜莺之所以租下这套房子，还有另外一个重要原因，就是为她的母亲。

自夜莺赴美留学后不久，她就把母亲从国内接来住在了她那里，她想让妈妈有个幸福的晚年，她觉得母亲的一生太苦了。

可是，母亲来美国后没有多久，她发现母亲并不幸福，由于语言的不通，加上杰佛逊港是个旅游区，几乎没有中国人。孤独、寂寞开始折磨起老人家，于是她们搬进了研究生宿舍，从此老人家不仅身体越来越好，而且娱乐活动也增多了。比如说：

学英语，做晨跑，打麻将，学京戏等等。

研究生大院里住满了各国的研究生，博士生。

中国的研究生和博士生们，占了整个大院的一半。他们几乎都是携家眷而来，而且几乎都是从大陆来的。为了省去昂贵的托儿费，他们大都把父母办到美国，帮助他们照顾好儿女，继而完成他们的学业。

在这个学术气味极浓的大学城里，在这个长岛最美，环境最幽静的小镇上，你会时时处处听到亲切的中国话：北京话，东北话，山西话，湖北话，广东话，四川话……；你会在清晨看到一群群老者，信步打着太极拳；你会在中午，从各家各户冒出的炊烟中，闻到各地方风味菜肴的不同香味儿。你还会在夜晚听到清脆悦耳的麻将声。

谁也想不到在北美，在这个偌大的长岛，中国人居然开辟出了又一个小小的"中国城"。

这个小小的"中国城"，与纽约的 CHINA TOWN（中国城）有着天壤之别，这里没有勾心斗角，不存在商业竞争，更不可能有吸毒、娼妓、杀人放火等勾当。这里的人们极为团结，礼貌而文明。孩子们在一起玩耍，老人们交流养身之道，学子们埋头苦心钻研。

夜莺母亲搬过来后，很快就融进了这个大家庭。由于老人家心地善良，又热心助人，所以，整座大院儿里的大人和孩子们都称她为"居委会主任"。

夜莺看到母亲在这里生活得这么愉快，放心了。可老太太对她却始终不放心，尤其是对她的那个洋男朋友，两年多连面儿都不肯见。

夜莺对母亲平时几乎是百依百顺，只有这件事，同母亲有些分歧，总想和母亲理论理论：人不应该有狭隘的地区观念，爱情更不应该分什么肤色,人类都应该是同等,灵魂都是一样,不同的,只是有些灵魂修缮得很完美,而有些人根本不修缮自己的灵魂。直到这次理查德在华盛顿大歌剧院后台骂了王起明他们,她才醒悟到:对人的灵魂上的了解和探索是一件多么复杂的事情。

她为此偷偷地掉过眼泪,母亲什么话也没说,给女儿做了顿她最爱吃的烫面饺儿,在桌上放了杯温开水,摸着她的头发说了句:

"放松放松吧,这没什么。"

她理解母亲在想什么。母亲这一辈子,大部分时间是守着寡过的,她有一肚子伤心事,有一本写不完的"泪女人,强女人"的书。

夜莺是她的第五个孩子,孩子刚刚落地不久,丈夫被打成右派,死在郊外的凿石厂里。母亲当时才三十出头,看着发下来可怜的几十块钱,望着一个挨一个的小人头,她没哭,没改嫁,含着满心的凄苦和辛酸,又抚养着孩子生活下去。

母亲承认,在怀上夜莺不久,她吃过"红花",喝过"瓷茬",打过篮球,追过汽车,可是这个倔强的小生命,硬是来到了这个世界上。

母亲清楚地记得,反右前夕的一个夜晚,孩子降生了。这孩子哭的嗓门儿特别大,喂她奶不吃,给她水不喝,哭叫了整整一夜,直到第二天天亮,听到附近乐团排练厅里传出的悦耳音乐,她这才止住了哭声,抓抓小手,安稳地睡着了。

母亲还记得上幼儿园时,她拿着扫把当提琴,模仿着大人拉琴的姿势。为这,她遭到过母亲狠狠的责骂。

上小学时,"样板戏","语录歌,"她学得比谁都快,放学回来站在床上就唱个没完没了,又被妈妈轰下来过。

中学没毕业，母亲和她被赶到了乡下，公社宣传队的手风琴又把她吸引过去，她背着母亲每天跑上二十几里路，为的是能在琴上摸一摸，拉一拉，跟着唱一唱。

母亲为什么这样强烈地反对她唱歌，不同意她从事艺术？她自然有自己的充分理由。

她曾是红极一时的电影明星。不幸的是，她的艺术生命太短，自从成为右派家属之后，她就再也没上过银幕。她总结出：艺术是可爱的，也是可怕的，它能使你登上云天，又能使你坠入地狱。

可她的这个第五个女儿，就是不吸取她的教训。迷上了唱歌，醉心于艺术。8年前她又越过太平洋，踏上了赴美留学的旅程。

25

前来参加夜莺 PARTY（家庭聚会）的，除了王起明和远道而来的李大可，肖玫玫外，还有一对夫妇，男的叫王祥，女的叫钱小苹。

王祥在哥伦比亚大学音乐系，主修现代音乐作曲。他太太钱小苹是弹钢琴的，技术不错，感觉也颇佳，可目前的兴趣不在弹琴上，而是在如何推销她手上的珠宝。她大部分时间还教小孩子学弹琴，收入虽不坏，可她并不满足，一心只惦记着开珠宝店，以求生意上的发展。

再一位就是吴颜。吴颜由于最近同她男友打得火热，原准备不参加老同学的PARTY，可出于和夜莺的交情，最后还是答应来了，不过要晚到一小时。

勤向老师也在被邀之内，但他婉言谢绝了，原因是正在赶写一部新歌剧，名叫《楚河争》。他雄心勃勃，准备把这个新作品再一次推向世界，让更多的西方人了解中国古代文化的灿烂风采。

因此，这个PARTY弄来弄去，只来了5个人。

夜莺一人在厨房里忙里忙外，谁也甭想插进手，去了也被轰出来，她做事情喜欢单干。母亲了解她，所以，索性就由着她。她知道女儿难得休息一天，邀请朋友们无拘无束地，痛痛快快的玩一玩儿，所以，说了声"好好玩儿，"就出去找她自己的老牌友打麻将去了。

王起明坐在一进门口的沙发上，面对着厨房，看着夜莺手脚利落，动作快捷摆弄着锅碗勺碟，肉菜蛋面，不禁使他想起在帮吴颜搬家的那天，她趴在地上修理电器的一幕。

他觉着看夜莺做饭，就像是在欣赏她的演出。只见人影晃动，四个灶眼，这个火上炖汤，那个火上焖饭，另一个火上蒸龙虾，剩下一个火干煸四季豆，三下五除二。

这边炒着菜，那边接电话。话筒夹在脖子上，不时地与欧洲、北美等各大城市的老同学聊天，寒暄，拜年。

王起明真想不到这位女歌唱家，平时也这么了得。一个著名的音乐博士，家务事竟能干得这么漂亮，精彩。他看得出了神，看得发了呆。

不一会儿，夜莺就把炒煎烹炸的饭菜端上了桌，大家举起酒杯共贺又一个新年的到来。

电话又响了起来，

"电话真多，全是咱们老同学。"夜莺一边接电话一边说。

王起明想借这个题目发挥一下："是啊，遍布全世界。不信，咱们来趟周游世界，甭管你到了哪个城市，保你有地方住，肚子饿不着。"

"这么着吧，今晚上，咱们做一回游戏，找哪个城市里没有咱们同学。来个比赛，谁说的多，排第一，说少的，就罚酒，怎么样？"李大可又出怪点子了。

"真无聊！"肖玫玫瞪了他一眼说。

"怎么无聊？这里说明一个问题。"

"什么问题？"

"咱小时候不总说这么一句话嘛：中国是世界革命的圣地，北京就是圣地延安。知道这是什么意思吗？这叫：站在北京城心想全世界。这意味着一种输出，这是咱们这一辈人的历史使命。"

"我看哪，革命没输出，音乐家倒先输出了。"王祥说完举起了杯。

"来，为咱们这一群输出的音乐家，干杯。"

大家碰完了杯，夜莺抿了一口酒说："你们哪，还是改不了小时候的毛病，说怪话、发牢骚行，就是不务正业。"

"可不是吗！"王祥的老婆钱小苹说：

"压在我手上的14K金链子，24K金戒指，他一点儿也不着急。"她抬起眼睛看了夜莺一眼，接着说："他那作曲算什么正业？写完了，谁又给他演奏哇，夜莺你是唱出了头，出场费又高，他呢？我可不想靠当孩子王（教小孩子学弹琴）养他去写那些谁也听不懂的玩艺儿。要卖的出钱来也行，可惜白送人家都没人要，不如跟我去卖首饰。"

王祥是个老实人，来到美国，脑子里除了背熟那些和声、对位作曲法外，就什么都不关心了。至于他老婆倒弄首饰作买卖，他根本帮不上忙。他说宁肯晚上给人家送饭，也不去把十几块进的货照着一百多卖。

王祥一沾酒脸就红，话也说不利落，"我，我真不懂，你要那么多钱干，干什么用？"

"干什么用"？钱小苹瞪着眼说："那你问问他。"她指了指王起明。

"他？"不等王起明回答，王祥接着说：

"他还不是跟我一样，改了写，写了改吗？为什么衡量一个人的价值非用钱和财产？他要是只为这些，我看他根本就不会去写。"

"你错了！"钱小苹放下了酒杯。

"精明的人才不会像你那么傻，他是又要利又要名！"

"这话有点误差，我写的那本书是被挤兑出来的，真不是⋯⋯。"

没等王起明说完，夜莺就打断了他的话头："换个话题吧，聊聊别的，要么咱们边吃边玩大可的游戏。"

大家伙七嘴八舌的，说一个地名，点几个名字。你说一个同学，他说一个地名；他说出一个地名，你说出一个同学，结果好像除了非洲外，音乐学院的学生几乎遍布全世界的各大城市，就连冰岛也有同学。"

"怎么样？"李大可得意起来：

"我早就说过，鲍家街的那个清王府大院，就是向世界输出音乐家的大本营。"

接着他们谈论起了学校里的老教师们，追忆起学生时代的趣事，回忆起大食堂的伙食，鲍家街胡同口卖的刀削面和石驸马大街上吃过的"艾窝窝"。

他们聊得是那么的开心，笑得是那么的香甜，即便那些当时叫人不愉快的旧事，现在都变成了令人幸福、难忘的回忆。

他们谈的正热闹，吴颜气喘嘘嘘地赶来。她的脸冻得红彤彤的，牙齿不断地打着颤。

"快快，快进屋来，看你冻的。"夜莺走上前，给她掸掉身上的雪，拉着她的手进了屋。

"不了，夜莺姐，我不能久呆。"吴颜站着说。

"大老远来的，怎么也得坐会儿，跟大伙认识认识吧。"王起明说。

吴颜关上了门，走过来同大家一一握手。

"来，坐下来，坐下来。"王起明拉了把椅子请她坐下。

"不行，实在对不起，我马上得走。"吴颜说着径直向门口走去，"别介意呀。"

窗外响起了汽车嗽叭声。

"让她走吧。"夜莺说着，披上大衣送她出去。

今年的PARTY，开的不尽兴，不象往年要闹到后半夜。

不到十点，钱小苹非拉着王祥赶回去，说是有人在家等她，要谈一笔大生意，托她购买从南非进口的碎钻石。李大可和肖玫玫由于开了一天的车，也疲劳得眼皮直打架，就催夜莺腾出客房早点休息。王起明起身向夜莺道过晚安，正要准备离开。

"你能陪我出去一趟吗？"夜莺问他。

"去哪儿？"

"勤老师家。过年了，他在赶写总谱，我想请你一起去看看他。"

"勤老师？太好了，我当然愿意去给他拜年。"王起明高兴地说。

"不，不只是拜年，去给他送点吃的，最近他的身体越来越糟了。"

"怎么啦？"

"五十多岁的人又要搞创作，又要完成学业，实在令人敬佩。"

"他太太呢？"

"正在国内做《楚河争》的筹备，所以，他生活上没人照顾。"

"那我们走吧。"

"好。"

勤向住在曼哈顿，从长岛开到曼哈顿六十多英里路需要将近两个小时的时间。

路上，夜莺开着车说："我实在太忙，无暇照顾吴颜，以后你能多去看看她吗？"

"不过，好像……？"

"是啊，这太可惜，可惜了她这么好的基础。"

"我明白，依我看，他们不一定会结婚，吴颜只不过是想摆脱经济上的困境，这样也许对她完成学业会更有帮助。"

"你是这样理解的吗？"

"是啊。"

"不认为有什么不对头吗？"

"我……"

夜莺加重的油门使崭新的汽车也感到吃不消她脚下的力量。

26

新年的气氛在哈莱姆区并不显得十分突出，节日光亮的夜景被一片片黑暗的楼群和零零星星的昏暗灯光所取代。

街道两旁的垃圾，被带着雪花的午夜寒风卷起，飘落在歪歪斜斜的楼房阴影之中的马路上。

路上没有行人。只有一些无家可归的流浪汉挤在一起，点着营火，唱着凄凄凉凉的歌。

勤向由于收入不稳，又勤于写作，因此，他只能在这个哈莱姆黑人区租个便宜的套房。

夜莺熄灭马达，锁上车门。王起明拉了拉大衣的后领。

"那就是勤老师的家。"寒风中夜莺伸手指了指前面的那座楼。

那座破旧的楼房似乎就要被大风吹倒，整座4层高的楼漆黑一团，只有二楼的一扇小窗子闪着灯光。

"是那儿吗?"王起明指了指那个发亮的窗口。

"是，我们走吧。"夜莺说着从汽车后备箱里拿出了给勤向带来的年货和一沙锅鸡汤。

"我来。"王起明接过了她手中的沙锅，那锅里的汤还是热热的。

他俩刚刚走进楼道，就听到从楼上传出了熟悉的音乐声，是歌剧《荒原》。夜莺记起了美国的一家电视台买下了这部歌剧的演播权，今晚正式播放。

他俩走到勤向门口，忽然停住了脚步。

在一片宏大的音乐声中，还加夹着高一声低一声用英文互相对骂的吵架声。

"YOU GOT TO PAY YOUR FUCKING RENT! JUST TODAY MAN!"（今天你得付你的房租。家伙!）腔调中带着一种浓重的黑人口音。

"NO，I TELL YOU ONE MORE TIME. I DON'T HAVE MONEY TO PAY YOUR FUCKING RENT TODAY!"（我再告诉你一次，我今天没钱!）这是勤向在吼叫。

"FUCK YOU ASS HOLE!"（X 你妈!）

"FUCK YOU!"

接着是东西被打碎的声音。

王起明一脚踢开了门，只见勤老师正与一个黑人扭打在一起。他不管三七二十一，一拳猛兜在黑人的下巴上，骑上去就要狠揍。

"STOP IT!"（住手!）夜莺大声喊住了王起明，又扑过去抱住了勤向：

"勤老师，这是怎么啦?"

"你放开他，别打他。"勤向一边用手背擦着嘴角上的血迹，一边向王起明说：

"这不怪他，放他走人。"

王起明放开了压在身下的黑人，黑人站起来，报怨着说：

"I'M JUST SECOND LANLORD，I HAVE NOWAY TO ···."（我只是个二房东，我没办⋯⋯）

"HOW MUCH?"（欠你多少钱?） 夜莺走过来问。

"TWO HUNDRED FIFTY FOR EACH MONTH，TWO

MONTHES ALTOGETHER FOR FIVE HUNDRED. "（两个月共 500 块。）

夜莺立刻打开钱包，拿出了 500 块钱把那黑人打发走了。

王起明兴奋地指着电视里正在播放的《荒原》说："勤老师，您看，是您的大作！"

"哈哈哈"，勤向狂笑起来，由于下巴张得太大，嘴角上的鲜血又不停地流了下来。

回家的路上，雪下得更大了，路面上的积雪又厚又滑，他们花了将近两个小时才从 164 街的哈莱姆区绕出了曼哈顿。

他俩在车上谁都没有说话，都在愤愤地想着勤老师的遭遇：

勤向这位被称之为中国"普基尼"的一生，曲折而又艰辛。

童年是在山沟里放羊，在张家口河套的庄稼地里度过的。尽管劳动繁重，生活贫困，仍然压不住天才的诞生，盖不住绝伦的才华。他 16 岁时写了交响诗《北方山谷》，18 岁时成为著名的作曲家，20 岁时写了交响乐《春秋之战》，22 岁时又完成了大型歌剧《文成公主》，正当他的才华更待得以展现之时，他被流放到大西北。

这一放就是 20 年。急得他躺在沙漠上直掏自己的心窝子，在葡萄园里拼命地揪着自己的头发，顿足捶胸泪流满面，几次哭倒在天山脚下。

他想写没有笔和纸；他想说，没有人听。这时一位善良的姑娘结识了他，不仅和他结了婚，还把笔和纸放在了他的手中。

从此以后，他如鱼得水，一鼓作气，写了一章又一章，作了一曲又一曲。多年的压抑像山洪一样从他的笔端喷泄出来。

他花费了整整 3 年的时间，写出了这部中国歌剧史上的里程碑——《荒原》，然而却遭致存有忌心的"专家"处心积虑的阻拦，使这部作品未能问世。

他没有气馁，终于被美国华盛顿大歌剧院一眼看中，争得了中国歌剧在西方的地位。从此，勤向也步入了世界著名作曲家的行列。

但是，勤向在经营上却不是个天才，他弄不懂 AGENT（经纪人）所充当的角色，更搞不清作曲、制作、演出、票房之间的关系和这些经济体制中的奸诈等等。当他发现这些原来都属纯商业化时已为时晚矣，他已在收入低微的出版，演出，广播的合同中签了字，却又忘记他可以终身享用自己作品的版权及各种权力。又由于英文能力不强，不能从事复杂的教学工作，因此，他一直处于一种欲继续创作而又无处藏身的境地。

"也许作曲家的命运永远是这样悲惨的吧。"等车子开上了长岛的高速公路之后，王起明叹了口气说。

"但是，我想他们的历史价值和地位是永远不会被磨灭的。"夜莺在铺满积雪的公路上，小心地开着车说。

"贝多芬，莫扎特，柴可夫斯基，这些伟大的作曲家，哪一个命运好？我记得莫扎特的《魔笛》一举成功，商人赚肥了腰包的同时，莫扎特却被榨得一无所有，甚至皇帝要接见他时，他连一件象样的礼服都没有。"

"是啊，历史好像在重演，可悲呀！"

"夜莺，音乐是美好的，可为什么音乐家的结局却又总是这么凄惨呢？"

"不全是，懂得经营，懂得如何销售自己就不会这样。"她无限感慨地说。

"销售自己？"

"对，这就是我为什么一年要接那么多合同的原因，这也不仅仅是我对中国音乐家的宣传，否则你在这里将会没有生路。"

王起明看了她一眼，觉得眼前这位歌唱家，诚实而聪明。他清了一下嗓子说：

"搞写作的人就没那么简单了。"

"都一样，勤老师是个太理想化的文人，他缺少的是实际的商业知识。"

王起明没有回答，他在这个问题上还没有解开扣：

文人和商人，艺术和经营。虽然他也知道这是一个文商结合的社会，可是他总觉得自己做不到这一点。

按说他现在才真正是一手商一手文的人，可他怎么也结合不起来。白天谈生意，他得护着胸口，不让对方摸到他的底，看出他的黑心，所以是连篇的假话瞎话。可是到了晚上写书的时候呢，他必须把胸腔里跳动的那颗红彤彤的心掏出来。

几年来，他就是这么过的，白天捂着胸口，晚上打开胸口。

有一次他对朋友打趣地说："干脆，把我的胸口打开，缝个拉链算了，方便点，也好受点。"

王起明很想知道夜莺在这方面是怎样结合的。怎么结合的这么成功。于是，他问：

"夜莺，我理解勤老师，也同情勤老师，作家也面临着这个同样的问题。"

"也不见得，你不是结合得很好吗？"

"我？夜莺，你不知道，我写书都快写出人命来了！"

"是吗？"

王起明就像是拉开了胸口的拉链，从他对生意的厌倦到他写书的契机，从孩子的变化到夫妻的不合，统统的，一股脑般地全倒给了她。

"从你的书里我也感觉出了一点儿。"

"不，不，那只是感觉，而实际上你并不了解。"

王起明又滔滔不绝地继续讲起他与郭燕的分歧和矛盾，讲起他……

他不知道为什么今天晚上会对夜莺说出这么多对谁都未透露过的有关自己的隐私。

多少年来，织衣厂的工人们都说他俩是天生的一对，地造一双，美满和谐。为了生意上的稳定，他也一直向客户和工人们隐瞒着他俩长期分居的实情。特别是他的书出版，有了名气之后，就更有一种解脱不掉的名誉上的压力感。因此，他越来越瞒，越来越骗，瞒着别人，骗着自己，这种瞒，这种骗，形成了一种巨大的压力，越来越大，越来越重，常常使他感到透不过气来。

可今晚，他却一反常态地对夜莺没有丝毫地隐瞒。为什么？为什么单单对她说的这么坦白？他连自己也搞不明白了。

讲完了，他又有些后悔。因为没有得到夜莺一点的反映，他担心她会因此而对自己有看法，疏远了自己。

汽车仍在缓缓地向前行驶，轮胎压在雪地上发出了"吱吱"的声响。

"真对不起，夜莺，我不该向你说这么多。"

"不，没什么，TOO DIFFERENT PEOPLE。"（你们俩太不相同了。）

一句话似乎又鼓励起王起明，于是，他更加彻底地，像上了发条似地向她说着，他与郭燕有多么多么的不同，就像是一对水火不容的冤家。他形容得让人感到他必须与她离婚，甚至必须此时马上离婚。

"是的，"最后他又说道：

"我俩不止一次地提出过离婚，可是我又怕，不只怕名誉上受损，而且还怕财产的分散，就算这些都不要紧，可关键的是，离婚以后又怎样，我还找不找一个真正令我尊敬崇拜的女人，使我爱戴的女人？像你一样，能使我……"他马上意识到话说得有些过了，急忙要作解释。

夜莺突然笑了："我……?"

"王先生，"夜莺的态度严肃起来，"你太过份地估计别人了吧，我可不是你想像的那种女人。"

王起明的自尊心有些吃不住劲，他极力地辩解："我，我只是说像你一样，并没有真正的指你。我知道你是名女人，强女人，伟大而高不可攀，不过你绝不能因此而奚落我，我也是……"

"王先生，大概你快到家了吧?"

"不，我的汽车还停在你家。"

夜莺紧握着方向盘，不顾路滑，朝着漫天的风雪中冲去。

27

雪夜之后，他俩很少再有电话往来，也便没有了任何接触。

主要原因是在王起明，倒不是因为他感到自尊心受到了伤害，而是他对自己极端悔恨：太荒唐，一高兴起来，口无遮拦。

他忘记了自己的这个毛病，以前当老板的时候，随便惯了，和女工开两句过头的玩笑，人家拿他没办法。又因为有钱，总有种无名的优越感，从来也不知道尊敬个女人，他也太……。

可这是跟谁呀，是跟一个大歌唱家，一个有博士学位的名流啊。

咳！他真恨自己的放肆。我，我，我愚昧，我傻瓜，我混蛋，我不自量力，我是天底下头号的大白痴。

他一个人在地下室怒骂着自己。自卑，自弃，折磨着他。他又开始不修边幅了。

大雪连续下了七天七夜，没过了汽车的轮胎，压断了院子里的松枝，也封住了地下室的门，他被困在了阴冷，杂乱的地下室里，象头被关在笼子里的野兽。

冰箱里的东西快吃光了，只剩下一块儿象石头一样的冻肉，这些他还能对付，大不了打开火，把肉扔进锅里，甭管生不生，熟不熟，只要能吃，能充饥就行。可就有一样他对付不了——香烟。断烟犹如断粮，比要他的命还受罪。

烟没了，灵感也就消失了，他的笔自然也就停顿下来，书，再也写不下去了。

地下室通往一楼的门钥匙他有，他可以从一楼出去，买烟，买吃的，可他不想碰那扇门，他曾经对着她们发过誓：就是死了，也不会再上那层楼，不进那个屋。

他怕看那里的一切，怕看他亲手设计、布置的一切，这一切正失去往日的光彩，他伤透了心。斯蒂文那个王八蛋，那个无耻的流氓，拆白党，在那儿住过所留下的任何痕迹，都会令他恶心，令他恨之入骨。

钱、财产多了好吗？那是好东西吗？他愈加感到那象一块臭肉，招来的尽是些脑袋发绿，你争我抢的大头苍蝇。

吴颜来电话，说几天的大雪几乎盖住了他的汽车，请他过来铲雪，她好把车子开出来。

"对不起。吴颜小姐，我自己还不知道怎么出门呢。"

— 130 —

"可是，可是我急用车。"

"什么事这么急？"

"这你别管。反正……反正负责铲雪，是房东的责任。不然，不然门口摔了人，你要吃官司的。"吴颜的态度强硬了起来。

几个月下来，王起明多少也了解了吴颜的为人，小脸儿说翻就翻，翻起脸来，你对她的千好万好，她给你忘得个一干二净。

"好吧，我想办法。"王起明答应了吴颜，并不是怕她翻脸，而是一则想起夜莺曾拜托他的事，二则怕真的有人在他门口摔了跤，保险公司涨他的费用。

王起明无奈，打开了通往一楼的那道门。他快速地绕过客厅，穿过厨房，进入了银白色的世界。

"王大哥，谢谢你了。你真是个好人。"吴颜打老远儿就开始连蹦带跳地向他喊。

"你要去哪儿呀？"王起明一边铲着车边的雪，一边问她。

"夏威夷。"

"哪儿？"

"夏威夷！别看这里是冰天雪地的，那边可是春暖花开。"

"开车去？"

"不，开车去机场。我的男朋友已经在那儿等我了。今天雪停了，机场的班机也通了。你快点儿帮我铲吧。"

王起明喘着粗气继续铲了起来。

"王大哥，夜莺姐给你打电话了吗？"

"没有。"

"她没告诉你她明年的计划？"

"没有。"

"她真是忙糊涂了。她说明年的合同她一概不接，除了国内的两个合同外，国外的演出统统不去。她想认真地完成教学，还要写一篇关于'西洋歌剧在中国'的论文。她还说，要跟你讨论讨论有关的中文部分，还要请你帮忙润色一下呢。"

"是吗？"

"王大哥，我还想求你帮个忙。"

"说吧。"

"这次我去夏威夷，你可千万别告诉她，她要是知道了，可不得了啦。"

"为什么？"

"她不喜欢我的男朋友，她反对我跟他好。"

"我也特反对。"王起明停下手中的铲子说。

"行了，行了，你们都是站着说话不腰疼。怎么就不为我设身处地想一想呢？"

王起明没有回答，继续铲着他的雪。

"反正你得给我瞒着。你要是告诉她，我就马上跟你翻脸。"吴颜的话带点儿威胁性。

车子倒出来了，吴颜着急忙慌地坐进驾驶座，看了看表，说了声"拜拜！"就开走了。

回来的路上，王起明买了一些烟和吃的，又钻回了地下室。

晚上，他正在奋笔疾书，夜莺打来了电话。

"王起明吗？你好。我是夜莺。"

"我，我很好。"他心里有些紧张，不知道为什么，夜莺改变了对他的称呼。

"对不起。最近学校的工作太忙，没能抽出时间来给你打电话。你最近怎么样？还写书吗？"

"写。正在写。"

"是吗。王起明，上次我说的话，请你别在意，我只是想说，感情是严肃的……再说，当时在勤老师家看到的一切，使我心里一直不好受。你不要误解，我不是看不起你，实际上，我对搞创作的人一向很尊重。我真怕由于我说了不慎重的话，影响了你的写作。"

"不，不会。哪能呢。"

"说实在的，我不是鼓励你，你实际上真做了一件很了不起的事。我们这一代新移民，一直没人敢说真话，对亲朋好友也是报喜不报忧，你写出来了，而且是大实话，还造成这么大的轰动，这真是一种贡献。"

"夜莺，你过奖了。"他有点儿激动。真的，他还没听到过有人这样肯定过他呢，顿时使他感到有一股暖流涌上心头。

"希望你能继续写下去，写出这真实的一页。千万别停手，我做你的第一个读者。"

"夜莺，谢谢你。真的谢谢你。"

"我非常喜欢你书中的阿春。我理解你书中的含义，我懂你写的是什么。"

是啊，人的价值，怎么能以他身后的物质来衡量呢？那是生不带来，死不带去的东西。精神上的价值才是永恒的。生存容易，生活却不易。它的不易就在于：人们始终要在两者之间徘徊，犹豫。

"王起明，我也在写。写我的本行——歌剧在中国。当然，不一定能写得好，可就是想写。到时候还请你多帮忙。"

"一定，一定，唉……不敢不敢。我会尽力。"

"起明。"夜莺这样叫他了。

"嗯？"

夜莺没有马上说，停了片刻，说的既慢又有力量。

"你是有才能的，这是上帝赐予你的特殊礼物，请你珍惜吧。再见。"

王起明放下电话，马上在桌子上，床上，被子里乱翻起来。翻了好一阵，他才终于找到了夜莺从意大利带给他的那枚闪闪发亮的银色十字架。

28

楼上有了动静，不久又开始热闹起来。

是他们回来了，是三个人一起回来的。他没有去理会，闷头写他的书。

第二天，宁宁把他叫到了楼上。

桌子上摆满了酒菜，郭燕和斯蒂文已坐在了桌子旁。

"爸，中国的生意垮了。"宁宁开门见山地说，

"半年多来赔了不少钱，你看怎么办吧。"

"对。那里的人我们摆不定，很难哪。做生意不能在那里做。我们还是在这里想办法吧。"斯蒂文的态度显得非常有诚意。

这些，是在王起明预料之中的。要是这三个人在一起能把生意做好，那人人都能赚钱发财了。

美国的生意搞得个乱七八糟，就到中国去摘桃，桃子不好摘就折，折完了就又跑回美国来打他的算盘。

王起明早就暗自打定了主意：决不上当。

"孩子们说的是有道理的，咱们不管怎么说，还是一家人。

你呢，还是这里的一家之主，总得想个办法吧。"郭燕冷静地说着这番话，象是有人教过似的。

王起明心里有数，郭燕多少有些后悔，不该把她后半生的全部希望，押宝似地押在这两个宝贝蛋身上，她已看出了宁宁和斯蒂文的用心，她察觉出自己有些被利用。

王起明对郭燕这种愚蠢的既得利益的做法深恶痛绝。他坐在桌子前，不吃也不喝，象是吃了秤砣似地看着郭燕，他的目的是让郭燕明白，做生意靠的是智慧和勤劳，把宝押在一个流氓加文盲的身上，是大错特错的。他知道，郭燕面临的是重新选择。可她现在是骑虎难下，只有探试王起明的态度了。

"你别不说话呀？"郭燕也死死地盯住他问。

"我说什么？说你们辛苦啦，说你们受累啦，说你们……"

"爸，"宁宁打断了他。

"爸。你们两个也不必见面就斗气。事到如今，一家人拧在一起，重打鼓另开张，才是正路。"

"重打鼓另开张？说得轻巧。"王起明准备把话挑明了。

"打开天窗说亮话吧，你们回中国前，银行贷款、私人借帐、信用卡，就花得是一踏糊涂。做生意靠的是信誉，信誉搞坏了，还怎么做生意?！"

"爸，这不要紧，你的信誉坏了，我们可以上斯蒂文的名字，另外注册一个公司，生意照样可以做。"

王起明心里再明白不过了，这是他们耍的另一个花招，这又是斯蒂文玩弄这两个糊涂女人的阴险把戏。不过，他不想硬顶，而是用顺理成章的办法挡了回去：

"那很好。斯蒂文当老板，你们自己可以做吗，问我干什么？"

"你是一家之主哇。"

"我从来没做过你们的主。"

"爸。主你还是要做的,这回不做你也得做。"

"为什么?斯蒂文不是你们真正的主吗?"

"斯蒂文不懂这个行业,你有现成的客户,现成的生意关系,何必不充分利用。"

"这些关系我已全部,而且早早地就'献给'你们了。"

郭燕看着王起明的态度,心里凉了半截。她知道,王起明打定的主意,就是用九头牛都拉不回来。于是,她带点儿商量的口气对他说:

"斯蒂文是个外行,设计、制作样品、接定单、送货,他都不懂,你先帮他们做上几年,等孩子们大了,接上了手,你可以做你喜欢的事。"

"郭燕,"王起明也拿出蛮讲道理的口吻说:

"除了接定单和制样品,真不知道,生意上还有什么要做的。"

"少废话,你到底做还是不做!"

王起明真没想到斯蒂文会先发怒。

他毫不示弱,站起身来喊到:"不做!就是不做!斯蒂文。你的算盘打错了!"

"那你打算做什么?"郭燕也急得一拍桌子。

"这是我自己的事。"

"是写书吗?"宁宁紧逼着问。

"对!写书!写到底!"

"好!我让你写。"说着,她推开通往地下室的门,冲到他的桌子前,抓起稿子疯狂地撕起来。

王起明跟着冲了过去,后面跟着斯蒂文和郭燕。

"我让你写!我让你写!你写多少,我就给你撕多少!"宁宁一边叫喊，一边撕着王起明的心，王起明的血，王起明的肉。

"天哪！"他叫着。

还没有等到冲过去，夺下他那多少个日夜辛苦的结晶，就眼前一团漆黑跪倒在地上。他捂着胸口，艰难地喊着：

"宁宁，你这个混蛋，你这个文盲。撕吧，你撕碎了我的心，你撕断了父女情。撕吧，撕吧！"

郭燕手举着一叠稿纸，发狠地笑着说：

"当然要撕。撕它个粉碎。把写书当饭吃。现在世道也变得如此荒唐，把一个臭破鞋说得那么好，让那个小妖精在大陆那么受人喜欢。全疯了，气死我了。一个妮头倒成了好人。不撕等什么，我撕碎了她。"

"住手！我写的不是阿春。这本是……。"

"在你笔下胡编乱造的都成英雄。"宁宁边撕边喊。

"阿春成了好人，我倒成了坏人，你这叫什么父亲？叫什么作品？"

"宁宁。那是小说。你怎么……"

"撕呀。撕呀。全撕碎了它！"斯蒂文在一旁助着威。

王起明终于昏倒在地上。

郭燕冲过来，指着他的脊梁说："你在这屋里写一个字，我就跟着撕一个字。"

宁宁往撕碎的稿纸上吐了一口痰："让你的父女情见鬼去吧！"

斯蒂文大叫："让你的阿春快回来帮你吧！哈，哈，哈……"

29

郭燕正式起诉了。

王起明接到了她律师寄来的"离婚协议书"。他感到安全多了，这样，他不仅得到了法律上的正式保护，还可以住在这里，在地下室——这唯一属于他自己的空间里写书了。

他知道，这种牵扯到财产的官司要打，至少得几年。他没去认真地研究协议书上的条件，他只是想专心致志地完成他的新作《身份证》——这本被他们撕得粉碎，又重新追忆，整理起来的书。

没几天。事态又有了新的发展。

一天深夜，他正在埋头写书，突然，随着 JERRY 的几声狂叫，窗外那盏雪亮刺眼，用来防贼的自动照明灯亮了起来，紧接着"啪啪"两声，灯又全灭了，电源也被切断。

他没多想，猜测一定是大风刮倒了什么，压在电线上，把电源切断了。

第二天清晨，他走到门外察看，发现照明灯的电源没断。但是灯座倒是象被什么人硬给打碎的。

以前，他曾挨过几次偷，所以就装了这个"防贼灯"，纽约的小偷在下手之前，都会作一点摸底试探，他没有再去深究。现在，他除了那些宝贝稿子之外，什么也不在乎了。

深夜，当他刚睡下，就听到窗外又有了响动。正待起身察看，猛听得一阵刺耳的砸破玻璃声，窗子一扇接着一扇响了起来。

黑暗中的地下室寒风四起，院子草地上的残雪和杂物随着狂风，向地下室灌了进来。

"偷。你们也甭偷我哇。我没钱。滚！到别处去偷！"他站在地下室里，发了疯似地用中文狂吼着。

他起得很早。整个地下室变成了一个大冰箱，再睡下去，非冻挺了不可。

他想去 SEAR'S（大商店）买几块玻璃，把窗子镶起来。

打开车库，他准备把车子倒出来。

刚刚坐进驾驶室，还没发动引擎就觉出他的新"卡迪拉克"的四个轮胎全没了气儿。扁扁地被压在了车身下面。他立即用手摸那轮胎，马上感觉到了上面的刀痕，而且还是一把相当锋利的刀，纹路与纹路之间的橡胶，已经都被整块整块地割了下来。

他想去发动他那辆货车，可又不敢贸然行动，在书里，电视里看得多了，要想害死一个人，在发动机的火花塞处，放一个小炸弹是最方便，最可靠的办法了。

他连忙打开货车的前盖，果然，倒没装什么炸弹，车子的电瓶不见了。

这不是贼！还是那个王八蛋斯蒂文干的，他骗不了我，他想困死我，他太急于求成，太急于想得到这所房子了。

他向警察局打了电话，不一回儿，四五个警察赶到，两个忙着拍照，其他几个围着斯蒂文进行盘问，郭燕和宁宁在旁边竭力为他作辩护和担保。其实，就是她俩不出面，斯蒂文那小子，也会不露出任何蛛丝马迹。

别看斯蒂文没什么能耐，可对付这种局面似乎很有经验，他一直面带笑容地与警察寒暄，狡辩。

"I'M SORRY, MR. WANG, WE CAN'T CHARGE HIM, BECAUSE YOU DON'T HAVE ANY EVIDENTS TO PROVE IT."（对不起，王先生，我们没有足够的证据，来证实你的指控）说完，警察就走出了院门。

宁宁怒火中烧，向他大叫："你？你？你害了我妈还不够，现在你又起毒心害我们俩。告诉你，王起明。你休想！"

郭燕也跟着叫："你不得好死。你就这么干吧。美国有法律，饶不了你。现在我们就可以告你诬陷罪。"

斯蒂文没说话，冲着王起明冷笑着。

"斯蒂文，你这个大流氓！你不要得意的太早，早晚你会明白，你在这里白吃，白喝，白住，是违法的。"

郭燕不等斯蒂文开口，又扯开了嗓子叫到："警察还没走远，你去告哇！别忘了，这房子的名字是我的！"

当天夜里，地下室的电被切断了。几天来，不要说写作，就是生存也无法保证了。电一停，电暖气也停止了工作。冰箱里的食物更是臭得一塌糊涂。

他不再去告状打官司，打也没个结果。他只想快快地写完这本书，然后再做其他打算。

他换好货车的电瓶，把车开出去写。在公园冰冷的石桌上写，在湖畔边儿写，在小酒馆儿里写。打开汽车上的暖气，在方向盘上写。他把写好的稿子藏在货车的座位下面，藏在车库里的屋顶夹层里……。

他拼命地写，他有说不完的话，有写不完的内容。他感到欣慰，感到充实。

有时，他也笑自己，甭说在美国，就是在全世界，普天下哪有一个象他这样写书的。而且写出来的东西，说不定让人家笑话，会被人讥讽，也许还会不被理睬……。可他不管，他写，一个劲儿地"唰唰"地写。只有他自己最知道它的价值。

"你写完了吗？"过了几天斯蒂文一伙来到他的地下室，劈头就问。

"你管不着。你给我滚！"

"报上不是说，你的这本书又要出版，还要拍电影吗？"郭燕问。

"对！我王起明干什么成什么！"

"你成。那先写下字据吧，稿费一人一半。"她把手往前一伸，大言不惭地说。

"真臭不要脸。亏你说得出口。"

"哎。婚姻法规定离婚财产一人一半，何况我们现在还没离婚呢。"

宁宁抢上一步说："你要不签，休想把稿子寄出去！"

"你？你们欺人太甚了吧。写书是用我的智慧，难道我的脑子也要分给你们一半儿吗？"

斯蒂文象是斗气，又象是认真地说："一点儿不错。可不是一半，而是全部。"

"我操你祖宗！"王起明再也按捺不住，抄起一个棒球棒，向斯蒂文冲了过去。

斯蒂文是个耍心计，遇事怕见血的人，他一转脸窜出了地下室。

郭燕和宁宁对斯蒂文也有些不满了。不一会儿，楼上像开了锅，传来斯蒂文愤愤不平的谩骂声，宁宁的大喊大叫和郭燕的大哭小嚎。

"我一心一意地全为你，为了你和你妈。好吧，我走 我这就走！"斯蒂文的声音。

"斯蒂文！你要是真的走，我也不活了。"接着是宁宁的大哭声音。

"那你要我，还是要他。"

"好！我今天就要做给你看看！"宁宁叫喊着。

王起明深知宁宁的个性，他马上把地下室的门牢牢地锁上。

"宁宁，你要冷静。杀死他，你也活不了。"传来郭燕惊呼的声音。

"我不想活了，死就死吧！"是宁宁向地下室冲来的奔跑声，紧接着，地下室的门被砸得山响。

郭燕哭喊着："宁宁，宁宁，快放下手枪！斯蒂文，别砍门了！"

"喂，警察局吗？……"又传进来郭燕的声音。

警车长鸣着冲进了院子里，宁宁和斯蒂文的砸门声音停止了，接着是一阵更猛烈的砸门声。只听警察高喊：

"放下武器，放下武器。"

砸门声还在继续着，王起明从地下室的窗户望出去，看见斯蒂文正跳上汽车，准备逃跑。

忽然"嘭"地一声枪响，只听得宁宁一声惨叫，砸门声戛然而止。……

30

宁宁被带走了，

斯蒂文逃跑了，

郭燕去了姨家。

平静了，一切都平静了。

一切化为乌有。一切瞬间即逝。

一切一切，都空了。

梦，恶梦。

财破家亡，妻离子散。

罪孽呀。

败类！

王起明啊王起明，你折腾来折腾去，东半球，西半球的拼呀，搏呀，耍呀，装呀，图的就是这个？

你做生意发了财。有了钱又要名。名和利似乎你都得到了。可如今，你剩下了什么？你和那佛州的椰子树有什么区别？

宁宁啊宁宁，你被带走了。是谁把你送到了警察局？是谁让你小小的年纪，心灵上就印了这么一个大的烙印？

是我。是你的亲生父亲啊！

常言道：虎毒不吃子。可我，我还算个人吗？算个什么人哪！

宁宁反铐着手镣，被警察们推推搡搡，压上了警车。

她大踏着步子，挺着胸，咬着牙，高喊着："FUCK YOU！FUCK YOU！I'LL BE BACK！YOU JUST WAIT！"（混蛋，我会回来的，你就等着吧！）

这个情景，始终盘旋在他的脑子里，游动在他眼前，他忘不了哇！他的心像被刀子剜着一样地痛。

宁宁在监狱里，人家会打她吗？她的个性，是天生不会讨饶，不知深浅的，她会被判刑吗？她会不会越狱？出来后，她会不会不顾一切地来杀他，会不会因此铸成更大的罪过，更大的仇恨？到那时，我应该怎么办？

宁宁啊，你怎么就这么恨我呀！老天在上，拍拍胸脯想一想，我哪点儿对不起你。

自打你一生下来，我就操碎了心。在你身上花的心血，花的钱，比中国，美国的孩子都大上十几倍，几十倍呀！可怎么就暖不过来你的心呢？难道这移民分居的 7 年，咱父女俩要付出这么大的代价，一辈子也结不清吗？

你来到美国以后，我就一个心眼儿地想补回这 7 年的爱，追回这 7 年的时光。我为你交学费，盼望你将来能有出息。可你不喜欢上学，我也没强求。今年一部车，明年一部车地给你买，为的是想让你快活，弥补你那 7 年中失去的父爱。

你所要求的一切，我尽着我最大的能力来满足你。但是，你仿佛总是不知足。最后，我又把我毕生心血打下的江山，我的生意全部给了你……

可到头来，我竟成为你的仇人，险些做了你的枪下鬼！

这一切到底是为什么呢？

斯蒂文这个恶棍且不去说他，他即便不拆你，也会去拆别人。他天生就是一个坏种。

可郭燕，你都做了些什么呀？你怎么可以利用你的孩子，不惜让你的女儿去走犯罪的道路来达到自己的目的呢？太自私，太自私了。

是的，我承认，你我已没有感情，可我对你并不薄呀。钱，你掌管着。房子，在你的名下。名贵的钻石戒指，貂皮大衣和汽车，这些不都是你的吗？可你却也恩将仇报，置我于死地。

天哪！这都是怎么造成的？

王起明啊王起明，你不是总说自己是天底下最聪明的人吗？干什么事都能成功吗？甚至狂言：只有成功的经验，没有失败的教训吗？

你看不起这个，瞧不起那个，标榜自己最能干，最无所不能。你说你学音乐，无师自通；做生意，财运亨通；写书，一举成名。

你无休止地追求物质上的满足，生活上的享乐，事业上的功成名就。

看看吧。你追求到了什么？

阿春也许是对的。人，就应该实际点儿。人，不能永无止境地追求。

王起明一想到阿春，就肝肠欲断。她给他带来了情，给他带来了物和精神上的满足。可是，她不见了，她消失了，她走了，同她不能相约在乡归路。

人生苦短，都是他妈的戏！

人生一世，都是他妈的命。命该注定。他必定落到这个下场。

王起明承认失败了。他认命了。他不想再活了，他没脸面活下去，他没有勇气面对现实。

他拿起笔，铺好纸，写到：

郭燕，从下月开始，那幢房子的租金是你的了，我想，这足够你后半生的生存了。宁宁出狱后，让她无论如何去上学，受教育。

我们不必再追究谁对谁错了。一切一切就让它平稳地过去吧。我要走了，走得很远很远。

王起明把写完的纸条折叠好，从通到楼上的地下室门缝下塞了过去。

他拿出了那把小手枪，那把曾对着斯蒂文晃过，对着窃贼晃过，对着纽约走"黑道"的人晃过的小东西，今天，慢慢地晃向了自己的头颅。

他没有出汗，也没有心跳，对着自己的太阳穴，打开了保险栓，装上了减音器。

有人重重地敲了敲门。他那只举枪的手颤抖了一下。

"SOMEBODY HOME? U. P. S. DELIVERING."（有人吗？我是邮局送包裹的。）

他不相信此时还会有人惦记着他，还会有人给他寄来东西。他下意识地放下枪，打开门，签了字，接过了包裹。

邮包里是一本厚厚的书。

他莫明其妙地翻了两页，有几行用红笔划出来的字跳入他的眼帘：

耶稣站在山顶上，

邪灵撒旦对他说："你若信我，便可得到山下的荣华富贵。"

"不！"耶稣回答："那只能给人带来仇恨，灾难和毁灭。"

"那你信什么？"

"我的爱和我的主。"

"那你要不辞辛苦，劳累筋骨，要走很远很远的路。"

"我的主就是我的爱。找主，找爱，不必远渡重洋，跋山涉水。爱就在我灵上。"

王起明觉得惊讶，觉得不可思议。

他倒退了几步，目光直勾勾地盯住前方，前方似乎出现了一道亮光，不仅仅是一道光，简直是一个耀眼的巨大光环，那光环照亮了整个地下室。

他冲到邮包前，邮包上的地址写着：FROM NEW APOSTOLIC CHURCH. SMITH TOWN. N. Y.（新使徒教会。纽约长岛。史密斯镇。）

史密斯镇，史密斯镇，这是谁呢？史密斯镇附近有个纽约大学，纽约大学……？

他明白了。是她。就是她！

他扔下了邮包抓起电话：

"HELLO, HELLO? 喂喂。请问，请问你…你……"

"我是夜莺。"

31

STONY BROOK 大学有个校医院。

学校医院，常被人理解为是个门诊所，或是个大点儿的门诊部。但是，这所校医院在整个长岛，不排在第一位，也属前几名。

该校医院规模庞大，外观上就显示出它的现代化。里面的医疗设备更是占据世界领先地位。

该校学医的学生，都在这里做临床实习，教授们也在这里做临床教学。来自各国的进修大夫，也在这里学习和研究。从中国来的留学生也占了不少，有公派的，也有自费的，也有毕业后在这里就职的。

医院正前方，有几个巨大的停车场，在那里，你会看到各种肤色的患者上车下车，前来就医。

王明坐在休息厅的椅子上看着坐在软椅里的老头，插着氧气管的老妇，躺在吊瓶车上的重病患者，还有年纪轻轻地就拄上了双拐的残疾者。

望着这些来来往往正在与自己的生命搏斗的人们，看着身穿白大褂，衣着整洁正为救死扶伤忙碌的天使们，他心里难以平静。

人，会得各种各样的病。人，怎么会得那么多病？人，怎么那么脆弱？人，活着太不容易。人，活着干嘛？

王起明一生中，很少去医院。对自己的身体他一向非常自信。他认为医院永远与他无缘，即便遇到身体不适，他能抗。头疼脑热，就喝碗姜汤水，捂身汗；肠胃不舒服，就吃两片儿"酵母"。故此，在来美国之前，他的医疗本几乎是空白。到了美国，健康保险倒交了不少，可一次病也没看过。

他没得过什么病，可他坐在医院里做什么呢？

那天早晨，他自杀未遂，就急匆匆地赶到长岛。

见到夜莺，他声泪俱下地诉说了他家里所发生的一切，他说：不如一死百了，结束这无聊痛苦的生命。

"你做不到！这不可能！"夜莺一针见血地说：

"想死的人不是象你这样。你只不过是得了重病。"

"得病？我？得重病？"

……

长岛的雪，虽然积得很厚，可是被太阳一晒，说化就化。融化了的雪水汇成一条条小溪，沿着草坪，向宽广的柏油马路流去。马路上露出了油黑黑的沥青色，平坦而又光洁。

夜莺带着他，像带着个迷茫的孩子沿着马路向前走。太阳照在路旁的雪地上，折射过来的银光，映照着她那红润、健康的面庞。她说：

"难道不是吗？你不是一个健康的人。你应该承认你有病，而且还很严重。"

"可我？你看我这身……"

"你的身体也许很好，但是你没注意到，人自身的组合，不只是碳水化合物，它还有另外的一个组成部份，那就是灵。"

"你指的是精神？"

"不！是灵。实实在在的灵。人的这一部分如果长时间失去营养，造成的疾病，后果是不堪设想的。"

"什么样的后果？"他问得象个学龄前的儿童。

"很糟糕。"她回答得像个耐心的母亲。

"人真的有灵吗？"

"人的灵，指导着你的追求，你的行动。"

"灵到底是什么？"

"有邪灵和爱灵两种。邪灵一旦附体，仇恨和失败即会到来。"

"那爱灵呢？想必就是爱啦。"

"就是爱。"

"爱？"

王起明以前趾高气扬地活了半辈子，可今天，他倒象个小

— 150 —

学生,虚心地向别人讨教起来,这些内容对他来说并不新鲜,可他还是认认真真地思索起来:

是啊。人人都说"家和万事兴。"理是这个理,可做得到吗?

"夜莺。有时候我觉得,你爱别人,别人未必爱你呀?"

"不。我想,那是你没有真正地爱别人。爱别人,不是容易做到的。真诚的爱,难能可贵。能做到珍重自己都很不易。"

"不。我爱我自己。"

"王起明,让我说,你不爱你自己,你若是真的爱自己,就应该马上振作起来,剃掉你的长发,换洗你的脏衣服,补上你的那颗牙。"

他正回想着那天发生的事,护士叫着他的名字,进去试牙。

王起明带上镶好的假牙,护士拿过一面镜子,他上下牙齿咬了咬,严丝合缝,心里不住地佩服老美的医术。又用手梳了梳剪短了的头发。镜子里的他,似乎又回到了从前,可内心深处却起了相当大的变化。

他走出医院的大门,坐在路边的长椅上,等着夜莺来车接他。

长椅的另一端,坐着一位漂亮的小姑娘,"HI!"他主动热情地向她打招呼。

"HI!"小姑娘回答着。

小姑娘也就十一二岁,她那卷曲的金发,碧蓝的大眼睛里闪着天真般的美丽。

王起明笑着用英文对她说:"人外表的美不叫美,这里有爱才是美,对吗?"他指了指头和心。

小姑娘以为他有精神病,吓得跑开了。

夜莺的车开来了,他一坐上汽车就问:

"夜莺，那爱，也要分对象吧?"

"当然。"夜莺把车开上了公路。

"爱，千万不能理解成'博爱'。爱是有条件的。就连上帝也是如此。你不爱他，他也不会来爱你，你若爱他，他才来爱你。"

32

王起明从那个昏暗的地下室里搬出来了。

他需要阳光，他需要新鲜空气。

搬出来的那天，他站在那两座苦心经营建造起来的房子面前，没有丝毫的留恋，没有感到惋惜，他毅然地转过头，开着那辆货车，向着晴朗的长岛驶去。

在史密斯镇上，他找到了一所空闲的大房子。

房子的主人因公事要离开美国。出租的条件是：房租只收一半，可必须喂好两只猫和按时除草。

他搬进后没有几天，又在附近的加油站找到了一份儿打杂的工作。

他开始了新的生活。

这种新的生活对他来说，就象自己又回到了呀呀学语的BABY（婴儿）时代，从使用的语言到每日的作息时间，他都得重新适应。

他变了，变得缩手缩脚，变得胆小怕事，变得不敢迈步，变得不敢后退。

路。应该怎么走？步。应该怎么行？

……

夜莺教他怎样给房东喂猫，除草。教他怎样去洗衣店洗衣服，教他怎样作饭。夜莺没有嫌烦，他先暴跳如雷了：

"NO，NO，我象个BABY，我象个孩子。"

"对。你说对了。你就是个BABY，但是，你说得还不够准确，你连BABY都不如。BABY是个生命，而在你的灵上连个生命的种子都没有。不。应该说，有了种子，可是你不培养它，浇灌它，它已濒于死亡。"夜莺似乎说得比他还激动。

"那，那你说我应该怎么办？"他有些不明白。

"你要耐心，种子发芽是需要时间的，需要你自己去培养。"

夜莺是个大忙人，她不仅要练唱背谱，还要教学和写那篇"歌剧在中国"的论文。

她不能每天都象阿姨带孩子似地待王起明。可她还是几乎天天来，周末也让给他大半天。他们不是去海滨，也不是去游乐场，而是去离附近不远的，一个名叫"新使徒"的小教堂。……

春天到了，冰雪融化，长岛用她最美丽的盛装打扮起自己。白皑皑的大地瞬间变成了一片翠绿，充满了生机。

研究生大院儿的周围，开满了黄色的迎春花。小松鼠在草地上欢畅蹦跳，小鸟儿在枝头婉转歌喉，山雀在湛蓝的天空中飞舞，池塘里嬉游着一群群白野鸭和天鹅。

一切都象是重新开始，万物更新，世界在改变着模样。

王起明在加油站的工作速度加快了，熟练了。房东的那两只小猫，也同他产生了感情，和他亲近多了，他生活上的一切都能自理了。胸中那棵种子，好象开始破土发芽。

星期天，他起得很早。

他来到前院儿，把除草机加满了油，一拉起动机，即刻"嗵嗵"的马达声响了起来，震跑了地下的松鼠，惊跑了树上的小鸟。

他满头大汗，正要直起腰擦擦脸，夜莺那辆白色的 TOYOTA（丰田）开到了他的眼前。

"起明，今晚学校里有我的 LECTURE RECITAL（教学演唱会）你想去听吗？"夜莺打开车窗，冲着他大声地问。

王起明关掉除草机问："是你的独唱会吗？"

"当然。"

"去，我一定去！好久没听你唱歌了。"

音乐系教学楼的正面，直对着 STONY BROOK 大学的入口，音乐系的对面，就是该校的音乐厅。

七点不到，停车场里已没了空位，熙熙攘攘的人群，围满了音乐厅的门里门外，到处是轻轻的议论声。

音乐厅的海报栏上，挂着夜莺的大彩照，照片下面，是对她的评论。特别是关于这场教学演唱会的内容，人们议论纷纷。因为 夜莺主张在该校的音乐教材上，加进东方中国音乐的内容。这一举动不仅惊动了系里、校里，也使同意或不同意的教师们形成了两大派。

王起明背着手，得意地站在人群中，听着人们的议论，不知从哪里学来的派头，他端着一副"牛"气烘烘的架势。

铃声响了，人们迅速地坐到了自己的位子上。

夜莺身着一套庄重的墨绿色西服套裙，更显出她的学者气质，自信而高雅的大家风范。

她首先用流利的英文，讲解着音乐的世界性，明确地阐述了中国音乐应该被全世界人民了解的重要性。她强调：了解一个国家的音乐，也正是了解一个国家的最佳途径。

接着她唱了一首中国民歌"康定情歌"。

坐在台下的师生，对她的讲演和歌声报以热烈的掌声。

实际上，来听她演唱的人要多于演讲的，所以，当夜莺刚一张口唱，下面就已鸦雀无声。

她自弹自唱着：

"跑马溜溜的山上，一朵溜溜的云呦。

端端溜溜的照在，康定溜溜的城呦。

月亮弯弯，康定溜溜的城呦。

李家溜溜的大姐……"

她唱得自如，唱得动人。不仅王起明觉着牛，在场的中国学生都跟着牛。

她边唱边用英文讲解，讲解歌词的大意，讲演青海民歌的各种特点。坐在下面的人，有的做着笔记，有的全神贯注地听着。

她唱了一首又一首，讲了一段又一段，一会儿是中国古曲的语汇区别，一会是东北民歌的调性不同，扬扬洒洒，楞是把我们中国璀璨的古老文化与民俗风情讲解得满堂喝彩。

大诗人李白的"杏花天影"随着钢琴的乐曲声在她的歌喉中柔美地流淌出来，像吟诗赋画，像百鸟啼鸣：

绿丝低拂杨柳埔。

想桃叶当时唤度。

又将愁眼与春风。

待去，倚兰烧，更少逐。

金陵路，莺吟燕舞……

算潮水知人最苦。

……

— 155 —

呆了，木了，中国的文化把个西方人听得个目瞪口呆。

在座的人，不管去过还是没去过中国的，听完了整个讲演，都象是周游了一次中国的大江南北，无人不叹服，无人不赞美。

演讲会一结束，人们纷纷跑到台上，围着她继续问这问那。

王起明大摇大摆地走上台，架着她的胳膊，神气活现地走出了音乐厅。

"起明，明天下午你能请个假吗?"夜莺把她的胳膊抽出来说。

"干嘛?"

"你多了个房客。"

"谁?"

33

刘邦、项羽各自囤兵百万，在楚河边儿上拉开了战幕。随着两军战场紧锣密鼓擂起，勤向桌子上的五线谱也堆得越来越厚。

当守兵刘邦怒斥霸王十恶不赦之时，项羽按捺不住，令旗一挥，两军杀将起来。

震天动地的喊杀声，轰轰隆隆的马蹄声，刀枪碰撞的撕杀声，尘烟弥漫的车轮声，……顺着勤向的笔尖儿，流向了五线纸。

两军相争的巨大消耗，没有别的，只有几包方便面。

勤向脑袋钻在谱纸里，干昏了头，忘记了日子，忘掉了时间。

钢琴被他弹得山响，谱纸被他扔了一地，他浑身上下沾满了蓝墨水儿，揉烂了的碎纸，没过了他的脚脖子。

这哪儿是作曲，分明是自己跟自己展开的肉搏战。

两军不分胜负，打道归营，军需粮草已全部耗尽，勤向的两箱以批发价买来的方便面，也消耗一空。

就这样，三个月来他写完了第一稿。他停下笔，稍做喘息，忽然想起了一件事，奇怪，这房租怎么没人来收哇？

等他修改第二稿时，电话打不出去了，这才想起来，三个月来一直没交电话费。

真是昏天黑地，兵戈铁马，刀枪剑戟撕杀得太投入，兜里明明揣着出唱片的版税，台湾演出《荒原》的预付款，可就是把个交电话费的事儿抛在了脑后。

在美国，电话一旦被切断，就如同被流放到没有人烟的荒岛上，住在曼哈顿，失去通讯联络，又没有部车，直急得他像只热锅上的蚂蚁来回转圈。

正在他叫天天不灵，入地地无门，想把写好的乐谱全撕了的时候，夜莺敲响了他的门。

"勤老师，您还是跟我到长岛去吧，您太不会照顾自己了。"夜莺关心地说。

"不，纽约这地方出活，灵感多，不要说是美国的艺术家喜欢在这里，连老舍的《四世同堂》都是在这里问世的。"

"勤老师，快走吧，闻闻您身上都成什么味儿啦？走吧！"

勤向低头用鼻子闻了闻自己，咧开嘴大笑不止。

要多个房客，这可把王起明给乐坏了。

三个多月来，一个人守着这么个大房子，除了两只猫，就再也没人和他交流沟通了，他多想屋里能再添个人呀。

可没过几天，他发现，静不好受，闹也不好受。

勤向是个夜猫子，连弹带写一闹就是一夜，白天他能足足睡上一整天，可王起明呢，白天要上班，去加油站给顾客加油。晚上，夜里听着他弹，看着他弹，头一两天还能应付，到了第三天他就有些吃不消了。

这天，不到六点他回到家，趁勤向还没起床，赶紧躺下想睡个安稳觉。不料勤向一翻身醒了，拍了一下王起明的屁股，

"来，我跟你说一个新构思!"硬是把他拽了起来。

勤向爱喝酒，高兴起来喝个没够，喝了酒就爱聊，说起话来没边没沿儿。

"起明，来，喝。"

"勤老师，我得先睡会儿……"

"你坐好，听着。"他根本不理他，

"我写完《楚河争》之后，要完成一部交响诗，交响诗的名字就叫《操》。"

"什么? 勤老师您说什么?"

"英文叫 FUCK!"

"您这…这是诗吗?"

"世界上的主要通用语言，大概有 38 种，我要用这 38 种语言，表示出这个动词，写出不同的 FUCK。"

"勤老师，我得睡了。"

"FUCK，没错，我要 FUCK 剥削我的出版商，我要 FUCK 喝我血的经纪人，我要 FUCK 不懂艺术的政客，我要 FUCK 我身边的一切小人! FUCK 就是 FUCK!"

"勤老师，您别喝了。"

"为什么我要 FUCK 他们，没时没晌地 FUCK? 难道我总

得撅着屁股挨 FUCK？我要调转头翻个身，FUCK 他们。"

"您喝多了！"

"王起明，难道你发财时不是 FUCK 别人？世界上的钱，物就这么多？不是你 FUCK 他，就是他 FUCK 你。你想想，你如今混得妻离子散，不是有个王八蛋，贼着你那钱，FUCK 你了吗？难道你就这么屁，就不敢 FUCK 他？"

王起明端起了酒杯，大喊一声："YES，OK. FUCK！"

勤向干了几大杯酒，自然也就说了一大堆胡话，可是听着听着又象没醉。

"王起明，你总是这么下去也不对路，你不能跟我比，你是商人，商场胜败此乃常事，婚姻离合，稀松平常，你还年轻，找到相爱的就重整旗鼓…"

"勤老师，哪找去呀？"

"哪儿，就这儿。"

"这儿？"

"夜莺啊。"

"勤老师，这可不是开玩笑的事。往后您千万别再提，您是喝醉啦。"

"我非提，非当着她面提！"

"勤老师，您糊涂哇，夜莺，夜莺人家是博士，我是什么东西，我是…是他妈的'炮打士'！"

"咳，你呀别那么自卑。"他的语调突然变得象一个老翁，和蔼而清楚：

"起明，其实你不赖，人生的两大目标你完成一半了。人早晚得死，很快就死，死了能剩下什么？什么也留不住，有位伟大的文学家说的好：人生在世，最大趣事，就是写两本书，爱一个最爱的女人。"

王起明坐不住了，勤向又开始胡话连篇了。

"夜莺可是个好姑娘啊，我看出来啦，她喜欢你。"

"勤向老师，我严肃地对您说，"王起明气得站了起来，

"您…您还是回屋编你的 FUCK 去吧。"

"走，回屋，编，喝酒，写 FUCK……"勤向扶着墙壁走回了他的房间。

34

房东回来了，这位挪威籍的科学家是个单身汉。他的工作地点就在附近的美国航天研究中心，人虽长得高高大大，可举止却显得斯文而又有教养。

看到两只被照顾得很好的小猫和被修整得漂漂亮亮的草坪，他满意地一再向王起明表示感谢。不仅没有抱怨王起明未经他的允许，就招进来一个房客，而且还通情达理大度地说："只要按时付少许房租，勤先生可以继续留在这里。"

可两天之后，王起明发现，房东的宽容是有限度的，他对勤向昼夜颠倒的生活，尤其是整夜整夜地砸钢琴，他没动怒，只是礼貌地向勤老师提出是否可以调整一下作息时间。

没想到勤向倒先发起了脾气，大骂："科学家也是一群不懂艺术的白痴！"

于是房东请他走人，王起明连忙出面调停说："时间一长会习惯的，他走我也留不下呀。"

科学家还是固执地表示："我不希望我的房子里有个疯子。"

好说歹说无法妥协，没辙，最后决定，两人同时开路，走人。

　　王起明只得在他工作的加油站附近，又找了一间半土库（半地下室），然后用他的那辆旧货车，把他们的铺盖和勤向的谱子，钢琴以及方便面等等东西统统搬了过去，

　　王起明并没有习惯勤向那黑白颠倒的生活规律，可不知为什么，他这样做，心情特别愉快。

　　"不行，这样不行，得想个办法。"夜莺看着王起明的床被挤到半土库一角的窗下说。

　　"没关系，我怎样都行。"

　　"这不是个长久的办法。你也要写作呀。"

　　"暂时写不了，先打腹稿吧。"

　　"噢，对了，昨天你接到大可和玫玫的电话了吗?"

　　"没有，昨天一天都在搬家。"

　　"他俩要去瑞士和瑞典演出一个多月，你可以先住他们哪儿。"

　　"不用麻烦他们了。"

　　"你先暂时在那儿过度一二个月，等春季一过，学生放假回家，附近就好找房子了，这样既不耽误你写书，还可以照顾一下大可玫玫家。"

　　"他们提了吗?"

　　"来电话，就为这事。"

　　"行，不过那么远的路程，我的货车怕…"

　　"明天是周末，我带你去。"

　　美国美，美在她的多姿多彩上。秋天到处一片红，夏天到处一片绿，冬天到处一片白，春天则到处一片黄。

春天纽约的上州，满山遍野的景色，又是另一番模样。粗壮的枫树枝上刚刚发出了嫩芽，短短的迎春树也布满了黄色的花朵。

王起明驾着夜莺的白色丰田车，奔驰在笔直的95号公路上。

"起明，还是我来开吧。"夜莺坐在旁边心急的说。

"为什么，我可是老 DRIVER（驾驶员）了，绝对出不了错。"

"那可没准。"

"好，下一个出口换你。"

王起明比夜莺大十来岁，开车的年龄也比他长，可每当坐夜莺驾驶的车时，都会有一种说不出的滋味。她不仅速度快，而且爱超车。眼、手、腿配合得极为协调，头脑反映也极为快捷，他常为她的机敏和聪明所折服。

在下一个出口，夜莺换到了驾驶座。

她一踩油门，直冲到快车线，只要前面一有车辆挡路，她就会巧快地超越，又开到了最前面。

"夜莺，超速要吃罚单的。"他提醒着。

"I KNOW（我知道），我随时在车后镜里观察着警车，一旦他们出现，我就放慢速度，我从来不吃超速罚单。"说着，她又超过了一辆车。

"你为什么总想超越人家？"

"习惯了。"

"这习惯好吗？"

"我也不知道。不过，我觉得在美国的公路上开车与在美国的艺术道路上开拓没什么区别。不超过别人，你就永远冲不到最前面。我习惯前面无人。"

"怪不得比赛你从不拿第二奖。"

"有关系吧。"她淡淡地说。

"我不行喽，没你那份勇气喽，老啦。"

"老？勤向老师呢？他五十多岁了，不仅要完成他的创作计划，还在修他的博士学位呢。"

"佩服，真了不起！"王起明说着，不自觉地竖起了大姆指。

"是啊！你再想想，学艺术这一行也象心灵上的修缮一样，是一辈子的事。"

"心灵的修缮？"

"起明，最近你感觉出点什么了吗？"

"什么？"

"就拿你帮勤老师搬家说吧。"

"怎么啦？"

"真没感觉出什么？"

"没有。"

"这是爱，你胸中的种子发芽了。爱惜它，培养它，它就会茁壮成长。"

王起明笑着长出了一口气，他从没这么想过，真没有意识到，难道真如夜莺所说，正在悄悄地发芽成长？他反问自己。

不过，有一点可以肯定，以前的王起明，是绝不会干出这种"傻"事的，能为一个穷艺术家，一个疯疯颠颠，狂妄自大的人付出这么多时间和关注。

"夜莺你说，人真是上帝创造的吗？那达尔文的人类进化论不就该被推翻了吗？难道真像教会里的人说的，人是上帝用泥捏出来的？"王起明又象一个小学生似地问起来，虽然他知道，夜莺并不是这方面的专家。

"起明，这些问题，不是你目前需要研究的，爱因斯坦，居里夫人这些大科学家都不敢碰这个问题，但是，他们都信一个字——爱。"

"夜莺，我虽然不属于爱刨根问底的人，可我绝不会盲从，这些事情搞不明白，我……"

"你相信人有灵吗？"

"灵？"

"也就是说，你相信人有思维意识，追求，向往和奋斗的动力吗？"

"当然，当然相信。"

"一个人，一个民族，甚至一个国家都需要一个支柱，一种动力，这个支柱倾斜了，必然就会走向衰败，以致毁灭。只有不息地加固这个支柱，才能完善灵，人间才能美好，一个人，一个民族，一个国家才会有希望，才会壮大，才会立于不败之地。"

"灵，灵魂？"王起明喃喃自语。

"你就理解成爱吧。起明，你已经开始做了，不自觉地做了。你不知道，我心里有多高兴。我知道你会明白的，你能看到自己前面的道路，我了解你的天性。你能做到这些，说明你……。"

"是你的功劳。都靠你……"

"错了，不要指望人，人会倒下，人会死亡，人的智慧是有限的。你我和所有的人都一样，同在一个起跑线上。"

"不，夜莺，我比不了你。你，你太伟大。"

35

路面越来越高，天气越来越冷，沿途的景观也在逐渐起着变化，汽车还未过美加边界，四周已是白茫茫的了。

魁北克的春天，仍然是冰雪覆盖大地。蒙特利尔市的汽车，开动起来统统多了一个声响，四个轱辘缠上了一道又一道的钢索链，碰在路面上的冰雪地所发出的"哗啦，哗啦"声。

漫长的冰封季，使得蒙市的人们失去了生气，街上的行人寥寥无几，商店、餐馆里更是空无一人，寒冷的气候培养出人们的特殊习惯：围着火炉侃政府，捧着酒杯说政权。

这，可能 就是魁北克举旗独立，时不时就来个选举，搞出变象政变的原因吧。

只有生活在这里的众多香港移民不受他们的左右，任凭政客们的呼吁，任凭外面如何雪猛风大，关起门来搓麻将，管他门外天下事。

夜莺吐着哈气，向站在雪地中的警察用法语问明了地址，就朝着大可玫玫家开来。

大门打开，里边温暖如春。

大可、玫玫买下的是一幢法式高顶楼房，客厅大，卧室多，带蒸汽的浴室，现代化的厨房。

"起明，你们可来了，不然得愁死我。"李大可见到他们就说。

玫玫帮他俩找出室内拖鞋，又帮他俩挂好脱下来的大衣。

"我说你们一冬天都怎么过的？"王起明说着走进了客厅，他对这里相当熟悉，以前，纽约盛夏的几天，他都是带 JERRY 在这里渡过的。

"怎么过，打盹呗。"玫玫跟在他身后说：

"练琴？没那份心思，谈政治又没那个兴趣，演出不是天天老有，餐馆又没生意，你说不打盹干什么？"

"谁说的，生意就要来啦。"李大可一边说着一边把夜莺请到了沙发上，他接着说：

"春天一到，这儿的人就开始活了，就跟那冬眠的熊一样，一化冻，一开春，全出来了，该玩的玩，该吃的吃。该配的配，该闹的闹。"

玫玫瞪了大可一眼说："大可，你能不能说话注意点，人家夜莺还没结婚哪！"

"我谈的是生意，夜莺请你别在意，我说的是这里的生意经。"大可忙解释。

夜莺抿嘴笑了笑。

"这里生意的成败，就仗这个季节，从现在开始以后的四五个月，做砸了，秋后你就哭去吧。"

"可你们俩马上就要去欧洲，餐馆的生意安排好了吗？"王起明担心地问。

"哎哟喂，你真不愧是个生意人，我干嘛盼着你来呀。店里这几个人，没一个能领头的，就是有，我也不敢用。起明，这餐馆的生意全是 CASH（现金），信不过靠不住的人，趁我不在搞点偷手，你是一点也看不出来，等我跟玫玫从欧洲演出回来，就告你赔了，你有什么脾气。"

"更糟的是，在我们回来之前，卷款而溜，不全都傻眼啦。"

— 166 —

玫玫补充着说。

"可我对餐馆生意是个外行啊。"王起明的悟性极高，马上意识到了他俩的意思。

"咳，生意，大同小异，也不是让你下厨房作，就是看着，管人，这你也是老手。"

"再说了，"玫玫接着说：

"你刚到美国时，又不是没做过，其实你什么也甭管，就把着钱箱子就行。"

"来来来，天不早了，你们俩一路也累了，咱们赶快做饭，边吃边商量，我知道明一大早，夜莺还得赶回去呢。"大可说着走进了厨房。

"这么说我是走不了啦?"王起明也跟他进了厨房。

"对，留定了。你想走，也不让走，起明，你的处境我了解，别为那点事愁断了肠，人愁是一辈子，乐也是一辈子，怎么不是活着。离婚就离婚，离了谁也照样活，我也不是跟你吹大话，我提供你这个机会，不会让你白干，白让你百分之五十的股份，作为你打今以后翻身的本钱。"

"你先别决定，容我好好想想。"

"起明，男子大丈夫，想开了吧。"玫玫在客厅里大声对着厨房说：

"有什么了不起的，凭你的聪明劲，你肯定还能东山再起。夜莺，我们了解王起明，你放心，他天生的就是有钱的命，要说他没前途，那咱谁也甭干了。起明，我来给你举个例子，"玫玫站起来向着厨房走过去：

"十年河东，十年河西，你们纽约那个大亨，唐那·川普……"

夜莺坐在原地没动弹，心里盘算着这个事。她这次和王起

— 167 —

明来这里的目的，是希望他能有个好的写作环境，可玫玫和大可的想法是请他留下做生意，真没想到……

四个人在饭桌旁坐下，没等大家开口，夜莺清了一下嗓子说："玫玫，大可，谢谢你们俩的好意，我想起明是不会留下来的。"

"为什么？"大可举到嘴边的酒杯停住了。

"他现在的志向，恐怕不是赚更多的钱。"

"不赚钱干什么？"大可睁着大眼问。

"我要写书。"王起明抢着回答。

餐桌上的空气有点紧张，大家都莫不作声地低头吃饭。

突然，大可跳了起来：

"写书？起明，你是个聪明人，写书在北美能当饭吃吗？当然，我不反对你写书，可你得实际一点。我的起明，现实的美国、加拿大，甚至中国，谁还会看得起一个两袋空空的写书匠。在这个世界上，没钱不能，万万不能！"

王起明喝了口酒，也红着脸喊道："可是有了钱，追求到了物质，又怎么样？你看看我，看看我的灵魂！"

"灵魂？"玫玫眨了眨眼说：

"哟，想不到起明也讲起灵魂来了，跟闹鬼了似的。"

"不，玫玫，你听我说，我从心眼里感谢你和大可对我的关心，可是，我现在追求的是灵魂上的修缮和心田里的平静。"

"那你就削发当和尚去吧！"大可拍起了桌子。

"如果有可能，我一定去！"王起明也瞪起了眼。

"行啦，行啦。"玫玫拦住了他们，"别起急上火的，人哪，各有所求，各有所志。"

饭局不欢而散。

玫玫把夜莺领到楼上的客房，她一边整理着床铺一边说：

"他们俩不会马上睡的，我陪你一块在这屋先呆会儿。"

楼下的沙发上李大可和王起明各端着一只大酒杯，各自喝着闷酒。

不一会俩人喝完了，大可又给王起明倒了多半杯，然后慢慢地喝了一口，心平气和地说：

"起明，我也不好受哇。"

"怎么啦？"

"心里也是矛盾得很。咱俩从小在一起，学的又都是一个专业，你应该是最了解我的，谁愿意开饭馆呀，谁喜欢做生意呀，我哪是这种料哇。可不做吧，我剩余的精力和时间怎么打发呀，整天介，我这脑子里这个空哪乱哪，空的乱的没着没落。"

"大可，还因为那个事？咳，你想开了吧，玫玫不生育，她……"

"不全是为这个，当然啦，有个孩子可能会好点，可这心里头总得有个寄托吧。"

"你可别这么想，寄托不寄托的可不在这个，我倒是有个孩子，我也把全部希望寄托在她身上了，可到头来呢，又怎么样？所以你别这么想。"

"人活着，总得有个盼头吧，我和玫玫盼什么想什么是不知道，反正，整天就是他妈的不 HAPPY（幸福），好容易弄起个餐馆吧，想这回可有了盼头了，好家伙，更烦，烦得你都不知道哪是东南西北。"

"大可，我跟你说点我心里的事……"

这两个老哥俩掏开了心窝子。王起明讲完他最近的新感受，大可把屁股朝他这边移了移，轻声地说："你说的这是真的假的？"

— 169 —

"真的，现在我特痛快。"

"真的能越活越带劲儿？"

"嗯，越活越明白。"

"来，给我一支烟。"大可从来不会吸烟，大概是听了王起明的这番话太激动的缘故。

"起明，你怎么开的头哇？"

王起明用手指了指楼上。

"夜莺？我怀疑。她年纪轻轻的，什么都抓弄到了，她有钱有房，有名望，有学位，她当然没什么再追求的了，不来点神的虚的，还想什么？"

"不，不神，不虚，我觉得她是个非常实在的人。"

"我不是指的这个。我是说，这些唱歌剧的，都带着职业病，他们从小学的歌词，不是你爱我，就是我爱你的。西洋歌剧的台词，除了这两句就没别的，听多了都觉得俗。"

"一点也不俗，她讲的爱，不是这个爱。"

"起明，你告诉我，你为什么这么听她的？是不是又犯了……？"

"不！大可，你别瞎猜，这不可能，我崇拜她，我尊敬她。"

"少蒙我，什么崇拜，尊敬，就是那个字。"

"我……我也说不清。"

"咳，你呀！"

……

楼上玫玫和夜莺也没睡，甚至比楼下聊的更投机。

"想养个猫吧，总想不起来喂；想养个狗吧，一出国演出，又没人照顾；领一个孩子吧，心里又犯嘀咕。也难为大可非要开个餐馆，除了把时间充满，我们俩就更没多的说了。"黑暗中，玫玫向夜莺吐着心里话。

"其实，养猫、养狗，领养小孩都解决不了根本问题，开餐馆更会把人搞乱。"

"夜莺，那你说怎么办？"

"咱们都一样，都在寻找一条路，起明不就找到了吗！"

"有一句话，不知当问不当问，反正我是你老大姐，说出来也没什么。告诉我，你干嘛那么关心王起明？"

"我？关心他？"

"你自己都没察觉，可我觉出来，你对他的关心超出了一般。"

"也许他值得关心吧。"

……

夜莺又把王起明带回来了，向着春天的长岛开回来了。

她一边驾驶着飞快的汽车，一边说：

"开车有时可以越过线，可人生的方向一旦确定，就不能再摇摆不定了。"

王起明同意的点着头。

"你看到吴颜了吗？"夜莺突然问。

"吴颜？她，她现在怎么样？"

夜莺沉重而又遗憾地摇了摇头。

36

位于太平洋中心有一片岛屿，名叫夏威夷。尽管美国人对日本军阀在这里偷袭的行为还耿耿于怀，但战争以后，这里反倒成了日本人的天下。

与魁北克截然相反，此时的夏威夷却是热得如同盛夏。

以世界奇观的火山口著称的 HONOLULU（火努鲁鲁）岛正值旅游旺季，游客们带着草帽，穿着短裤，脖子上套着花环，腰间围着草裙，在街上露出了好奇，惊叹的脸。他们不仅惊叹这里的奇观怪景，也惊叹比比皆是的日本商号和汉字招牌。

这里的居民百分之九十以上都是黄种人，当然，黄种人里，除了大部分的日本人外，也有不少中国人。

中国人和日本人，在历史上有着不和睦，玩过真刀，动过真枪。可在夏威夷，两个民族对拿刀动枪已不感兴趣。今天，他们争夺的目标不是人命，而是集中在房地产上。

中国人炒房地产的确有一套。吴颜的男朋友彼得，早在十几年前就率"六元地产公司"抢滩上了岸。

彼得的起家，原不是靠北美的房地产，而是靠在南美贩卖东南亚的小五金。他没上过什么学，由于母亲过世早，家中孩子又多，父亲的公职收入不足，实难维持全家生活，所以，彼得在台北商学院还没毕业，就远渡重洋，到了里约热内卢，当时正值巴西经济刚起步。彼得十分聪明，他看准了南美市场的短缺物品之后，就从家庭五金开始做起。

最初，是从台湾和南韩进口，继而又从中国进口，没几年的工夫，他的生意就做大了，他进口的钉子，锤子，斧子，钳子，遍布整个南美。

有了资本后，他又进军北美，八十年代初，美国的房地产价格一天三变，他创办的"六元地产公司"的资本，也如日中天似的往上升。

他结过婚，婚后因感情不和，就开始闹离婚，可象彼得这种人的离婚，并非是一件容易的事，就目前的财产和未来的赡养费等问题，双方的律师争执不休，拖至今日仍没个结果。

吴颜对彼得的这些事都十分清楚，也许是被彼得的执着和坦诚所感动，也许是由于有她自己的打算，对彼得的背景非但没有在乎，反而却一心一意地等待着，等待他解决同以前太太的关系，和他共同步入教堂。

彼得四十出头，一表人才，虽没受过完整的教育，但由于常常出入高级场所，也学得处处彬彬有礼。

吴颜本以为到夏威夷来只是几天的事儿，可没想到，一住就是3个月。

彼得在火努鲁鲁岛上有一座 HOLIDAY RESORT（渡假村），旅馆不大，一楼是饭厅，舞厅，游艺场。二楼、三楼都是客房。

吴颜到达这里的第二天发生了一件事。客房部经理和彼得因为年薪待遇问题发生了口角，经理一气之下，提出辞职，把个彼得急得一时束手无策，又是喝酒，又是大骂。

"彼得，你别急，实在找不到合适的人手，我试一试。"吴颜搂着他的后背说。

"你？…当然，我是求之不得了，可是，你朱莉亚的学位……不行。你得回纽约。"

"彼得，我是说暂时的。"

"嗯？也好。救急如救火。现在是旅游旺季，好在这件事专业性不强，你这么聪明，一看就会。"

吴颜确实是个聪明的女孩儿，没有多久，客房部的工作就上了手，几周以后，她成了旅馆里上上下下最受欢迎的人。

彼得对她更加关爱。他的工作性质是全国飞，可是不管他飞到哪里，几乎是天天给吴颜打电话。

"吴颜，你要注意休息，千万别累坏了。"

"不会的，你就放心吧。"

"我明天去纽约，你要不要我去见见夜莺，请她吃个饭？"

"不。不要。你无论如何不能见她！"吴颜着急地说。

一天傍晚，吴颜结束了一天的工作，一个人在清亮透底的海滩上散步，看着五光十色的珊瑚礁和千姿百态的热带植物，她脑子里盘旋起新年的那件事。

老同学的新年PARTY，吴颜跟着彼得提前离开了夜莺的家，夜莺把她送到门外，拉着她的手，焦急地说：

"你先不要作出决定，好吗？"

"夜莺姐，我实在是……"

"好吧。明天下午，我去你那里再说。"

第二天，夜莺来到了吴颜的住所，望着吴颜哭肿的双眼，安慰地说：

"吴颜，我懂。我了解你的处境。可这绝不是一件小事儿啊。"

"我比不了你，你到了美国，学校就给了你全免，我没你那个本事。又打工，又上学的日子，我过够了。"吴颜噘着嘴说。

"不，吴颜。你性子太急。第一年是难关。等熬过了这一年，

— 174 —

说不定就会有好的转机。"

"我熬不了啦!"吴颜一甩胳膊,站了起来。

"可你总得为自己的事业和前途着想啊。"

"想不了那么远。现在,我只想钱。"

"你,你太没出息了。"夜莺生起气来。

"我管不了那么多。我只知道他能给我钱。"

"你了解他多少?他为什么为给你钱?"

"他给我钱,是因为爱我。"

"爱你,就应该支持你完成学业。爱的内容,不该只是钱。用钱来打动你的心,这种人能可靠吗?我看他的钱,是不会白花的。"

"对。你说的对。他用钱买我的笑。用钱买他自己开心。我卖给他我的身子。行了吧?就是你想要听到的。是吧?"

"你?……"夜莺实在难以控制,伸出右手,"啪"地一声打在了吴颜的脸颊上。

吴颜捂着脸,呆呆地望着她。夜莺一把将她搂在怀里。

吴颜在她的怀里痛哭起来。夜莺的泪珠也扑簌簌地掉在了吴颜那头黑亮亮的长发上。

37

　　夏天，碧绿的长岛更是处处增添了新的生机，本来就爱好户外活动的人们，此时，都涌向她那美丽的海滩和幽静的湖面。

　　SPRING LAKE 是个新的社区，名字叫春湖，虽然社区里没有湖水，却离海边很近，社区内有个一望无际的高尔夫球场，设有供人休闲的散步区和室内游泳池、桑那浴，以及室外高档的网球场。

　　夜莺身穿白色运动衣裤，手持网球拍，准确地把王起明打过来的旋转球抽打回去。她的步伐矫健，前后左右，不停地蹦跳着更换着姿势，额头上围着一条白色的弹力毛巾，她那一头黄褐色的长发扎在脑后，随着她打球的跳跃，一起一落地紧随着她。

　　"不行了，打不动了。休息休息吧。"王起明一边用手背抹去头上的汗水，一边在长椅上坐下来。

　　"你要加强锻炼。"夜莺笑着走过来，

　　"生命在于运动，运动会给人带来生气，你总是闷在屋里写作，不出来活动活动怎么行?"

　　"谢谢你，夜莺。是你给了我这么好的写作环境。"

　　"你就是不住在这儿，不用这些设施，我也得每月照交维修管理费。"

　　"不能那么说，不能那么说。"

　　自从王起明跟着夜莺从魁北克来到长岛，几个月来，他一直住在这里。

这里虽是夜莺的公寓，但她不常回来住，一周5天，都在学校的研究生宿舍大院儿里陪伴着妈妈。因为院子里的大人、孩子都反对妈妈回"春潮"，她一天不在，孩子们就吵着要奶奶。老人们更不舍得让她走，晚上的麻将，经常是三缺一。夜莺也只有在星期天，才回到这里来运动运动。

她太紧张，学校里的授课日程，几乎每天从早排到晚，她的学生都是从远道而来，特别是从日本、丹麦、加州、上州。慕名赶来的学生，不惜加班加点，排在她的教室门外。

王起明搬到这里之后，写作之余仍去加油站上班，不过他听从了夜莺的劝阻，一周只去两天。

他满足这里的一切，只有对夜莺"室内不准吸烟"的禁令感到有点儿不自在，好在书房离门口很近，写累了，推开门吸几口烟倒也方便。

"运动需要坚持，没有毅力的人，往往做不到这一点。"夜莺说着，带着他向游泳池走去。

"你呢？那么忙，怎么办？"他问。

"我每天早起一小时，围着大院儿跑十圈儿。"

夜莺换好了游泳衣，从更衣室走出来。或许是受传统意识的影响，她没穿BIKINI（三点式），腰间扎着的白色细腰带和天蓝色泳衣，衬得她更加高雅大方。

只见她一头钻进水里，双腿掀起水花，舒展着双臂。

自由泳游得真漂亮，动作和呼吸配合得是那么的默契，50米长的游泳池，一口气游了4个来回。她停下来喘了口气说：

"游哇。你怎么不动弹？"

"游，可我游的不好。"

"练。"

— 177 —

"夜莺，你的自由式真帅。"

她三两下游到他的身边："不行，差远了，到美国才学会的。是美国人教会了我如何游泳。"

"怪不得你的姿势跟老美的一模一样。"

"其实，我真正的爱好不是游泳，而是滑冰。"

"对。对。你是东北人嘛。"

"游泳讲究速度和进取，生活也离不开这两样。游泳是拼耐力的运动。耐力在人的一生当中，更是起着决定性的作用，我们一旦有了志向，有了目标，剩下的就靠速度，进取和耐力了。别看我好象是在讲大道理，其实咱们在这儿，远离祖国，在另一块国土上拼搏，奋斗，不就是靠这些吗？"

王起明看了看她说："你有一种力量。不，你本身就是力量。"

"你也是。你也有力量。"夜莺从游泳池里爬出来，走向跳板。

王起明的目光跟随着她："夜莺，我比不了你，有时候我太软弱，觉得疲惫不堪。"

夜莺的双脚站在跳板的前沿，一边调整着身体，一边说："软弱的根源就是怕。"她话一说完，一个挺身，一个大的弹跳，漂亮地跳入水中。

"真棒！"王起明没等她从深水中冒出头来说。

"怕，就是软弱，它不属于你。应该属于没有出息的懦夫。起明，你也来跳一个。"

"不，不。这个不行。我……"

"怕。是吗？"

"不。不是。"

"那就去跳。"

— 178 —

"我……我从来没试过。"

"去，去跳。如果你承认你还是条男子汉，你就去跳。"

王起明走向跳台，站在上面踌躇起来：

"夜莺，你说我……"

"行，你行。"

"嗵"的一声，王起明跳进了水里。

俩个人翻滚在浪花之中。

俩人擦干身体，各自在身上涂抹着防晒油，然后趴在躺椅上晒着太阳。

"夜莺，我又了新的难处。"

"什么难处？"

"离婚的条件我没法接受，她们实在……"

"这是你自己的事。"夜莺打断他。

王起明没有说话。他打开"可乐"的瓶盖儿，猛喝了起来。

"起明，你现在的写作状况好不好？"沉了一会儿夜莺问。

"好。蛮好的。"

"你写的是什么？"

"我也不知道。"

夜莺笑了起来："怎么写了半天，不知道写什么。"

"还没考虑成熟。"

"正在拉题纲？"

"嗯。"

"总得有个名字吧。"

"我先不打算告诉你。"

"有趣儿！"

38

夜莺又要出发了,她要去台湾。这一年,辞掉了大部分合同,只保留了几个她认为是值得的演出。保留台北的这场演出原因是:那里也是祖国的一部分,她非常想去看看。

勤向原不打算去,他舍不得停下手中的笔,后来听说,台湾省交响乐团要把他的作品做些修改,他才不得不扔下他的《楚河争》,也一同赶往台湾。

夜莺临走前交代给王起明三件事:一是有空过来看看她的母亲;二是周末教会组织的"查经班"别忘了去;三是母亲不懂英文,每天的信件,请他帮助查看处理。

他一一地答应,卖力地帮助她和勤向收拾行李。

夜莺和勤向走了,王起明感到心里空落落的,他又好象一个刚刚学会走路的孩子,大人一离开,就要步履蹒跚,身体失去重心。

几天来,空得他感到发慌。加油站工作有时找错了钱,拿起笔来写字,经常会望着白纸一坐一整天。

他尽量找事情做,尽量地把时间塞满。

他每天都去研究生大院儿,帮助夜莺的母亲做些杂事儿,更忘不了去开信箱查看来自世界各地所有的信件。

这天傍晚,他打开了信箱,发现一封中文信和一张漂亮的邀请函。

邀请函上写着几个正楷大字：新张开业，敬请夜莺，王起明光临。下面的落款是：王祥，钱小苹。

那封写着"夜莺收"的中文信封右上角，用英文标明"加急"。

怎么办？因为这点事儿挂国际长途电话请示夜莺，也确实有些小题大作，他猜想夜莺在台北一定正忙于排练，何必要去打扰她。于是自作主张，把信拆开。

夜莺姐，事到如今，我想还是告诉你，彼得和我决定结婚了，日期就定在本周末，地点在曼哈顿第五大道，华尔道夫饭店。

这件事儿我知道你听了一定不高兴，但是，念在老同学的份上，真希望你能来。

我爱彼得，他也真心地爱我。

我感到很幸福。

再见！

吴颜

看完信之后，王起明决定不用给台湾打电话了，反正都是老同学，自己代表她去就行了。这样也算为夜莺做点儿事。

吴颜的婚礼定在晚上，王祥和钱小苹的开业典礼是在下午2点。王起明驾着他那辆旧货车，径直开进了曼哈顿。

钱小苹的珠宝店，开在28街和第六大道之间。等王起明到了这里一看，才知道，她开的根本不是那种正经八百的首饰店。

这条街上的店主，是清一色的亚洲人，大部分是南朝鲜来的小商小贩，还有几户来自新加坡或是台湾。他们经营的不是真正的珠宝，而是卖些比那些货真价实的珠宝还漂亮的假首饰。像这样的店铺，这条街上共有二三十家，主要是批发，间或零售。钱小苹能挤进这里，也算是个有能耐的人。

她来美国也就七八年，他丈夫王祥，一心只想写出几首名作，帮不上她的忙，她竟能利用自己教钢琴存下的钱，开下这盘小店，也实在不简单。

为了招揽顾客，小店开张大减价三天，大幅的 ON SALE（大减价）的标签，贴在窗前。

生意还不错，柜台前里三层外三层地挤满了前来零售、批发的顾客。"夫妻小店"分配得也算合理，钱小苹管里，王祥管外。

"恭喜开张！恭喜发财！"王起明进了门，就半开玩笑地向他俩大声嚷嚷着。

"起明，来，帮帮忙。替我搬搬箱子。"钱小苹一见他进来，就以老板娘的口气支使着他。

"行！"他分开了人，就搬起箱子干了起来。

"起明。我这儿分不开身，你先帮我照顾一下这伙人，别让他们顺手牵羊。"王祥忙得满脖子流汗，伸着脖子朝王起明这边叫。

王起明开业典礼没参加上，在这儿却当了一下午的臭苦力，等到五点半关了门，才算松了一口气。

他擦了擦汗说："我不能久呆，晚上还有事呢。"

"吴颜的婚礼对不对？七点半开始，还有时间。咱们一快儿吃了饭再说。"钱小苹低着头，手按着计算器说。

"吃饭？"王祥累的往箱子上一坐说："人家不是宴请吗？"

钱小苹瞪了他一眼："你这脑子，实都实到家了。婚礼有往

— 182 —

饱了吃的吗？什么都不懂，就会看你那五线谱！还想做生意呢。"

"我没想做，是你逼着我做的。"

"逼你做有什么错。让你当老板还不好。"

"那是你一厢情愿。可我……"

王起明忙给他俩岔开，说：

"别吵啦。还是先吃口饭吧！"

"起明，你当过老板，赚钱是不是上瘾哪？"王祥问他。

"就一阵儿。"他答。

"可我们家这口怎么就没够哇？"

"我看也是一阵儿。"

钱小苹手沾着吐沫开始点票子，她一边乐着数着数，一边说："谁说的？我就不是一阵儿，我非赚它一辈子不可。"

"起明，你听听，我还有活路吗？"王祥满面愁容地说。

钱小苹正点得乐不可支，毫不理会她丈夫。

"钱多了找死。"王起明说。

"起明，干吗呀！不往一块儿拢，还非把两口子拆了不可。"钱小苹收住了笑容。

"这是我的体会。"

"那是你。"

"请你来，是叫你劝劝王祥干点儿正经事儿。你别拿你那点儿经验……"

"唉，我就要用我的教训说给你们听。"

"你这人，真没劲儿。"

王起明见钱小苹小脸真的拉了下来，也就没再接着往下说。

"走。先吃饭去。这才是正事儿。"王祥说着站了起来。

— 183 —

吴颜的婚礼是够排场的，彼得不仅租下了华尔道夫饭店的主厅，摆满了好几十桌酒宴。

他们三个人被安排在最后一排，王起明坐在了夜莺的空座上。

参加婚礼的中外来宾，女的一身珠光宝气，男的都像财大气粗的绅士。

酒席上正如钱小苹所说，这里不象中国城的酒会，喜欢实实在在地上它个四大菜八大碗的，这里主要都是冷餐，但饮料，酒类非常齐全。

吴颜打扮得过份亮丽。上前敬酒，贺喜的人无不称赞她漂亮，华贵。

王起明只顾低头喝着他的闷头酒，没注意吴颜带着她的彼得转到了他们的桌边。

"夜莺呢？"她过来就问。

"噢噢，她有事。"王起明急忙站起来回答：

"她不在美国，我代表她向你们的新喜祝贺。"

王起明正要举杯，吴颜有些气急败坏地说：

"王起明，请你不要再解释了，我也算看透了。"

"不，不。你先别生气，她……"

"我不生气，我哪敢生大音乐家的气呀。可大音乐家的气度，不该这么小吧？不该一点面子都不讲吧！"吴颜气的脸涨得通红。

"吴颜，你冤枉她了。"王起明也急了。

"那就她走她的阳关道，我走我的独木桥吧！"说完，她挎着彼得的胳膊，气鼓鼓地挺着胸走了。

大家丈二和尚没摸着头。

"牛什么呀！"钱小苹说。

— 184 —

王祥看着吴颜的背影，吐出了两字"没劲！"

39

夜莺他们走了两周，他慌神儿慌了两周。

笔一拿起来就停住不动，也吃不下，睡不着。他会无缘无故地跑到勤向那间半土库里去。到那里去干什么？也没个目的，他就是想看看。

他喜欢勤向。觉得勤向就像一个火焰喷射器，他的言论和他手中的笔就是一股火焰，指到哪里，哪里就燃烧，烧成灰烬。尔后，你会恍然大悟，觉得真相大白。

他去过大院儿几次，可都是与她母亲随便在客厅聊几句，再就是帮助买买菜。他知道，夜莺的书房是靠里边一间，可从未越雷池一步。尽管他非常想进去，非常想知道她的一切。人们常说：从书房里了解一个人，比在闺房里了解的还要真实。

可是他不敢。

星期天的早晨，王起明照常又来到了夜莺家，他推开门，发现老人家有点儿不对劲。她一个人坐在沙发上，手里拿着一个大相框，不停地擦着眼泪，相框里的正是她的女儿夜莺，那张曾在各大报纸上登过的剧照。

"伯母，您怎么啦？"

"啊？没什么。你坐吧。"

"伯母，是想女儿了吧。"

"想，咋不想呢。"老人虽是当年的电影明星，但仍不时带出家乡的地方音。

"没几天她就该回来了。台湾挺安全的，出不了事儿。"

"咳！担心的就是这个呀。那边的商业发达，有钱人多，听说，社会风气也不好。夜莺的个性又太倔强，咋不叫人担心哪。"

"您别太担心。她是个非常有主见的人。"

"可是，一个姑娘总是单身，多叫人不放心哪。要是有个伴儿就好了。可她又不肯将就，一个人全球的飞，里里外外那么些个事儿，怎么不操心哪！"

"伯母，婚姻大事是将就不得的。"

"你是个有家室的人，你知道，在美国一个人有多难。总不成家，苦到哪一年算是个头。你要是帮她出个主意，劝说劝说多好啊，我看你是个明白人。"

"是。等她回来的时候。"

老人叹了口气，愁眉苦脸地说：

"美国人美国人，她看不上；中国人中国人，她也看不上；有钱有势的看不上；有学问，有知识的也看不上，也不知道她想要个啥样的。"

"那个美国人理查德同她断了吗？"

"还提呢。他昨天晚上来这儿，非要见我。进了门就来个单腿下跪，除了我爱她，我求婚，其他的说了一大堆，我一句也听不懂。就是听懂，我也不同意。不是我古板，结了婚就是俩口子的日子，说不到一块儿，吃不到一块儿，生活在一起，习惯又不一样，咋过日子。"

"上次在华盛顿，我跟他……"

"这事我知道。我了解我的姑娘。就凭他骂过中国人，他就甭想让夜莺再见他了。"

"这事儿也怪我。"

"谁也不怪。今后你常帮她留意一下，咱们一起帮她解决这个大事。她也老大不小的了，我那四个孩子全成家了，就不放心她，不然，我一个快要入土的人，留在美国做啥。"

"是。以后帮她留意。"

"这次她去台湾，我托了一个老朋友，也都是我年轻时一块儿演电影的，在台湾搞得还不错。她说，她要帮着介绍一个，说是这个人人品好，长得也不错，年龄也相当。而且，事业也好，在台湾有商号，在旧金山也有买卖。真盼着能成喽，也好了却我心头一桩大事。"

王起明一听，急忙问："她同意了吗？"

"这事还瞒着她呢。我那老朋友也不敢冒失地问她，得等她演出结束，才敢向她提。"

"她演出完了吗？"

"没有。明天是闭幕式。咳！也不一定能成。夜莺有个毛病，一见有钱的，就先反感。给她介绍的人也不少了。去年，那个美国股票商，还没结婚呢，就又送汽车，又买房子的，可她就是不肯。那汽车，房子原封不动地又给人家退了回去。哎，但愿这次她能开窍，别再把人家顶回去了。"

"伯母，我还有事，先回去了。"王起明顾不得礼貌，就跑回了他的住处。

他急死了，他想告诉她，不要见这个富商。他想阻拦她，绝不能同意这件婚事。他看了看表，立即抄起电话，拨通了夜莺在台北的电话。

通了，是夜莺的声音，他的心慌慌的，手有些发颤：

"啊，是我……"他不知道准备怎么说，说什么。

"起明啊，你好吗？"

"我好……"他想说不要赴那个约，不要安排与那商人见面。理由呢？理由是什么？又有什么权力对她这么说？

"我母亲好吗？"

"她也好。也很好……"

他想说：我很想……不。我和你妈妈都很想你。可是话到了嘴边儿，他张不开口。他想说：你快点儿回来吧。可是又觉得，这话过于荒唐。

他呆呆地拿着听筒，什么话也说不出来，头上冒出了汗珠。

"起明，你能帮我个忙吗？"

"能。能。"

"《荒原》闭幕以后，我还有两场个人音乐会，是临时加的，我没有准备。你马上到我的书房，在钢琴左侧的书架上，A. B. C. 三组音乐会的曲目里，把 B 组的抽出来，是歌剧咏叹调的那一组，另外，再从 C 组里帮我复印一下《半个月亮爬上来》和《三十里铺》，印好后，用特别快递或传真传过来都可以。"

"好，没问题。"

"再见！"

王起明放下电话，不断地擦着额头上的汗珠，擦了一遍又一遍。他不清楚，自己为什么会这么紧张，会出这么多汗。以前，他什么样的人没有见过？可从来没像今天这样。

他走到门外，点上了一支烟，猛吸一口，心想，为什么呢？这是不是就是那个"爱"字？原来"爱"，真正的爱是紧张的，心跳的。

不。他马上又否定了自己的这种感觉，不可能！这绝对不可能！无耻。丢人。可笑。再也别这么想了，再也别有这种感觉了。

王起明开车又马上返回了大院儿，向她母亲说明了来意。

"噢。印谱子啊。都在她琴房里，复印机也在琴房里。谢谢你啊，老王。"

推开夜莺的琴房门，他"哇!"地吓了一跳。

书，真多呀!四面墙壁都是书，地上也堆满了一沓沓厚厚实实的谱子。他无法计算，这么多的书，要是都读完了，得用多少时间。他更设想不出，她来美国一共才十来年，怎么读了这么多书，这么多种文字：英文，意大利文，德文，法文和拉丁文等等。看来博士学位不是随便说着玩儿的。

"伯母。夜莺那么忙，怎么能读这么多的书哇?"他一边印着谱子，一边问。

"咳。还问呐，看她戴的眼镜了吧，那不是近视，是色盲。"

"她色盲?"

"去年为了拿下博士学位，一定要通过法文考试，整个一个暑假，三个半月，整天坐在家里就是看书，不分黑夜白天地看。考完了试，法文倒是通过了，走出大门，她说，怎么大夏天的下起雪来了呀?"

"怎么回事儿?"

"怎么回事儿。眼睛天天对着白纸，不知道怎么就转不过来了。看什么都是一片白。咳，真是作孽呀!"

谱子印好了，他马不停蹄的打开了传真机。边往台北传着乐谱，边对她母亲说：

"夜莺还挺能吃苦。"

"这几年总算好了。熬出头啦。刚来美国的时候，她可真没少遭罪。"老人说着，拿起放在沙发上的毛活儿织了起来。那是一件用粗毛线，大棒针织的毛衣。

"伯母，这刚几月份，您就给她织毛衣了?"

"这地方太大，说不定什么时候就用上。"

王起明眨眨眼，有点儿没明白。

"她来美国的第二年，我刚到美国。那时节比现在还热。伊州（伊利诺依州）的人热得都光着膀子上街。她要去克罗拉多州的阿斯本国际音乐节参加演出，她怕我刚到美国寂寞，就带我一起去了。为了省钱，非要开车去。可谁知会那么远，从伊州到克州开车整整要二十多个小时。那儿又是个高山地带，一路爬坡，没等开到半山腰，车子就出了毛病，两次前轱辘险些冲出了公路，下面就是悬崖峭壁，好后怕呀。

我当时吓出了一身冷汗，抱怨不该来。她倒好，也不理我，大半夜一个人修车子，我坐在车里，她怕我担心，给我打开收音机。我哪有心听啊！

她叮叮当当地修完了车，上车跟我说：妈，别怕。您不是也常说人生的路不都是平坦的，艺术的顶峰有时也会付出生命的代价吗？妈。我一点儿也不后悔。

到了阿斯本，一下车，别说穿这件大毛衣，就是穿了皮大衣也不会觉得暖和，那里敢情是林海雪原。"

老人家说着，爽朗地大声笑了起来。

笑过之后，她又指了指手中的毛衣说："我也只能帮她这点儿忙，其他的，比如说合同啦，谈判啦，背谱，教书，还有生活上的一大堆事儿啦，我是一概帮不上忙，她总是一个人苦撑着。嘿。这不是个办法，她总得找个人。就看这次台湾这事儿有没有希望了。"

王起明看着老人家手中的毛衣说：

"伯母，我懂一点织毛衣的针法。"

"你会织毛衣？"

"嗯。不过，不一样。那些是为了好看的。"

"好看的不中用。"

"是啊。既要实用，又要暖和。"

"表面上越好看，就越不实用。"

"伯母。我懂。"

......

40

天，下起了大暴雨，长岛公路上车满为患。王起明看着手腕上的表，急得直拍方向盘。

他被困在去肯尼迪机场的公路上，夜莺再有一个小时就到了。他打开收音机，收听通往机场各条道路的路况，看来都不妙，每条路上都塞满了车。

昨天晚上，夜莺从台湾发回来了一份传真，话很短，除了再次明确要到达的时间和班次外，就是一句话：我感觉到，你心中有恨，恨是失败，恨是死亡的代名词。夜莺的话向来不多说，她说过的话，你用心思考，才能从中领悟到它的实质。

恨。心中有恨？是的，他承认他非常恨。可从来没向她说过什么。

他恨郭燕不努力，不学习，永远寄在一人之下生活；他恨宁宁不争气，二十几岁了，还不知道做为一个人应该怎样生活，直到现在仍不能独立，还得依靠家里供给她一切。他也恨他自己，这成功，那成功，唯独自己的家庭不成功。

夜莺说，恨是失败，是死亡。我这个家庭的破碎，不就是长久的彼此没有爱吗。

宁宁好象是带着恨踏上美国国土的。她曾不止一次地说"恨"，不止一次地扬言"要报仇"。她小小的年纪，怎么会有那么多的恨？以致于，你给她真诚的爱，她反而会恩将仇报。

她的恨是怎么产生的呢？他想来想去都离不开那个字：钱！统统都是为了物质。

可这又能怪谁呢？有人说：孩子的样子就是家长的影子。所以到头来他不能只恨宁宁，现在他剩下的只有一个恨——悔恨。

夜莺告诉他，心中要充满爱，可是为什么有时候付出的爱，得到的反而是恨呢？

夜莺的确是个充满爱心的人。她走到哪里，哪里就充满爱。她爱得是那么的无私，她不断地把她心中的爱奉献给每一个人。他看得出来，她爱大家，大家也都非常爱她。

王起明也从心底里爱她，这个爱他说不上是哪种爱。是爱她漂亮的外貌？爱她炉火纯青的艺术？爱她令人羡慕的学位，还是爱她那颗美丽善良，充满着温馨的心？也许这些都有，但是他还是极力地否认着自己，这绝不是那种所谓的爱情，他不能，不能向她透露半点儿这方面的意思。

可是他又不得不承认，夜莺离开他，他就思念，夜莺在身边，他就心安。

按说王起明也是个聪明人，他能准确地分析出这到底是不是爱，他只是不愿意去想，不愿意去分析罢了。

他觉得不可能，他不配。

王起明晚到了 30 分钟，离着老远，他就看到夜莺站在机场大厅前，与一个身穿黄色风衣的美国人在说话。他加快了速度，直冲着他们开了过去。

他轻轻地按了一下喇叭，夜莺朝他微笑地摆了摆手，并没有立即上车。

雨下得小了一些，他打开车子的后盖儿，要去帮夜莺提箱子。

"起明，有雨，你不用出来了。"夜莺向他说。

"没关系，雨不太大。"

"你不要出来了，我马上就上车。"夜莺阻止住了他。

王起明坐回到座位上。透过雨幕，他看到那个穿黄色风衣的洋人还在向她滔滔不绝地说着什么，夜莺好几次想停住谈话上车，都被他拦住。夜莺穿得很单薄，看样子，还是台北那里的打扮。那个洋人想脱下大衣给她披上，她摇了摇头。

等在王起明后面的车有些不耐烦了，高声地响起了喇叭，那洋人急忙帮夜莺把箱子放进车子后备箱里。

"BYE BYE!"夜莺坐进车后对他说。

没等夜莺关上车门，那洋人弯下腰，伸进来半个头说：

"MISS YING YEH，WE WILL BE IN TOUCH。I 'LL CALL YOU TOMORROW。"（夜莺小姐，我们要保持联系，我明天会打电话给你。）

车子一上公路，夜莺就对王起明说：

"对不起，让你久等了。"

"哪里。我迟到了。"他看了她一眼说。

"我妈妈好吗？"

"她很好。"

"你呢？"

"也好。"

夜莺也看了他一眼，笑着问：

"你为什么不问问，我好吗？演出成功吗？"

"我……我正要问。"

"不。我不提醒你，你不会问。"

"会，我会。"

"不会。你有心事。"

"我？有心事？"

"是。你有很重很重的心事。"

41

雨还在下，"噼噼啪啪"的雨点敲打在夜莺书房的玻璃窗上。

晚饭后的研究生大院，显得那么安静而井然有序。王起明聚精会神地听着夜莺讲述她在台北中正纪念堂的演出经过。

"成功的喜悦是暂短的，掌声不会天天都包围着你。我们绝大部分的时间是生活，人们生活在现实社会中，不会感到总是那么光彩的。"她用这么几句结束了她的出访感受。

"机场同你谈话的那个人是谁？"王起明突然问。

"他是我的新经纪人。我已经同理查德分手了。因为他给我安排的演出太多。他只顾赚钱，我几乎成了他的奴隶，赚钱的奴隶。"

"你和理查德真的分手了？"

夜莺点了点头。

"这事儿也真的怪我，上次我不该……"

"这不关你的事。"

"这个新的经纪人怎么样？"

"他和理查德有很大的不同。他只安排大型国际性的演出。这非常合我的口味。今天，他去机场接我，就是为研究明年罗马音乐节演出的事情。"

"重要吗？"

"非常重要。它是一年一度的著名意大利歌剧节，也是各国音乐家、歌唱家云集和角逐的一个竞技场。"

"你决定去了？"

"是的。但是不容易。"

"象你这样的水平，有什么不容易？"

"要是只凭水平就好了。可惜这里面肮脏得很，有很多见不得人的交易。"

"和做生意一样？"

"比你想象的还要复杂。"

？……

终于回到家了。母亲忙前忙后地为女儿做着可口的饭菜。客厅里飘进一股诱人的炒菜油香气。

"夜莺。"

"嗯？"

"台北的那个人，你见了吗？"

"哪个人？"

"就是……就是你妈妈在台北的老朋友给你介绍……"

他的话还没说完，夜莺大笑起来："看来你对我的私生活很感兴趣。"

"不。是……是关心。"

"关心也好，感兴趣也好，反正你是想知道，我的个人生活问题。"

"……嗯。"

"为什么？"

"我……我也说不清。"

"我知道。起明。也许我不该这么说，但是我又必须得告诉你，我有我心爱的人。"

王起明屏住呼吸沉默着，他想抽烟，可又不好意思在她的客厅里抽，就站起身来，在屋里踱来踱去。

"想知道吗？"

"是理查德？"

夜莺摇了摇头。

"是长岛的那位牙医？"

夜莺还是摇了摇头。

"你坐下。"夜莺请他坐下，沉思了一会儿，讲了一段儿她上大学时的故事。

"他叫欧阳清音，是指挥系里出类拔萃的学生，他天生就是一个音乐家，细胞里蕴藏着丰富的旋律。他指挥的动作准确而又洒脱，对音乐的处理，有他独特的见解。对音乐风格的处理，也不同于他人。

他热爱生活，喜爱运动。由于个子高，他成了学院篮球队的队长。他还弹得一手好钢琴，不仅常常给我弹伴奏，而且在音乐的组织处理上，给我传授他的经验。

记得，我俩还一同参加过为前美国总统里根，和前英国首相撒切尔的演出。

我欣赏他，崇拜他。他也深深地爱着我。后来……"夜莺说到这儿，转过头去，停顿了片刻，继续说：

"后来，他在美国的叔叔要为他作担保来美国读书，他不肯，他说，应该去的是我，我一定会在那里成功的。我不同意，坚持

— 196 —

一起走。

不久，他突然住进了医院。我去看他，他就是不肯见我。除非我答应他先来美国。我答应了……"

王起明一动不动地听着。

"当他被推进手术室的时侯，我已登上了赴美国的飞机。"

"以后呢？"

"我到了美国，马上给他办理他来美国的手续，他叔叔也答应，继续做他的担保人。可不知为什么，他就是迟迟不去签证，以后，连信也不写了。两年后，当我得到'特殊人才'的绿卡时，马上回国找他，他已经失踪了。"

"失踪了？那他是什么地方的人？"

"我的同乡，也是长春人。"

"怎么会失踪呢？"

"等我返回美国，过了好长一段儿时间才得知，他当初得的是肝癌。前些日子，从洛杉矶来的消息更可怕，说他已经死了……。是他妹妹告诉我的。"夜莺一边擦着眼泪，一边说。

王起明沉默了半天，安慰夜莺说："人世间，有很多无奈，这事儿也过去多年了，别太伤心。"

"可我的心就是放不下。总也忘不了他。最近，我突然预感到，他并没有死，他是怕连累我才……"

"不会吧。"

……

42

　　天下就是有这么巧的事儿。没过几天，王起明正在看《人民日报》海外版的时候，发现了欧阳清音的消息。当然，这个欧阳清音是不是夜莺所说的那个，他没有把握，因为离她所描述的那个人相差太远。

　　报上的消息是这样写的：

　　改革开放的春风，由南刮到北。长春市郊外的县办工厂，镇办企业，如雨后春笋般地兴办起来。这里藏龙卧虎，人才济济，年轻的企业家欧阳清音就是其中的一个。

　　他创办的东方乐器制造厂，几年来，稳步向前发展。该厂的产品，不仅打开了国内市场，而且还远销日本，台湾，新加坡，南朝鲜等地。

　　王起明不相信，这会是让夜莺日夜思念的那个欧阳清音，他不想把这个消息马上告诉夜莺，万一不是，会更叫她伤心。他把报纸收好，准备做一个彻底调查。

　　他不愿立即告诉她的另外一个原因是，夜莺为明年的歌剧节正在做着最后的准备。

　　夜莺在学院里的琴房设在三楼。楼下院子里挺拔地长着一棵粗壮的北美杉树，树下的几排长木桌和木椅是校方为学生们提供的假日烤肉的场所。平时冷冷清清。

　　王起明这些日子经常光顾这里，抱着纸和笔，一坐就是大半天。

夏末，老杉树的叶子还没开始变红，几场雨下过之后，空气中带着重重的寒意，他吸了口烟，把外套往上拉了拉，继续听夜莺练习《露琪娅》里最难唱的花彩部分。

王起明最近想写点有关音乐家的生活，尽管他小时候学的是音乐，可对歌剧还是太陌生。每当他铺好纸开始写的时候，总感到力不从心。所以，他就天天来到这里，听夜莺唱，寻找他写作的灵感。

他总是坐在楼下静静地听，从不上楼惊动她。

今天，她练习的仍是《露琪娅》中最后的一个咏叹调——MAD SCENE（发疯咏叹调），是"露琪娅"临死前的唱段，也是世界歌剧界公认的花腔女高音最高难唱段。这首咏叹调一共持续将近二十分钟，演员要一边唱着高难的花彩部分，一边进入角色，表现出"露琪娅"发疯的情绪来。可以说，这段唱，是花腔女高音的试金石。

她唱的是意大利文：

IL DOLCE SOUNO,

MI COLPI DI SUA VOCE.

AH，QUELLAVOCE……EDGARDO MIO,

SI，TI SON RESA…

（一个甜蜜的声音，在我耳边回响。我亲爱的埃德迦多，我现在是属于你的……）

这部歌剧的全称叫《拉麦尔莫的露琪娅》（LUCIA DI LAMMERMOOR），是19世纪意大利的作曲大师唐尼采第（DONIZETTI）的代表作。

故事发生在苏格兰的一个城堡。

露琪娅的家族与埃德迦多的家族有着世世代代的仇恨，两个家族几经周折，露琪娅的家族战败了埃德迦多的家族，并杀死了世仇的家眷。不料，却漏掉了一个重要分子，那就是埃德迦多本人。他流落外乡，卧薪尝胆，伺机反扑复仇。

就在这个年轻英俊的埃德迦多返回那个盼望已久的故乡——拉麦尔莫时，在小树林里遇到了一位美丽天真的姑娘，她就是露琪娅。

俩人一见钟情，投入爱河，双双对天发誓，相爱终生。并互相交换了订婚戒指。

露琪娅的哥哥，为了使家族兴旺，逼她嫁给有钱有势的阿多罗，并欺骗她，埃德迦多已另有新欢。

在威逼利诱之下，天真的露琪娅相信了哥哥的谎言，为了家族，她忍着内心的巨大痛苦，嫁给了她并不爱的阿多罗。

就在举行婚礼的当天，埃德迦多突然赶到，真相大白，露琪娅痛恨自己。因为承受不住精神上的压力，当天夜里精神失常。

她亲手杀死了丈夫阿多罗，自己也倒在地上，气绝身亡。

这部大悲剧，虽然已经上演了近两个世纪，但直到今天，仍是各大歌剧院的保留剧目。

夜莺练习的那首咏叹调，就是"露琪娅"临终前唱的那一段。对每个难点，她逐个音符，逐个乐句地推敲，精益求精。

她那纯美动情，娴熟的技巧，在王起明看来，已是完美无缺。然而，几天来，他始终没能从头到尾，完整地听她唱完这首曲调。他真有些发急，每天逐字逐音地反复着一个乐句，逐句逐段地推敲着音准和节奏，他真想立即上楼劝劝她：别再扼杀自己的神经细胞了，可以了，够好的了，别再练了。

楼上的声音果真停了下来。

王起明看了看手表，收起纸和笔。夜莺歌停的时候，也就是他该回去的时间了。

"起明，你上来一下。"夜莺探出头来叫住了他。

"不了，我只是路过。"他低着头说，他的脸有些发烧。

"上来吧。我有事找你。"

王起明上了楼，显得有些不好意思。

"不用偷偷摸摸地听，你可以天天来。有些地方我把握不住，正想听听你的意见。"夜莺说着，从钢琴椅子上站了起来。

"我？太外行。"

"我想，凡是受过良好训练的花腔女高音，一般都能唱下这一段，唱得比较好的那几位，都是把精力放在技巧和声音上。我这次练习的重点是集中在表现'情'上。"

"完全对。以情取胜。"王起明赞同地说。

"起明，想必你也听过这部歌剧。你知道这个 MAD SCENE 是全剧的核心。来，坐下，谈谈你的看法。"

王起明以前只知道这部歌剧的名字，至于熟悉，那只是这几天的事儿。自从他了解到，夜莺为角逐"露琪娅"，参加罗马音乐节而在加紧拼命地练习的事儿起，他特意去书店买了这部歌剧的激光唱盘。

"你懂文学，你说说。"夜莺催着他。

"我认为，这段戏的最高潮，是城堡的长老举着十字架走来，露琪娅唱：'天父，仁慈的主。您的眼睛在看着我，请接受我，宽恕我吧。我将要回到天国，在那里等待我的爱人埃德迦多。接受我吧，我的主。我和埃德迦多将永远在您身旁，相亲相爱直至永远。'这几句乐段是《露琪娅》唱段的精髓，它体现了露琪娅对爱情的忠贞和向往。"

"你说的一点不错，我也是着重推敲这几句。对了，起明，在我去台湾的一段时间里，你去过教堂吗?"

"去过。"

"有体会吗?"

"那里的人很温暖，没有恨，象一个家。"

43

　　傍晚，在罗斯福饭店的大厅里，云集了众多身着晚礼服的男女宾客，他们都是为争夺罗马歌剧节其中的角色而来。

　　今天是第一轮 AUDITION（试唱）。

　　关于 AUDITION 这个名词，还得作些解释，凡有些英文基础的人，一般译为"面试"，这多少有些误差。一家公司或一个厂家，在招聘员工时的第一次面谈或面试，就不叫 AUDITION，而是称为 INTERVIEW，唯独音乐家的争聘，就叫 AUDITION。在他（她）们的眼里，AUDITION 的意义，绝不仅仅是面试、试听，而是过五关斩六将。

　　AUDITION 这一天，演员们不仅要把准备好的作品唱好，还要带去自己的简历，演过的角色，比赛得奖的介绍，报界的评论，导师的推荐信，以及一张 8 × 10 的黑白大照片。

　　这一大堆材料，统统放在一个大信封里，这便是歌剧演员的履历。

　　除此之外，参赛者们还必须从头上的发型，身着的服装，乃至脚上的鞋袜根据自己所唱的角色进行精心设计。

　　夜莺来美十来年，在这个圈子里，也打了十来年的仗。她热爱歌剧，但厌烦这种无休止的 AUDITION，她认为：这简直是扼杀艺术，是一种人口拍卖。

她反感被人家品头论足，被人家买来卖去。尽管她在这个角斗场上常常获胜，但却没有感到一丝一毫的骄傲和愉快。

这种纯商业化的行为，时常让她感觉到一种人格上的扭曲。她时常陶醉在每一部歌剧的精神境界里，但又不得不屈从这种不情愿的买卖行为。

AUDITION 的第一、二轮的审听，大都是歌剧院的经理和主管经济的行政人员，他们都是最好的商人，既掌握歌剧市场的需求，又精通于市场所需要的货源。

夜莺比较重视后两轮的 AUDITION，因为前来审听的人有起着拍板作用的指挥，也有十分懂行的艺术总监和导演，这些人统统是大艺术家，货源与市场不是他们的着眼点。

然而第一、二轮的 AUDITION 也不能轻视，这些人是歌剧的制作人，就是真正的老板。他们不仅决定着演员的去留，也掌握着导演和指挥的起用大权。这两套马车有时合作，有时争斗。激烈时能造成演职员罢工，要想继续合作下去，还得再请工会出面调停。内幕之复杂，人际关系之狡诈，夜莺对此早有所领教。

罗马歌剧节是世界性的重大音乐活动，因此它的 AUDI-TION 场所，也就散布在全世界各大都会。

北美地区的 AUDITION 就设在罗斯福饭店。今晚共有二十多位经纪人到场，他们带来了手中的精兵强将，每位经纪人大约都带来几个女高音。整个大厅坐满了百十来号的"露琪娅"，各个都是神气十足，信心百倍。

夜莺虽然胆不虚，心不跳，但也有些紧张，这毕竟是一次大型的音乐活动，是女高音们争拼实力的角斗场。

歌剧里的角色，分女高、中、低音，男声也是分高、中、低三种声部，其中就属女高音的份量最重，竞争力最强，所以自然而然，第一女主角就落到了女高音的头上，歌剧界都将这种领衔女高音称为 PRIMA DONNA（意大利文，第一女高音），如同中国京戏里的青衣，永远把着头份。

十八、九世纪的歌剧，大都描写男女之间的神圣爱情。所以从那时起，作曲家们就把女人的声带所能振动得到的，所能表现的都统统挖掘了出来，特别是在关键的咏叹调里，会让她得到全面的展现。花腔的跳音，如同在钢琴的键盘上一样跳动飞舞，因此，对于女高音来说，不仅要有速度和力度，还必须做到准确无误。有人说：唱女高音的就是耍声带杂技。这话虽有些夸张，但也不无为过。

夜莺不像那些花枝招展，热情如火的"露琪娅"，逢人就打招呼，不断地向她们的经纪人献殷勤。她坐在一个不易被人发现的角落里，场地人杂混乱，没法像往常一样做歌前练习，她只得闭目养神，追忆着《露琪娅》每一个乐句的情绪和技巧部分的感觉。

"夜莺，我正在找你。"她的新经纪人马克走了过来。

"你好，马克。"夜莺礼貌地向他打了一声招呼。

"快把你的履历和照片给我。主办人知道你今天来，正在向我要这些材料。"

夜莺一边把一个大牛皮纸信封递给他，一边说："马克，我今天感觉很好，可以往前安排吗？"

"当然了。我相信你的感觉永远是最好的。我去和他们交涉，尽量往前排，好吗？"

夜莺点了点头。

马克没走出几步，一个年轻漂亮的"露琪娅"迎住了他：

"马克，我亲爱的，把我安排再靠前一些，行吗?"

"对不起，亲爱的，我没有办法做到。"马克生硬地回绝了她。

"马克，"那个漂亮的姑娘追上了他:"今晚你有时间吗? 我邀请你到我家来吃晚饭。"

"实在对不起，亲爱的，我没有时间。"马克没有回头。

夜莺知道，马克在纽约的经纪人圈子里，是个有名的同性恋，对他名册上的女演员从不染指，这也是夜莺同意加盟的原因之一，她接受了理查德的教训。

轮到夜莺进场，马克带着她向考场走去。

夜莺身着一件镶着金边儿的红色长裙，散落下来卷曲的长发披在肩上，她的走过，引来了人们赞叹的目光，继而，惊异、嫉妒的眼神射向这个来自东方的"露琪娅"。

尽管 AUDITION 的场地，不准其他人随便进入，但仍能隐隐约约地听到从里面传出来的歌声。夜莺那清亮纯净的音质，娴熟的技巧，刚柔相济的歌喉，时而充满激情，时而哀怨凄楚，使热闹的大厅突然间静了下来，各种惊叹，嫉妒，不安的神色，重又从一个个"露琪娅"的脸上表现出来。

主持这场 AUDITION 的人叫珍妮，众所周知，她是北美歌剧界的一霸，她曾制作过很多大型歌剧，也获得过优秀制作人的奖牌。她那细细高高的身材和一副盛气凌人的自信神态，一看便知，是一个十足的女强人。

夜莺刚刚停住歌声，珍妮就破例地从座位上站了起来。她鼓着掌走到夜莺的身边，拍了拍她的肩膀说:"我愿意在我的别墅里接待你。如果你高兴，可以随时给我打电话。"说着，拿出了一张名片。

夜莺接过名片，说了声"谢谢"，转身走出考场。

马克见她走出来，急忙上前：

"感觉怎么样?"

"珍妮邀我去她家。"

"GREAT!"（太棒了!）马克惊喜地叫了一声。

离 STONY BROOK 大学不远，有一个叫 ST. JAMES 的小镇，在这个小镇上，有座不大惹人注意的小教堂，它没有高高的尖顶，也没有华丽的外表，初看上去，如同一幢 TWO FA—MILY HOUSE（两个家庭的房屋）。

小教堂的四周，被一片茂密的小树林所环抱，门前不小的停车场旁长着两棵硕果累累的桑树，枝头上，深紫色的桑果随着长岛的秋风吹过，"噼噼啪啪"地落在了地上。地面被金黄、银黄的色彩铺盖着，那么令人着迷，那么令人不忍心去踩踏。

教堂的窗子里传来了轻柔婉转的圣歌："我的主，耶和华。迷途的羔羊等待着您的指引……"

王起明现在每逢周日就到这里来，不仅因为夜莺在这儿的唱诗班里做领唱，能常常听到她那恬静歌声的缘故，而是他自己渐渐地感到：这里有他需要的那份宁静，有他需要的那份神圣。

牧师 HOFFMANN（霍夫曼）是二次世界大战后，随父来美的德国后裔。说他是牧师，他却从不大肆宣传宗教信仰，更不是照本宣科，大讲宗教理论，他就是一个普普通通的人。

大概是这个教堂所处的地理位置的关系，来这里的人，大都是些颇有成就的科学家、身价百万的商人和大学里的教授，当然，也有像夜莺这样的艺术家。

夜莺经常到这里来参加唱诗班，她爱这里，尤其是最忙的时侯，她更需要来这唱诗，找回那份安详的心境，找回她自己的空间，哪怕是片刻，哪怕是瞬间。

王起明对夜莺愈加了解，他发现，她并不像当初给他的感觉，仅仅是美丽和神圣，她也有过感情上的波折，工作中的苦恼，但她却能在这些纷纷乱乱的生活中，找到自己的位置，找到升华的渠道。

从教堂回来的路上，王起明问她：

"夜莺，为什么你总能保持不乱阵脚？"

"慢慢体会的。"她说。

"我要是能做到像你一样就好啦。"

"像我？不，人的智慧和力量是有限的，人太渺小了，人间的邪恶和欲念太多，太大。人常常不自量力。人是可怕的，包括你和我。"

王起明似懂非懂地点点头。

"不过，人间也有很多美好的一面，那是属于心中充满爱的人。"

汽车路过勤向家门口时，王起明要求下车。自他从台湾归来，王起明还没去看过他。

"好吧，那我就不去了。"夜莺停住了车说：

"我要准备第二轮的 AUDITION，代我向勤老师问好。"

"一定。"王起明说完，就下了车。

秋风把勤向门前的枫树刮得"哗哗"作响。在通往他家的小路上，铺满了枯黄的树叶，脚踩在上面，发出"咔咔"的声音。

屋里没有琴声，听说勤向的《楚河争》已接近尾声，即将定稿，他正在为他的这部新作找个好婆家而四处联络。

勤向打开门，一见王起明大喜过望，忙请他进屋："起明，我正想找你好好聊聊呢。你坐，我来给你拿罐啤酒。"

"您别客气，我自己来。"王起明说着，自己打开冰箱，拿出两罐啤酒，扔给勤向一罐。

"起明，如今是钱欲横流，世风败坏呀。"勤向喝了一大口酒，又开始乱发感想了。

"整整三年，《楚河争》榨干了我这把老骨头，可到如今呢，嫁不出去，找不着个婆家。华盛顿歌剧院说，前年刚刚搞过东方作品，离《荒原》的时间太近，现在不感兴趣。纽约歌剧院又因经费吃紧，连谈都不肯谈。"

"勤老师，您别着急，好作品迟早会推出去的。"王起明安慰他说。

"北京大歌剧院吧，不知什么原因，压了好几个月，不见反应，现在就只有上海大歌剧院表现得还比较积极热情。"

"您看，总还是有片绿洲吧。"

"可也难哪。"勤向叹了口气。

"怎么啦？"

"这你还不明白吗，钱！"他端起酒杯，把剩下的一口喝干："钱，钱哪！这年头什么值钱？麦当娜的屁股、迈克·约翰逊的女人腔嗓子值大钱，港台的三四流歌星也都成了摇钱树。惨哪，可悲呀。人用钱给自己套上枷锁，往沙漠里走。那是正经

— 209 —

路吗？人类的精神文明难道都不要了？老祖宗不容啊！"

"勤向老师，别发那么大火，这不是一个人能说了算的。"

"我没能耐，可总得有些明白人哪，明白人不引导，眼看着文化圣地变成一片沙漠，难道就不心疼？"

"这部《楚河争》不是也有地方要排吗？您别急，慢慢来。"

"慢慢来？甭急？没钱排，能不急吗？"

"您的心情可以理解。人不能总是肝气火旺地过日子。勤老师您应该找个地方去平静平静，该歇歇，卸卸担子啦。"

"找地方？世界上还能有这地方？"

"有哇，就离您这儿不远。"

勤向停住了端向嘴边的酒杯，眼睛亮了一下，

"噢？以后忙完了，倒要请教请教。"

王起明喝完了最后一口酒，站起身来，走到勤向的书桌前，他翻弄着足有一尺多高的总谱问：

"您在学校任教时，听说过一个叫欧阳清音的学生吗？"

"哪个系的？"

"指挥系的。"

"多大？"

"当时也就二十七八吧。"

"那我不会认识，不过你可以去问王祥，钱小苹，他们的年龄可能都差不多，他们应该知道。"

"对！问问他们。"

"欧阳清音？这名字挺耳熟，你问他干什么？"

"没什么，随便打听打听。"

45

王起明在默默地为夜莺寻找着欧阳清音的下落，甚至为了这件事儿，他几夜都睡不着觉。他希望她快乐幸福，至于为什么，他没有去深想。

自从上次在报上看到了那条消息后，他就开始四处打听，可直到今天仍没个下文。昨天他试探性地问过她：

"夜莺，你怎么会预感到他没死呢？"

"请不要再提这事了！"夜莺突然发起了脾气。

"对不起，我只是……"

"有人给我写了封信。"

"谁？"

"是个了解我的人。"

"是封匿名信吗？"

"嗯。"

"这个人为什么告诉你这个。"

夜莺摇着头跑开了。他没再追问下去，望着夜莺远去的背影，他下决心非要弄它个水落石出。

第二天，从加油站下班回来，他洗了洗手，就开车进了城。他是去找王祥和钱小苹，打听有关欧阳清音的事情。

车子开进第六大道28街，就见他们的小店还亮着灯，但已经关上了门。王起明看了看表，将近七点，他没有下车，一踩油门儿，向着他们家开去。

他们住在布鲁克林的一座公寓楼里，是他们上个月刚买下的，尽管是个旧楼，楼层又较高，可是却有三个卧室，两个客厅。

王起明敲了敲门，没人应声，又按了一下电铃，仍不见有人出来，他想，也许他们夫妇俩还在店里，就坐在楼梯口，点上一支烟，等了起来。

天完全黑了下来，楼道里更是漆黑一团，只有烟头在一亮一闪，映着王起明那张疲惫的脸。

他早就听说，夜莺这一届的学生赴美留学的有一多半儿，王祥，钱小苹虽比夜莺高两届，但是相比之下，彼此之间的熟悉程度，要比他强多了。欧阳清音和夜莺是同届，既然王祥两口子和夜莺那么熟悉，对欧阳也一定知道的不少。

楼道里有了响动，听脚步声像是两个人，他马上熄灭了烟头，低头向楼道里喊了一声：

"王祥，小苹。"

黑洞洞的楼道里，立即响起了慌乱的脚步声。

过了一会儿，钱小苹向楼上喊：

"是起明吗？"

"啊，等你们半天了。"

楼下还是迟迟不见人影，他听到钱小苹低声地说了一声："没关系，是我的老同学。"于是就打着了打火机，为他们照亮楼道。

两个人爬了上来，借着打火机的亮光，王起明看见钱小苹身边站的是另外一个男人，不是王祥。

"我来给你介绍一下，这是陈然，中央美院的，这位就是大名鼎鼎的王起明。"

— 212 —

"你好。"陈然向他伸过手。

"你好。"

"请进吧。"钱小苹说着打开了门。

"我刚才去了店里,看见你们已经关门了,才到这儿来。"王起明进了屋说。

"不是关门,是关张啦。"钱小苹把皮包往沙发上一扔,没精打采地说。

"关张啦?"

"开张大减价的时候,顾客还挺多,等到正常营业的时候,顾客就不来了。总得把店面儿的租金挣出来吧,谁能总减着价卖,这些人猴儿精猴儿精的。"

"那也别关张啊,这才几个月,生意靠守,竞争靠时间。"王起明说。

"哪来的本钱去守哪。看来,这做生意不是好玩儿的。"

陈然靠在沙发上,懒洋洋地说:

"早就跟你说过,你不是那块料,可你不听,非把当孩子头儿的那点儿钱折腾光了算数。"

"王祥呢?"王起明问。

"少提他!"钱小苹说着拿出了一支烟。

王起明一边替她点上火,一边笑着问:

"怎么,你也抽上了?"

"就差抽白面儿了。"钱小苹吸了一口烟接着说:

"既然你提到他,我也就不瞒你了,我跟他分开了。没这么不负责任的,生气、吵嘴都不怕,可他不能一甩手就走了,扔下我一个人,这生意能做得起来吗?能不垮吗?"

"他去哪儿了?"

"回国了。"

"什么时候走的？"

"早走了，还来信劝我也回去呢。说写个曲子，配个器也不少挣。今年的春节晚会上，他还准备露两手呢。"

"不回来啦？"

"不回来拉倒，分就分呗。起明你说，这房子刚买，我能说走就走吗？这年头离开谁都一样过。我怕什么。"钱小苹说是这么说，可眼泪却不停地在眼眶里打着转。

陈然递给她一张纸巾，叫她别难过，然后对王起明说：

"小苹心太软，他丈夫也太那个，哪能这样对待她。他上学时，还不是靠小苹教琴赚钱，支撑他们这个家。可到头来，说走就走，嘴上说的好听，是为了什么事业，其实……"

"小苹，"王起明打断了陈然的话。坦率地讲，他不喜欢这个陈然。

"小苹，你听说过欧阳清音这个人吗？"

"知道哇，你打听他干什么？"小苹擦了擦眼泪说。

"随便问问。"

"是夜莺让你来问的吧。"

"不，不是。我是想……"

"他是夜莺的第一个男朋友。这个人是鬼才，音乐鬼才。可是老天爷没给他一个好命，死得太早了。我知道夜莺忘不了他。当时，他俩在学校时，是出了名的一对儿恩爱高材。"

"可是有人说，他没死。"王起明试探着问。

"咳，别听那些，谁不知道他妹妹，欧阳清乐，是个半神经，自己嫁不出去，心态不平衡，一天到晚的胡说八道。"

"他妹妹，欧阳清乐？"

"你不知道？老同学她谁不骂，谁不恨，全得罪遍了。小提琴学不出来，改中提琴，中提琴拉不出来，改大提琴。到了美国，专业不灵，哪有你的饭吃？她可好，　不顺心，就拿别人撒气。”

“她在哪儿？”

“洛杉矶。”

“她对夜莺也有意见吗？”

“她呀，能没有吗，他哥哥得了肝癌，非说是夜莺害的，说夜莺不关心她哥哥，说她只想利用她哥哥的关系出国。这真是天下最大的冤枉。这事儿，连我们都知道，那时候，我们还没出国，夜莺帮了欧阳多少忙啊。”

“那他到底死没死？”

“那谁知道。得癌还能活得了。我也听说，他妹妹最近到处散风，说他哥哥没死。我看，活的可能性不大。人都有个面子，他妹妹想干什么，谁不清楚哇。”

“他妹妹想干什么，咱先别管，关键是欧阳是否还活着。”

“不可能活着，你回去劝劝夜莺，别听那个疯丫头的，累不累呀。”

“你知道欧阳清乐的电话吗？”

“我？我才不跟她联络呢。”

“那据你所知，谁跟她有来往呢？”

“还会有谁，吴颜呗。真不知道她们有什么共同语言。”

“吴颜？”

“啊。现在她可是一步登天喽。不得了啦。住的是PARK AVENUE（花园大道）的高级公寓，成了贵夫人啦。”

“她住在纽约？”

“你不知道吗？”

“不知道。”

“这是她的电话和地址。”

46

十一点多钟了，研究生大院里的灯光大都已经熄灭，繁忙的白昼已进入梦乡，一切是那么静谧、温馨，按照夜莺的生活习惯，这时也是她上床睡觉的时间。

她洗完澡，披着睡衣，梳理着一头柔软、蓬松的长发，坐在书桌前，又拿起了那封匿名信。

尊敬的夜莺女士：

当你的事业青云直上，当你的名字在北美越叫越响的时候，你是否想过，这一切都是怎么得来的？

我有必要提醒你：是谁帮助你起的步？是谁帮助你来的美国？是谁曾与你立下过海誓山盟？

也许，这些你从来就没有放在心上，也许，这些你已忘得一干二净。

但是，当你得知这个惊人的消息，你一定会难以成眠。或许你会半夜惊醒，看到有个人形在谴责你的良心。

我相信这不是鬼。鬼，只有在人死后才会出现。可他并没有死。他还活着！

可惜他活得很苦，苦的快要变成了鬼。

十几年来，他为你付出了多少？他现在为何还能挺着活在世上？这一切，难道你真的一点都不知道吗？

此时，我不想再提醒你去做些什么。我想，你自己应该知道。

打扰了。

一个知情人

正像信中所预言的那样，自从夜莺收到那封信后，的确睡得很不安稳，半夜也真的惊醒过。欧阳还活着？这是真的吗？他在哪儿？为什么活的那么苦……？不行，一定要打听出他的真正下落和一切实情。

她已经猜出这个写信人。小时候就已从欧阳那里了解到许多关于他妹妹的为人。不过，她不想追究这封信的意图和用词，她关心的只是：欧阳是否还活着。

为了保证第二轮 AUDITION 的声音质量，她不得不暂时忘掉他。

她离开书房向她的卧室走去，从里屋传来妈妈的声音："早点睡吧，别太累着啦，身体要紧。"

母亲已经知道了她的心事，几天来，一直在为她担着心。老人家知道女儿的个性，从不在这种时候多说话，说多了，不仅于事无补，反而会使她的心思加重。

"您放心睡吧，妈。我没事儿。"夜莺安慰着妈妈说。

几天的工夫，夜莺已瘦下去三四磅，她那修长的身材，显得更加苗条。

平日，夜莺的生活相当有规律，她的作息时间，就像钟表一样准确无误。她从没有因为事业和生活上的困难和烦恼而吃不下，睡不好。她的心很宽，再重再大的事儿也压不垮她，也

— 217 —

扰乱不了她的生活规律。可唯独在这件事上，她有些难以支撑。

电话铃突然响起，马克那激动的声音从听筒的另一头传了过来：

"莺，对不起，这么晚还来打扰你。一是，有件非常紧急的事情要告诉你。二是，我要向你提前祝贺。"

"什么事？马克。"夜莺平静地问。

"明天的 AUDITION 你不用唱了。"

"为什么？"

"因为第一轮你唱得太好了。"

"有这样的惯例吗？"

"有。珍妮是个非常有眼力的歌剧制作人，只要听几小节，她便知其潜在的能力，而且她说话绝对算数。她让我马上通知你，你可以直接进入最后一轮。"

"好，谢谢你，马克。"

"莺，我提前祝贺你，你将成为世界歌坛明星。"

"谢谢。"

"她要见你，就是明天，在她家里。她很有钱，可以说相当有钱。我有个预感，明年罗马音乐节的'露琪娅'可能就是你了。你的前途不可限量！"

"谢谢你，马克。明天你也一同去吗？"

"不。她只邀请了你一个人。珍妮是个古怪的人，从没听说有谁被她请到她家去过，你是例外。好，就这样。晚安！"

夜莺放下电话，并没有显得很激动。她在考虑，怎样重新安排下一步的日程。

她盘算着，后天飞回中国，飞回老家——长春，她要得到欧阳清音的真实情况。她清楚，他不一定活着，可她非要回去看个究竟。

这件事，她想瞒着母亲，因为在她和欧阳的事上，母亲操了不少心，看着女儿大龄不嫁，已经够她着急的了，更何况一晃十几年过去了，一切都已淡漠。依她老人家的人生经验，人这一辈子，无奈的事情太多，别太认真了。

王起明此时也没有睡，他正手握电话，与吴颜聊着。

他本想从她那里了解到一些更多的，有关欧阳清音的下落和他妹妹欧阳清乐的情况，没想到，吴颜却滔滔不绝地谈起了她自己的事情，谈她无聊的生活，谈她和彼得不能沟通，谈她做了母亲后的感受，谈她离开了音乐，离开了朋友的苦闷。

王起明从她那没有间断，没完没了的谈话中，感觉到了她的寂寞和没有人交流的苦衷。

"你也别那么想，等孩子大了，就会好了。"王起明安慰她说。

"那得等到哪一天。这孩子刚几个月，他又让我要第二个，我都成什么啦？可你一反对吧，他连奚落带挖苦，说什么，这不是中国，没人管你生多少，大陆的一胎政策，是如何如何的没人性。我说，你不了解中国，都十几亿人了，再不计划生育，那不都乱了套啦，这跟什么人性、人权的有什么关系。你猜他说什么？他说我脑子中毒太深，不可感化。我说，我可不愿意当一辈子别人的生产机器，我有我的事业，我要继续去学习，去唱歌。他反倒说，我这是胡思乱想，说什么，妇人就得尽妇人之道，我拼死拼活地挣下这份产业，没人继承行吗？音乐艺术根本就不是一门行业。我气急了，说，难道为了你的产业，我就得牺牲我的追求吗？他说……"

"你俩不是挺好的吗？"王起明打断她那没完没了的谈话问。

"那是结婚以前，现在是三天两头的吵。真没意思。早知这样还不……咳。看来，一步错，是步步错呀。当初，要是听夜莺姐一句话，也不会……，别提了，现在也不好意思见她了。"

"你真的想见她？"

"我没那个奢望。再说，她也不会见我。"

"不。这怪你不和她联系，夜莺不是那种小心眼的人。明天我跟她提提，约个时间，你俩好好聊聊。"

"行吗？"

"一定行。"

"那……真的太感谢你了。"

"别客气。噢，对了，我想跟你打听个人。"

"谁呀？"

"欧阳清乐。"

吴颜没有马上回答，停了一下，她突然问：

"你是想打听她，还是打听她哥哥？"

"……她哥哥。"王起明说了实话。

"你说他要是活到现在吧，那倒真是个奇迹。得了癌症，有几个能活下来的？要说是真的死了吧，可最近欧阳清乐逢人就说，她哥哥还活着。说的又是那么肯定。咳，她的话也不能全信，她就是那么个神神叨叨的人。起明大哥，我了解夜莺姐，她非常爱欧阳，一直在等他，直到欧阳去世几年之后，她才开始结交男朋友。在这个问题上，她特死心眼儿，如果她知道欧阳还活着，一定会去找他，等他。你可千万别告诉她。"

"她已经知道了。"

"怎么知道的？"

"是……算了。反正她是知道了。"

"一定是清乐捅给她的。这种人，真是少才缺德。"

"你能给我一个他妹妹的电话吗？"

"可以。不过，你最好先安慰一下夜莺姐，告诉她别太傻了，谁也没有责任去等谁一辈子。"

王起明得到了欧阳清乐的电话号码后，并没有马上打过去。他准备亲自去一趟洛杉矶，和她面谈，认认真真地搞清楚欧阳清音的真实情况。

他深知，搞清楚这件事对夜莺来说是多么的重要。

纽约大都会歌剧院的制作人——珍妮，说她有钱，一点不假。她在全美各地的别墅，除了纽约 PARK AVENUE（花园大道）那一层漂亮、豪华的高级公寓外，还有其他三四所。

她在迈阿密有一座避寒别墅，克罗拉多的阿斯本有一座避暑山庄，纽约上州的乔治湖旁有一座周末别墅，此外还在千岛湖买下了一座岛屿，光设计费和建造费，就花去近几百万美金。

不过，她的这些家产和大把的钞票，可不是从制作歌剧上赚来的。

歌剧的制作，虽是彻头彻尾的商业化，但严格地说，它还不是一门纯生意。生意的核心是为着赚钱，然而它却偏偏不是一个赚钱的行业。

尽管各种大小歌剧院遍布欧洲各大城市，但单靠门票收入维持生存简直是天方夜谭。

欧洲的国家歌剧院大都靠政府拨款供养。在美国这个一切都属私有制的国度里，除了军队、航天、铁路、邮局，这些既不赚钱又不能没有的行业，国家不对任何单位或私人团体负担经济补贴。就连泛美、联合、西北等这些在全世界举足轻重的大航空公司，也归个人所有。经济不景气，说倒就倒。

一句话，不赚钱的买卖在美国根本就没人做。

那么，歌剧在美国为什么还会兴旺发达，经久不衰呢？那是由于美国的税务制度。公司越大，利润越高，税金自然就越重。为了减轻税金，就将部分利润反馈社会。养个歌剧院，这与募捐给教堂或灾区性质纯属一模一样，反正是羊毛出在羊身上。

珍妮今年不到四十岁，在纽约私立大学导演系毕业后，任歌剧导演，后来迷上了歌剧制作，而制作歌剧不仅不赚钱，往往要倒贴钱，在正常人眼里，她则属于败家子。

那她哪来的那么多钱呢？当然，这不是她自己所挣，是祖辈留下的。

由于自幼生活在上流社会，很小就随父母出入歌剧院，所以，她深爱这一行。虽出身豪门，却无贵族作风。工作起来废寝忘食，一丝不苟。

她独身无子，但生活并不寂寞，追求她的男人时时不断，可都被她拒之门外。

她爱才，爱才子，爱才女，更爱美丽的才女。

今天，她特地邀请夜莺来到了她那幢耗资几百万的岛屿别墅。

这幢别墅对珍妮来说有着特殊的意义。但又不知为什么，她却很少请朋友来这里，就是她的几个较亲近的朋友，也从未来过，唯一的一次，还是在别墅落成后，她邀请了岛屿上的各国、各界名流来参加她的新居 PARTY（聚会），之后就再也没有在此举行过任何活动。

这个千岛湖，大大小小，没有上千个，也有几百个。住在岛上的居民，不是亿万富翁，也是好莱坞的名流，甚至还有一些来自法国、阿拉伯等国的国王和达官显贵，也在这风景宜人、四面环水的避暑胜地，买下一个弹丸之岛，享受着与世隔绝、世外桃园的乐趣。

珍妮的岛屿大小适中。房屋是白色的欧洲式建筑，室内的装潢设计，全部采用现代派风格，连大厅的壁画也稀奇古怪，好似人体各个器官的拼凑。

房屋西侧，有一个供船只停泊的船坞，从船坞的侧门，可直接进入客厅。在这座巨宅里，除了珍妮自己，一个四十多岁的法国女佣和一只白色波斯猫外，就再没有其他的生灵了。

夜莺进门之后就觉得浑身不自在，倒不是因为珍妮的富有，也不是因为她表现出的不可一世，而是由于她太热情，太关心备至，以至到了太随便，太热乎的地步。

另一个不自在的原因是在这么大的一个客厅里，只有她们俩人，那个女佣除了在一开始为她们煮了一壶咖啡外，就再也没有露过面。

"珍妮小姐，我想把《露琪娅》里所有的唱段，都唱给你听听。"夜莺忙说。

"我想，这个不需要了。我有非常好的直觉，知道你的价值和能力。"珍妮抱着她的小猫说。

"不过……"

"LISTEN（听着），我邀请你到我家来，不是请你来唱歌，而是想更多的了解你，你能来，我非常高兴。"

"谢谢你，珍妮。"

"莺。我有一个计划。你知道，歌剧是我的整个生活，也是我生命的全部。你是一个奇才，一个天才，在没有听到你演唱之前，我一直不敢相信，东方人会把歌剧唱得这么好，这么到家。仁慈的上帝赋予了你一副这么漂亮的歌喉。

莺，你能告诉我，为什么你能把露琪娅理解得那么深，那么有自己独到的见解？为什么你能把 'MAD SCENE' 唱得那样完美？"

夜莺礼貌地表示了感谢，然后说："我的理解是，要用心去演、去唱，这样才能打动人们的心。所以，我是以情来打动观众。"

"你为什么到现在还没结婚？"珍妮突然问。

夜莺笑着摇了摇头，没有回答。

"不结婚是绝对正确的。要想搞事业，就不能用婚姻来束缚自己，况且男人都是些自私自利的家伙，在他们身上，你不会得到真正的爱。你想想，露琪娅、维奥列塔、朱丽叶、咪咪，还有巧巧桑都是什么样的下场？"

"可以这样理解吗？"

"难道不是吗？你为什么独身？我为什么不交男朋友？这不足以说明问题吗？"

"也许你是对的。"夜莺迟疑地说。

"你将来一定会赞成我这一说法的。"珍妮放下了怀中的波斯猫，到厨房去拿女佣为她们早已准备好的三明治，她要带夜莺饱览一下这千岛湖的美好景色。

晚秋的千岛湖，位于纽约上州，环境幽雅，风景如画，枫叶层层叠叠染红了岸边。湖面风平浪静，像一个温柔的姑娘静静地躺在那里。

珍妮的游艇，一共分三层，底层是酒吧和台球室，甲板上是宽敞的客厅和舒适的卫生间，第三层是密封的驾驶舱，尽管船速不低，可人在舱内，却受不到一点外面气浪的影响。

没过多久，船就驶到了湖中心。

"莺，你喜欢驾驶吗？"珍妮的心情极好。

"不，我从来没有开船的经验。"

"你可以试一试，IT IS VERY EXCITING!"（很刺激！）

"我……"

"我来教你。"

夜莺坐到了驾驶台上，显得有些紧张，就像她第一次学开车时的感觉。

"这是起动，这是刹车，这是加速，这是减速，这是……"珍妮站在她的身后，把脸贴在夜莺的耳边，耐心地手把手地说着。

夜莺提了一下加速器，顿时，船像飞了一般急驰起来，珍妮身体猛然向后一仰，险些摔倒。

夜莺笑出了声，随之说了句："对不起。"

珍妮站稳后，喊了一声："莺。你要当心！"

夜莺继续加速。

珍妮一下用力按住了她加速的手，猛地向前一推，船速立刻大大减低，于是两个人的身体同时向前倾去，珍妮趁势抱住了夜莺，企图亲吻她。

"NO，YOU GOT WRONG PERSON."（不，你选错人了。）夜莺边说，边用力向后躲。

"YING，I HAVE BEEN LOOKING FOR AN UNUSUAL AND ATTRACTIVE EASTERN WOMAN FOR A LONG TIME，NOW I FOUND YOU，YOU ARE PERFECT. YOU ARE NICE，PRETTY，TILENTED，UNIQUE. YING，PLEASE BELIEVE ME，I'M SIERIES. I LOVE YOU."（莺，

我一直在寻找着一个不寻常的、有魅力的东方女性。现在我找到了，她就是你。你是那样地完美、漂亮可爱，你的才气，你整个的组合，是那样地不同反响。莺，请相信我，我是严肃认真的。我爱你。）

"不。珍妮小姐，我很尊重你，请你也尊重我。"夜莺的声音虽然不大，但透着一股刚硬。

珍妮没有想到夜莺的态度会是如此的坚决，一点不给她留面子：

"OK，WHAT ABOUT LUCIA"（那你是否还想演露琪娅？）

"……"夜莺沉默着。老实说，她不愿意放弃这次去罗马的演出。

"I THINK，YOU'D BETTER THINK IT OVER。"（你应该好好想一想。）

"……"夜莺仍然沉默着。她抬起头，看了看珍妮那难看的脸色，下了决心。

"MS. JENNY BROWN，I THINK I SHOULD GO BACK HOME，THANK YOU FOR YOUR HOSPITALITY。"（珍妮小姐，我想，我应该回家了。谢谢您的盛情。）

珍妮盯着夜莺那严肃的面孔，片刻，一推加速器，船向着她的小岛急速驶去。

48

在洛杉矶的海滨城 SANTA MONICA（圣·莫尼卡），王起明见到了欧阳清乐。

时下，虽已近年末，可这里仍是鲜花盛开，郁郁葱葱。也许是它邻近好莱坞的缘故，一切都显得那么美，但又不乏透出一点假。

晨雾笼罩着整座城市，高耸入云的建筑物，在雾气中时隐时现，身材窈窕热爱晨跑的女郎。在雾气中不时地时现。

众所周知，洛杉矶是漂亮女人云集的地方，不知有多少美女怀着明星梦来到这里，又捧着一颗破碎的心离去。尽管如此，每年还是有来自世界各地的少男倩女，为了在好莱坞争得一席之地而拼得头破血流。

海滨对面 RED ROOF（红屋顶）汽车旅馆的长廊上，王起明和欧阳清乐正在交谈。

"照你这么说，欧阳清音还健在?"王起明问着，从口袋里拿出了烟。

"在是在，但是不健康。他是个毅力坚强的人，自从得了肝硬化，就不能再站在指挥台上了。回到老家，他又没有认真的养病，贷款做起了生意，先从制造乐器开始。

一开始，只是个小作坊，但他心灵手巧，做出来的乐器，不仅美观，音色音质也都是一流，还销往东南亚，在国际上得过奖。可同时他的肝硬化也癌变了。

上个月，他突然给我写来一封信……"欧阳清乐说不下去了。

王起明深吸了一口烟说："别太难过，我理解你的心情。"

"我承认，那封信是我写的。不过，你也……"

"不必再提那件事了。"王起明打断她的话，

"我来找你，不是为了追究那封信是谁写的，我只想知道，你哥哥现在在哪儿。"

欧阳清乐摇了摇头："他不让我告诉任何人。"

"你哥哥经常给你来信吗？"

"没有，这是唯一的一封。以前，我也认为他已经死了。"

"你能告诉我，他信上的内容吗？"

"他表露出他仍在爱着夜莺。癌症判了他死刑，他不愿连累她，可又放不下她，让我写封信，告诉他，夜莺在这里的一切情况，否则他死不瞑目。你说，我哥哥他……夜莺怎么也应该给他一点安慰吧，对一个临死的人，我们活着的人，难道不应该这样做吗？可我哥又不想让夜莺知道。我，我真不知道该怎么办……我恨夜莺，要不是她，我哥哥还……"

"你不能这么说。"王起明说着递给她一张纸巾。

太阳慢慢地从地平线上升起来，红彤彤的映照着洛杉矶的海滨。雾气已渐渐退去，王起明这才清楚地看到欧阳清乐那张痛苦的脸。她低着头，用纸巾不断地擦着眼泪。

王起明转过脸望着大西洋洋面上一层一层赶过来的海潮所掀起来的白银银的浪花，心中不禁想到：

生活多么美好啊，大自然是多么壮观啊，可是，生活在这个地球上的人们，内心世界为什么要有那么多的痛苦？为什么彼此间就不能多增加一些理解，多给予一些爱呢？

"爱，心中充满着爱的人，痛苦就会少一些。"他自言自语地说。

"我可以走了吗？"欧阳清乐说着站起身就要走。

"对不起，请等一等。"

"不，我要上班了。"

"就在这个旅馆？"

"嗯。"

"我，我最近要回一趟中国，你能告诉我你哥哥的地址吗？我想，或许我能为他做些什么。"

"你？你什么也做不了。"

"为什么？"

"你不会去，我也不会告诉你。"

"怎么，不信任？"

"那你告诉我，你为什么非要见我哥哥？为什么要替夜莺做这件事？夜莺为什么要派你来打听？够了，请你别玩这套把戏了。追求一个女人也不能不顾另一个男人的死活。"

"欧阳清乐，你，你不能把人想得太坏。"王起明扔掉了烟头就要走。

"你不坏？你是什么样的人，我太知道了，报上对你的介绍也不少了。"

"那纯属造谣。"

"好吧，就算我告诉你，像你这种人能去长春？能到那穷乡僻壤的地方去？能去十八里铺？……"

"什么，你说什么？"

"你是个老板，有钱日子过惯了，对不起，我要去上班了。"

"十八里铺？"

"没工夫跟你闲扯。"欧阳清乐说着急匆匆地走去。

"你跑不了，我会常跟你联络的。"王起明冲着她的背影喊着。

<h1 style="text-align:center">49</h1>

十八里铺？这大概是在长春的郊外。那是个穷乡僻壤还是个山清水秀，王起明不怎么关心反正他要去。他为什么不能去？他哪里没去过？

欧阳清音基本上有了下落，虽然没有具体的门牌号码，可是，在中国找个人，比在美国还是容易得多。别看中国人口比美国多好几倍，可是户籍的管理，加上人口流动性不大，只要有个姓名，又在大致的范围里，不愁找不到。

他决定近日就起身，跟旅行社定好机票后，又算了算手上剩下的钱。现在，他再也不能像以前那样，想上哪，拔腿就走，不再考虑经费的问题了。

加油站打工的钱，一个月只有八九百块，夜莺提供的住处，为他省下了一大笔费用。其他开支也得精打细算，好在如今除了吃饭、加油外，也没什么其他的大花销。

飞机票定在下周的星期六。

走之前，他安排了一下，一是跟加油站的老板请了5天假，再就是安排一下吴颜与夜莺见面的时间。但是他最关心的还是夜莺第二次 AUDITION 的情况。

他回中国的事，打算谁也不告诉，等找到欧阳清音，再根据情况向夜莺解释。他明白，这是一件很棘手的问题，欧阳如果真的还活着，夜莺能帮助他延长生命吗？他能原原本本地把这一切都告诉夜莺吗？夜莺又会怎么处理？她会把他接到美国吗？她会同他结婚吗？……根据夜莺的性格，很可能一旦知道他还活着，会毫不犹豫地同他结婚。可这样做的结果会是什么样呢？不管怎么说，先了解到真情后再说。等到夜莺罗马演出结束后再告诉她，无论如何，不能影响她的这次 AUDITION。

周日的清晨，王起明洗完澡后，绕着"春湖"跑了一圈。

回到屋里，看了看表，已近十点，就拿起电话，拨通了夜莺的电话号码。

是她母亲接的电话。

"伯母，夜莺在吗？"他问。

"她一大早就开车出去了。这几天，她心情很不好。老王，你知道出了什么事吗？"

"不会有什么事。可能是学校的事太多，压力太大的原因吧。"

"今天是星期天，那么一大早就出去，问她去哪儿，她又不说。"

"有可能去唱诗班了。伯母，您别急，我去教堂找找看。"

王起明猜对了，夜莺是去了教堂。昨天从珍妮那里回来，她一直情绪不稳，她不能容忍珍妮的无礼，她不知道，珍妮为什么这样做。看来，参加这次罗马歌剧节是没有指望了。

王起明轻手轻脚地走进教堂，安安静静地坐到了最后一排。

全体唱诗班站起来，他们身穿黑白两色的圣袍。

夜莺站在前面领唱的位置，双手交叉在胸前双眼虔诚地望着十字架，她唱道：

我的主啊，是您赐给了我的生命。

是您赐给了我灵魂。我将记住您的恩典，

直到永永远远。

我的主啊，请赐给我平安。

我的主啊，请赐给我信心。

我的主啊，请接受我的心。

……

她唱着，唱着，眼睛里闪着泪光，心里翻腾着欧阳清音和珍妮的事情。

牧师霍夫曼昨天已经从夜莺那里知道了这一切。在此之前，夜莺还从未打扰过这位年近六旬的慈爱长者。

霍夫曼对夜莺有着一份特殊的关怀，这绝不是德国人对歌剧的偏爱，而是他认为，这位来自中国的歌唱家有一颗天生纯朴和善良的爱心，世界上的邪恶和怨恨不应该在她身边出现，即使出现了，也会被她那坦荡的胸怀和灼热的爱心所感化。

他安慰她说："暂时的，一切都是暂时的。你应该像往常一样，用你的信心和爱心去解决困难，去感化那些迷途上的人们。"

从教堂里出来，夜莺和王起明来到了她的春湖公寓路上，她向王起明诉说了昨天在千岛湖上，珍妮家里所发生的一切。

"真不要脸！她不就是多几个臭钱吗？《露琪娅》咱不唱了，罗马咱也不去了。有什么了不起的！"王起明气得火冒三丈。

"不。《露琪娅》我要唱，罗马我也要去。"

"可是，你能……"

"她挡不住我。我要找马克。"

"你别太相信那个满脑子生意经的人，他不会为你去得罪珍妮的。美国人就认钱。钱就是他祖宗。"

"起明，你不能这么说。美国人里也有很多诚实，富有爱心的人。我了解马克，他是个事业型、爱才的人，对艺术抱着认真的态度，对艺术家是尊重的。你不要看他的表面。霍夫曼昨天对我说，这里公平待人的人还是多数。

不知你想过没有，我一个身无分文的外国留学生，竟可以安稳地在这里上学，就是批给我讲学金的系主任，他自己的孩子不也是在半工半读吗？

你再想一想，我为什么在系里一直担任声乐系主任的职务，而其他土生土长的美国人却都在我之下？我参加过多次比赛能拿第一，评委会也是公平的。

所以，我一直认为，只要你努力，表现出你的诚心、爱心和信心，就没有解决不了的困难。"

"那你现在具体打算怎么办？"

"去给马克打电话，邀他马上来。"

"好。"

晚上，长岛下了新年的第一场雪，春湖公寓里的高尔夫球场，白茫茫一片。

马克早就到了。当他听到珍妮的所做所为，先是一惊，然后气愤得恨不得马上去找她。经过王起明的劝说，他总算安静下来。

夜莺向他表示仍然希望参加罗马音乐节的意愿，他想了好久，直到晚饭后，才答应下周带着夜莺去罗马，直接去见罗马歌剧院的指挥。他说，珍妮只不过是北美地区的推荐人，是整个制作组的其中一员，虽然举足轻重，但并不是最后的决策人。意大利的大指挥，虽然难见，不过马克跟他以前也有过不浅的交往。为了不使夜莺失去这次机会，他愿做出一切努力，来帮助夜莺。

"莺，别担心。下两周你把时间空出来，咱们一起去罗马。王先生，你如有兴趣可以一起去。"

"我……我恐怕不能去。"

送走马克没多一会儿，夜莺也走了。王起明躺在床上辗转反侧，久久没有入睡，他在想着十八里铺。……

50

这场雪下得好大，凉爽清新的空气似乎要从门缝里钻进来。王起明对雪有着特殊的感情。

他爱雪，雪会给他带来很多安慰。

他爱雪，雪能杀死空气中的病菌。雪也能使他的头脑更加清醒，但有时雪又会给他带来几分惆怅。赴美十几年来，给他印象最深的仍是圣诞节的大雪。

他躺在床上，想起了许多往事，也想着今后要做的事情。

下周就要回中国了，去找欧阳清音。他翻身坐了起来，高兴地笑出了声。这好像是有生以来，第一次做这种事。脑子里盘算的不再是利润、产业、借贷款、还利息。以前睡不着觉，统统都是为这些。现在他是一身轻松地满脑子想的是怎样为别人，怎样用自己的时间、精力和金钱，去为他人办事，而且是那么认真，那么上心。

他不明白为什么自己会变成这样，是为了爱吗？爱是自私的，爱要带来无偿的付出。换句话说，付出去的动机，本身就是为了爱。可他这么做图个什么呢？

他不敢再往下想，他用另一种理由解释着这个尚不清楚的概念，这理由就是，假如不是夜莺的事，你也会这样做吗？他自己做了肯定的答复：会，会的，起码应该这么做。

霍夫曼曾说：爱是自私的。就连上帝都一样，你不爱他，他不会爱你。你所以能付出的去爱，是由于别人也播给了你爱的种子。

这个道理，可似乎又被事实否定了。夜莺从未像他表示过什么爱。那这到底是从哪儿滋生出来的呢？为什么动力又如此的强劲。他想不通，他觉得爱太复杂了，它没个准确的定义。他断言，爱，这个字没人能说清楚。

最后，他认为，反正这么做，肯定没错就是了。

雪还在下，一层层地不停地往下飘，往下落。

他整理了一下被子，看了看表，十二点多了，主意已经打定，就准备好好地睡上一大觉。

刚躺下，电话铃声大作，他拿起听筒。

"HELLO，请问这里是王起明先生的家吗？"

这声音怎么这么耳熟？这语调怎么这么亲切？听筒在他的手里打着颤。

"对，我就是。你是……？"

听筒里冒出了这么几句话：

"雪，下得好大呀。用鹅毛般的大雪来形容不够劲。这雪，得说是像絮棉被一样，一层一层往下铺……"

"阿春！你？你怎么知道我的电话？"

"你能找到我的电话，为什么我就找不到你的电话？"

"你在哪儿？"

"我在家里。大概影响你睡觉了吧。"

"不。没，没睡。阿春，你过得好吗？孩子好吗？还有你的丈夫，他……"

"听着，明天晚7点在曼哈顿第二大道的希尔顿饭店603房间找我。"

"你要来纽约？阿春，我能帮你做点什么事吗？阿春，你怎么知道纽约下大雪了？"

"我刚看完电视。好了，明天见。"

王起明本想安安稳稳地睡上一觉，可放下电话，睡意一扫而光。他披着睡衣，站在了窗前。

阿春，这个曾与他的命运紧紧系在一起的女人又出现了。她没有忘记以前的生活。这场雪在他身上的反应，他想阿春也一定会有同样的感觉。

他不认为阿春的这个电话是向他投来的一种信号，她来纽约也绝不是特意为了他。阿春是个非常实际的人，她所确立下来的归宿，是不容任何人打扰和破坏的，不管这归宿好与坏，也不管这是不是真正的归宿。

想到归宿，他不得不又联想到夜莺。

夜莺也曾多次和他讨论过归宿的问题，而夜莺所谈的归宿不在形式上，而在灵上。她认为，人自懂事以来，就开始寻求归宿，归宿的解释，在她的概念里，就是灵魂上的寄托。

他不愿意把这两个女人做任何的比较，她们太不一样了。

51

王起明推开了曼哈顿的希尔顿饭店 603 房间的房门，一见阿春，不由得吃了一惊。

阿春瘦了，瘦得出奇。不知是不是由于两腮的底色上得太深的原因，脸显得小了，下巴也显得有点过尖。也就两年没见到她吧，可她眼角上多出了几道鱼尾纹。

他打量着她，叫了一声："阿春。"

"干嘛那样死命地盯着我，瘦一点难道不好吗？省掉很多减肥的开支。"阿春说着，咯咯地笑了。

按老习惯，她一下子点上了两支香烟，自己吸一支，递给王起明一支。

"起明，你还是老样子，没什么太大的变化。但是依我看，你曾经变过，瘦过，病过，要么就伤过，或许还掉过两颗牙齿。"

"阿春，你⋯⋯你真神。"

"猜对了？"

王起明点点头。

"必然的。你的一切都在我的预料之中。不过，今后你会好得多，但不是高枕无忧，她们还会不断地搔扰你。"

"先别管我了。阿春，你过得怎么样？快点告诉我。"

"对我还那么关心？"

"嗯。"

"不诚实。你再也不会像以前那样关心我了，这也是我盼望的。目前，我过得很好，别看我瘦，那不是病，是累的。"

"累的？"

"当太太的日子过不了，天生的劳碌命，又干老本行了。累是累，可这样过日子，还好打发些。"

"那你们的感情？他……他爱你吗？"

"起明，咱们都是过来的人了，以前我向你说过，每个人都要有各自的归宿，归宿就是生存，它不需要感情。我跟他明里是夫妻，实际上是生意伙伴，我要求不高，所得利润一人一半，归入各自的帐号。钱财上，我们分得一清二楚。"

王起明听着这些，并未感到意外，在北美像这样的家庭多得很，阿春还算是个讲意气的人，因为她蛮可以独揽大权，吃掉她丈夫。利用婚姻和亲戚关系，图谋财产的人，处处可见。然而，阿春绝不是这种人，她所要求的一点不过分，甚至可以说是公平合理。

"两年来，我手上又积攒了一笔钱。"阿春接着说：

"有了钱，还得走老路。准备在东部购置点房产。我喜欢纽约，住惯了长岛，哪儿都觉得不舒服。佛州的气候太热，这也是我瘦下来的原因之一。起明，我邀你来，就是想求你帮我个忙，帮我在长岛物色一幢合适的房子。"

"好，我一定帮你留意。"

"我知道你对做生意和房地产已不感兴趣了，因为你有了新的追求。对吗？"

"对。我也找到了归宿。"

"是吗？能告诉我她是谁吗？"

王起明慢慢地又点上支香烟，半天没有说话。

"怎么啦？这是件好事。我想你不会向我保密，会向我全盘说出来的。对吗？"

"阿春，我的归宿感和你谈的归宿感，有很大程度上的不同。她不是一个人，更不是一个窝。"

"什么？"

"支柱和寄托。"

"总得有个人开导你，引导你吧。而且这个人很有力量，否则你是不会信服的。"

"是。你很聪明。"王起明瞒不住阿春，不要说撒谎，哪怕有一点不真实，她都会立即识破。多少年了，他和阿春的关系，就建立在这块真实、坦荡的基石上。

他原原本本，不加一丝掩饰地向她讲述了这两年来自己内心的巨大变化。他真真实实地谈到了夜莺。

"说起来还是由于你，要不是你请我听那场音乐会，也许至今我也不会认识她。"

阿春边听边点头，不去打扰他。她知道，王起明说的每一个字都是发自内心。

"她像一个天使，不，她就是一个天使。"王起明说得有些激动：

"我生命的再生之火就是她点燃的。阿春，我真得感谢你。"

"别说我，说她。慢慢说。"阿春说着，从冰箱里拿了瓶饮料，递给他。

"你不会不高兴吧？"

"为什么？我很高兴。起明，你怎么这样想。我是真的为你高兴。说说她，她愉快吗？"

王起明喝了口饮料，又叙说了夜莺的生活，叙说了她的歌唱，最后又说到了她的追求。

"她的追求很简单，就是一个字，'爱'。夜莺说，世界上最简单的东西，也就是最不简单的，爱，是心灵上的相通，洁白而又晶莹，爱不能有半点违心。"

"她过于天真，过于理想化了吧。这世界上有吗？她得到过吗？"

"有。她得到过，可又失去了。"

"什么原因？"

"病魔。"

"她的 LOVER（恋人）是病死的吗？"

"不知道。也许是。我正准备帮她搞清楚。"

王起明把下周将返回中国，到东北长春的原因和计划说了一遍。

"大概你是对的吧。要是我还做不到，起码是不理解。"

"阿春，我觉得我的前半生，就如同生活在泥浆里，左脚拔出来，右脚又陷进去，至于你阿春，也没逃脱这一现实。虽然你聪明，能干，可又怎么样呢？还不是在泥浆里打滚。阿春，你帮我富过，有钱过，有产过，我感激你。今天，我说这些话，请你不要误解，你最了解我，我说的都是心里话，我没有认为你对我做错了什么事。而是我俩全错了。不仅自己什么也没得到，反而遭来了悔恨、仇恨，以及不可挽回的灾难。

人活着就要健康，保证健康生活的物质，不需要太多。可物质维持不了人类灵魂上的健康，只有灵魂找到了归宿，才能体会到真正的健康。而使灵魂健康的最根本就是爱。阿春，人的身体是分两个部分，以前，我们只顾到了一方，而忽略了灵魂上的修缮。"

"这都是谁告诉你的？"

"夜莺。怎么，你笑话她吗？"

"不。她是对的。真希望能和她见上一面。"阿春说完，站起身来，看了看表说：

"好啦。我们该吃饭去了。说了这么多的话，耽误你的时间了。"

在去一楼餐厅的路上，王起明提出要为她和夜莺的见面安排个时间。

阿春点了点头。

"对了，关于你要买房的事……"

"这就不麻烦你了。"阿春没让他说下去。

"不，六元地产公司的老板娘是夜莺的老同学。"

"是吗？也是大陆来的歌唱家？"

"嗯……对。是。也是北京来的，唱歌的。"

"那好，一定可靠啦。"阿春高兴地说。

进餐时，阿春一言不发地听着王起明对她讲述着宁宁，斯蒂文和郭燕的所做所为。

52

纷纷扬扬的大雪不知是在白昼，还是在夜晚停止了她的舞媚，美丽的长岛天空更加湛蓝，空气更加清新而透明，站在杰佛逊港口的码头边，可以清楚地望到对岸的康涅狄克州。由于海峡太宽，两岸之间不易架桥，所以，交通的往来只有靠一艘万吨巨轮来回奔忙。

王起明驾驶着汽车，旁边坐着阿春，径直将车开进了轮船的肚子里，然后，两人走上甲板。

王起明像个主人一样忙前忙后地招待阿春，实际上，阿春要比他更熟悉这里。

7岁上下，她随着全家迁往美国，定居在东部。10岁时，父亲就任国民党驻联和国官员后，她就随父母亲一直住在长岛。这里的大街小巷，各镇区域的好坏，她比王起明更了解。

今天是复活节，夜莺接受了对岸康州社区的邀请参加上午的演出。住在康州的著名影星和歌星也将同台演出，为了保证盛会的质量，夜莺提前一天去了康州做合乐等准备工作。

原来王起明安排夜莺和阿春见面的时间是在复活节的下午，然后一起共进晚餐。可当阿春听说夜莺上午有演唱会时，坚持改在上午，一定要再次聆听夜莺的歌声。

王起明答应了，但夜莺并不知道此事。

康州主教堂的钟声重重地敲响了10下，庞大的唱诗班，唱起了"我主耶稣，即将复生"的《复活颂》。

夜莺身穿白衣黑裙站在领唱的位置。管弦乐队引进了她的歌声，她在用拉丁文演唱，歌词大意是：

"耶和华，我的天父，

您为了挽救人们，赦免了我们的罪恶，

您把亲骨肉钉在了十字架上，

我得救了，耶稣必升天国，

他将与您，与我同在永在。

阿门！"

巨大的教堂内，人们随之站立，同唱着："阿门！"

王起明和阿春也随着人们轻声地唱起了："阿门"。

这段《复活颂》很长，大约有三十分钟。夜莺的声、身、心都融进去了，在这必将到来的时刻，她给人们带来了坚定的信心，也把王起明和阿春带入了另一个境界。阿春似乎受到了很大的感染，跪在那里落着泪。

演出完毕，他俩在教堂外的草坪上找到了夜莺。夜莺正在与霍夫曼说着什么。

阿春站在远处，不愿前去打扰，这是她第一次见到台下的夜莺。

她打量着这个给王起明带来再生的安琪儿，王起明心目中的天使。

她身披深褐色的貂皮披肩，依旧是唱诗时穿的那条黑裙，黄褐色的长发松软地拢在脑后，东方人特有的白细面庞上，那双闪动着真诚明亮的大眼睛在注视着牧师的神情。

霍夫曼和夜莺谈完话，王起明带着阿春迎了上去。

"夜莺。"王起明叫住了她。

"你怎么也来了？"夜莺转过头来。

"啊。是想听听你的演唱。我来介绍一下……。"

"不用了，我想你一定是阿春。"夜莺大方地说着，向阿春伸过去一只手。

"你好！"阿春跨上一步，一边握着夜莺的手，一边笑着问："你怎么知道是我？"

"他的那本书，我看过两遍。"夜莺指了指王起明。

"书上的阿春不是我，他夸张了。我叫 SUSAN。"

"夸张了吗？我看没有，不然，我怎么会认出你来呢？"

"快上车吧，太冷了。"王起明一边向她俩喊着，一边给她们打开车门。

待她们迅速地钻进汽车，王起明发动了引擎，说了声："我们回春湖吧。"

阿春推了推他的后背说："我的车就不要了？"

王起明一拍脑门说："真糊涂，差点忘了。这样吧，阿春，我开你的车，给我钥匙。"

"不。我还是自己开吧。"阿春说着就要下车。

"阿春。"夜莺拉住阿春的手："你坐我的车，让起明去开你的。"

阿春抬头看了看夜莺，摇了摇头。

"我喜欢和你聊聊。"夜莺坚持着。

"好吧。"阿春把钥匙递给了王起明。

两部车子同时发动起来，王起明紧随着夜莺那部白色丰田车，向港口驶去。

53

阿春不再开十几年前那种红色的时髦跑车了，换成了敦敦实实的林肯车，车窗上再也不贴什么"没有收音机"、"当心恶犬"之类的字条，座位下也不再放着她的那两只精美的中国绣花鞋了。

有人说：车随人。这话一点儿也不假。他看出了阿春的变化，本来就讲实际的她，现在事事处处都变得更加实际了。

林肯车在美国，人们叫它保命车，车体大，板筋厚，从统计的数字看，此类车伤亡率极低。按阿春目前的年龄，开"林肯"还为时过早，至于为什么开这种车，王起明心里有数。

她年轻时就显得过份成熟，现在有家，有孩子了，自然要开保险系数较高的车。况且林肯车又舒适宽敞。

阿春是个生活洒脱，拿得起放得下的人，对人间的事情，总有她自己的独到见解。她与王起明的待人处事观点有着很大的分歧，昨晚他俩一起吃晚饭时，当王起明讲到，宁宁伙同斯蒂文举刀行凶，企图杀害他时，阿春气得实在控制不住，拍了桌子。

"阿春，算了，事情已经过去了，别为了我再……。"

"你的心太善。可你要记住，善良并不等于软弱。她们就是利用你这一点来吃掉你，灭掉你。当初我提醒你的事情你不记住，我走了，最担心的就是这一点。

宁宁利用她妈妈，夺你的财产和事业，我早就看出来了，但没想到她小小的年纪，竟会这么凶恶。你知道这是为什么吗？就是因为你给她的太多了。那是一只狼，你给她你自己身上的肉，她还会掏你的心。我早就提醒过你，远离宁宁，防的就是她这一点。

起明，今天我有必要再一次提醒你，要想活下去，马上去做一件事。"

"什么事？"

"声明同宁宁脱离父女关系！"阿春非常坚决地说。

"这……？"

"去找你的律师，去向所有的舆论界宣布这一点。其实，在法律上，一到 18 岁，她就应该独立了，不应该再赖在家里吃父母了。更何况她今年已经是 24 岁的成人了。

现在，她夺走了你的一切，肆无忌惮地任意挥霍，享受着你辛辛苦苦建立起来的财产。她已经触犯了法律。这场官司只是看你敢打不敢打。按中国人的伦理观念，不用打，父母就已经输了。

中国人，可怜的中国人，一直就觉得，父母的所有努力就是为着儿女，和自己的子女打财产官司，这父母还是人吗？可是，在美国，这官司你不打，最后你就无处生存。

好，用中国的传统观念去解释吧，不就是为了她吗？实际上，你害了她，害得她没有生存能力，害得她变成一个只吃父母的无赖流氓。对这种人，用爱是感化不过来的，得用苦，得让她吃上一段苦，让她知道生活的艰难和困苦。当然，像她这样，从小就养成了好易恶劳，吃惯父母饭长大的人，不是一下子能改过来的，美国的监狱就是给这些人预备的。"

王起明最怕的就是出现这个局面，他宁肯自己出让。实际上，他已经这么做了，其目的，就是为了能让宁宁在美国生活下去，千万别走犯罪的道路。

"我知道你在想什么。可是你错了。她拿刀行凶，警察放了催泪弹，这只催泪弹可是以法上报的。为什么放？被害的对象是谁？将永远存入电脑，也就是说，她拿刀行凶的犯罪记录，已经在美国警察局的电脑中挂了号。这就是证据，只要你起诉，她一定坐牢。不过，我断定，你做不出来这样的事。"

"我……是。我承认。"

"那今后还有好戏唱。"

"为什么？"

"她注定要吃你一辈子。"

"咳。就用爱来慢慢感化她吧。"

"那美国的监狱就该关张了。"

王起明驾驶着阿春的林肯车，不知为什么，又哼起了那首好几年未再唱的歌："假如你爱他，就把他送到纽约，因为那里是天堂；假如你恨他，就把他送到纽约，因为那里是地狱！"

夜莺和阿春，在车里谈得很开心，谈的也是这首歌。

"阿春，这首歌是你送给王起明的，想必你一定喜欢它。能告诉我，你是怎么理解天堂和地狱，爱和恨的吗?"夜莺的双手，一边调整着方向盘，一边问。

"从没想过。"阿春笑了起来：

"当初，也就是很喜欢美国乡村歌曲，这首歌的调子又好听，就送给他了，没想到，经他这么一引用，竟有那么大的反响，我看过一些报道，几乎每个人都有每个人的理解。"

"你现在怎么理解，或者说，王起明是怎么理解的?"夜莺继续问。

"他？他大概是在抱怨。抱怨我领他进入了天堂，又掉进了地狱。他那么爱他的女儿，接她到天堂来，然而他的女儿却又在天天向地狱靠近，所以，岂不是可以这样说：爱能招来恨，恨能带来毁灭。"

"不，不。我不同意你这样解释。"夜莺直言不讳地说：

"爱不会带来毁灭，爱只能带来成功。"

"夜莺，'爱'到底是什么?"

"善良。"

"善良?"

"我觉得，人区别于其他生物的最根本一点，就是因为人有灵魂。灵魂分善与恶。人类物质的进步速度，与灵魂修缮的速度是成正比。不要说一个人，就是一个国家，没有精神上的支柱，不注重灵魂上的修缮，也会成为一片焦土。"

阿春听着夜莺的谈话，看着夜莺的风度，心里产生一种对她由衷的喜爱。她不断地点头，嘴里也不时地说着"YES，YES"。阿春很少对一位比她小十来岁的女性，表现出如此的尊敬。

汽车穿过一片树林，辽阔无边的大海展现在眼前。阿春突然说：

"我的孩子长大了，也让她学音乐。"

"我喜欢书中的阿春，更喜欢生活中的阿春。"夜莺笑着说。

"王起明还在写书吗?"过了片刻阿春问。

"在写。"

"写什么?"

"他不告诉我。"

"我告诉你吧，他在写……不，我常常自作聪明，认为很了解他。其实，也未必如此。"

"看得出来，阿春，你仍然很喜欢他。"

"但不是爱。"阿春摇了摇头又说：

"因为我不懂爱，对爱我缺少勇气。我……我不善良。"

"不，你善良。"

"要说善良，王起明才善良。可他缺少的是善良的对待。世间对他不公平，可我又帮不了他。"

夜莺只是点头，没有说话。

汽车开进了摆渡的船舱后，阿春叹了口气说："咳，他很苦哇。"

"不过，现在他很好。"夜莺停住了汽车说。

……

她俩走出汽车，站到了甲板上，海风把这两个女人的头发和衣服吹了起来，吹得那么洒脱，那么美丽，像天边的虹，像空中的鹰。

王起明坐在车里，望着她俩，觉得这个世界美极了。

54

经王起明介绍，阿春与吴颜和她的先生彼得见了面，阿春要在长岛购买房子的条件很简单，什么靠水伴湖啦都不重要，就是必须离 ST. JAMES 镇要近。

"道理呢？"彼得问。

不等阿春回答，王起明说："就照这个地点买吧。"

"因为可以听到夜莺唱圣歌。"阿春说的直接了当。

"什么？夜莺姐也去唱那种免费歌？"吴颜惊讶地问。

"是。"

"我也要去长岛，去唱圣歌。我真想夜莺姐，我要去找她，好久……"

"我看还是算了，你现在挺大的身子，以后再说吧。"彼得制止住吴颜。

"不，我一定要见夜莺姐。起明你开车带我去。"

"吴颜，请你注意，我们正在谈生意。"彼得生气了。

"生意，生意，除了赚钱，你还懂什么？"

"别吵，别吵，"王起明拦住了他俩：

"吴颜，明天我要出趟门，下周我一定来接你。"

"你去哪儿？"

"他去我那里。"阿春接着说。

王起明真的是去佛州阿春那里吗？

当然不是，阿春之所以这么说，是为了替他保密。她赞成王起明回中国，到长春去寻找欧阳，也深知王起明瞒着夜莺，为的是不影响她这次参加罗马歌剧节角逐的心情。

昨天，王起明把阿春从春湖公寓送到曼哈顿的希尔顿饭店之后，两个人又坐下来谈了很久，最后阿春不仅决定把房子买在 ST. JAMES 镇附近，还和王起明商量了很多确保夜莺在意大利演出成功的办法。

王起明感到短短的两天时间阿春变了，不知道她俩单独在一起谈了些什么，也不清楚阿春为什么会那么关心起夜莺？不过，根据阿春的个性，王起明一点也不见怪，她就是这么个人，一旦喜欢上什么事或什么人，她一定会认真地对待。

"起明，我们是不是该来检讨以前的生活，共同做些有意义的事？"他临行的前一天阿春这样说。

"阿春，会不会太晚啦？"王起明问。

"我想不会的。起明，我还得恭喜你比我早走了几步呐。"

"别，别这么说。"

"人，人类应该建立精神上的归宿，不然，即便是在形式上，你找到了最稳、最强的归宿，而实质还是最弱、最危险的归宿。

起明，你看看，无论是东方西方，离婚率的快速升长，家庭迅速地瓦解，吸毒、卖淫、自杀、行凶，为追求物质利益不择手段，欺骗压榨，亲缘变成了仇敌，朋友变成了被利用的对象。还有战争、对抗、斗争、侵略，人类用仇恨桎梏自己，互相残杀。"

"都迷失大方向啦。"

"爱，才可以消灭这些罪恶，还得像夜莺，一点一点地去做吧。"

······

近午夜十二点，王起明站起身来说：

"阿春，我该走了。"

"走吧，明天你还要起程。"

王起明下了楼，发动起他那辆货车。

他没有马上回长岛，而是先开到原来钱小苹的珠宝店前，停了一下，店门已贴上封条，封条在寒风中"哗哗"作响。

他又绕到花园大道吴颜家的楼下——那座金碧辉煌的豪华大楼。大厅里穿梭着衣冠楚楚的纽约上层人物，这里不像是午夜，反而像是一天的早晨。

12点整，曼哈顿大教堂的钟声敲响，他仰望天空，仰望着这座曼哈顿古老的大教堂尖顶上放射出的道道光彩，它那耸入云天的尖顶，在这座城市的任何地方，任何角度你都会找到它，都不会迷失方向。

那五彩缤纷的光芒，照亮了王起明的脸，也照亮了王起明的心。

55

长春——这座历史悠久的城市，在世界上虽不算赫赫有名，但在中国的近代史上，却展现过它的风采，显示过它的重要地位。

它不仅是个文化古都，也是战略要塞。众所周知，国民党和共产党两军的对垒战曾在这里展开过拼杀。垂涎这座春都的日本人，也曾在这里下了很大工夫，伪满洲首府就设在这里，命名为"新都"。

王起明虽到过接近北极圈的加拿大，但在中国，还是第一次来到北国边陲城市，而且又是在严冬季节。

小时候，他听说过长春，那是从街上跑的解放牌大卡车上知道的。上学了，他看到长春的字样，也只是从电影的映幕上得到的。所以，他对长春的整个印象不外乎长春电影制片厂和长春第一汽车制造厂，除此之外，他对长春一无所知。

飞机安稳地下降，在跑道上滑行，他拉开结了冰霜的小窗子，模模糊糊地看到不远处站立着一座小楼，楼顶上两个红色大字——"长春"在厚厚的皑皑白雪中分外夺目。

刚一迈出机舱，他马上意识到，衣服带少了。在纽约防寒过冬的呢大衣，被北国的寒风一吹，像一片纸从前心吹到后背，吹了个透心凉，从头一直凉到脚。

他推开机场的大门，又退了回来，不是寒风，而是那种北国特有的冷空气，触到他的脸上，像刀割一样痛。

他摸了摸胸口，那心还是跳的，是热的，他笑了笑冲了出去。

两个小伙子操着朴实的东北话，不分清红皂白地把他塞进了俄罗斯产的红色 LADA（拉达）轿车里，立即，汽油味和劣等的烟草味冲进他的鼻孔。

"上哪去？"司机问。

"饭店。"

"哪个饭店？"

"随便。"

"南湖华侨饭店咋样？"

"行。"

这辆 LADA 小轿车，不知是车子太旧，还是油箱漏油，未燃尽的二氧化碳气味灌满了整个车内，使他感到一阵阵窒息。车窗被厚厚的冰霜封严，两位东北老兄不停地抽着烟，吐出来的烟雾，弥漫在小红车内，使他既看不到外面的长春街区，也看不见前面两个人的形状。

浓烟呛得他直流眼泪，呼吸道和口腔好像也被糊上了辣椒油。

"先生，不，同志，打开一点窗子吧。"他咳嗽着央求。

"你自己试试吧。"其中一个小伙子懒洋洋地回答。

他摇了一下把手，才知道那是根本不可能的，玻璃已被牢牢地冻在窗框上。

他被囚禁在烟囱里，视觉、嗅觉好像全被封住，只有听觉还算在正常地工作着，可他也得无奈地忍受着那辆破 LADA 的"吐吐"乱叫和不均匀的马达声。

突然，两个小伙子打开了收音机，音量放得极大，吓了他一跳，倒不是因为声音太响的缘故，而是因为正在播放着的一首时下美国也在流行的摇滚乐。

两个小伙子操着不利落的英文，也跟着唱了起来。

"喂。小伙子。"他敲了敲隔在他与前排的铁栏杆，大声问："你们俩知道不知道一个人？"

"啥？你说啥？"小伙子随着答话，把音量拧小了点。

他顿时感到好受多了，耐心地说："在美国有一个长春的歌唱家，比这些人棒多啦。"

"你唬啥人哪，长春人在美国还能当歌星？"

"不。不是歌星，是明星。真的，大明星。你们听说过吗？"

"叫啥名？"

"夜莺。"

"夜莺？这是哪棵树上的鸟？哥儿们，你可真能开玩笑。"

"我不是开玩笑，你们长春真有这么个人。"

两个小伙子彻底关上了收音机，和他聊了起来。向他问了许多有关美国的事，他一一做了回答，并一再说，长春的夜莺，为你们长春人，为中国人增了光。

"你和她啥关系？"

"朋友。"

"那咱们也是朋友啦。"

经过攀谈，他发现这两个小伙子还真挺可爱，俩人主动热情地劝说，让他在长春多玩几天，还说，车他俩包了。

"包车一天多少钱？"

"说钱干啥呀。既然你认我俩是你的哥儿们，就别提钱。是哥们儿什么都好说。"

"行!"

王起明在中国大东北，无亲无故，他太需要帮助了。

四十分钟左右，华侨饭店到了，两个小伙子把他的行李搬了进去，并敲定，明天一早，准时来接他。

"十八里铺，你们知道吗？"

"知道。你去那干啥？那是乡下。"

"对。我去的就是乡下。"

"好。明天多穿点，乡下那地方可冷啊。"

"谢谢啦。"

"这么晚了，你也没处买棉衣，明天我们给你带件军大衣就行了。"

小 LADA 开走了，他望着饭店北侧的一座小湖，湖面上已经结上了厚厚的一层冰，放眼望去，树梢与路边屋顶上的白色连成了一片，透着一股寒气。

— 255 —

他仿佛又见到了长岛的白雪，然而这里的白色世界却是那么的不同。而最大的不同，是这里的人们一点不像这里的气候，他们是那样的热情、真诚，透着善良，使他的心感到暖和和的。

56

次日清晨，长春的天空连风带雪，室内虽然密封得很好，但王起明仍能听到像哨子一样的声音在室外鸣叫。大风夹卷着寒流从北往南一路刮下来，所有可以飘动的东西，特别是窗外南湖沿岸的干树梢，都向着南方横了起来。

王起明看了看手表，不顾疲劳，翻身起床，穿上衣服跑下楼。

两个小伙子既守信用又准时，扔给他了一件军大衣。他们冲出饭店大门，锁进了那辆红色的小 LADA。

据两个小伙子说，这场雪是入冬以来的第三场了，第一场铺在路上的还没化，第二场又覆盖上去，今天这场大雪又使得本来已经邦邦硬的封冻路面，又高出好几英寸。

小 LADA 扭着不太优美的身段，左一横又一撅地向市区开去。

王起明透过玻璃，打量着这位世界一流歌唱家——夜莺出生和成长的城市。

像这样肆虐的暴风雪，如果是在美国，街上一定见不到行人，然而在长春，马路两旁仍然是熙熙攘攘过往的人群。有的小伙子身上只穿着一件薄呢大衣，在寒风中仍然谈笑风生。一些姑娘不戴帽子，黑黑的长发飘扬起来，任寒风吹来刮去。王起明从心底里佩服着东北人的耐寒力。

沿街两侧的商店同纽约的中国城差不多，招牌一个接着一个，橱窗里琳琅满目。恶劣的气候并没有影响人们的购买热情，路边摊贩的生意仍然兴隆。烤羊肉串，烤毛蛋，烤地瓜、冰糖葫芦，油炸大馃，五花八门，应有尽有。

北国的经济改革，看上去并不比南方逊色。红旗街上的小吃和餐馆里，热气腾腾。国贸中心楼顶上，竖立着巨大的化妆品广告，两位4层楼高的西方美女画像在寒风中半裸着身体，微笑着向街上行人招手致意。斯大林大街上中外合资的丝袜广告，两条西方美腿顶着寒风，抬得比树梢还高。

车子开出了城，LADA一下子陷进了板车、马车和拖拉机的迷混阵中。

由于改革开放的速度加快，郊外也在大兴土木，所以城内城外显得有些脏乱，到处是残垣断壁，道路高低不平，高处封冻，底洼处泥泞。

"十八里铺还有多远？"王起明大声地问那两个小伙子。

"你就先睡吧，得会儿哪，到了我们叫你。"

王起明闭上了眼睛，也许是他太疲劳，也许是已适应了车内的空气和温度，他真的迷迷糊糊地睡着了。

不知睡了多久，腹内一阵乱叫惊醒了自己。他直起身子揉了揉眼睛。

"先生，你醒的正好，我们到了。"一个小伙子说。

"咱们先吃点饭吧，我请客。"他说。

"行，你想吃啥？"

"你们说吧。"

"远道而来的客，应该吃我们的家乡饭，酸菜白肉火锅咋样?"

"好。"

"到十八里铺歌舞厅，就在前面，那可是最高级最有名的餐馆啦。"说着两个小伙子高兴地加大了油门。

在歌舞厅门前他们下了车。抬眼望去，四外一片银装素裹，这条十八里铺小商业街，犹如一点墨水滴在了一张大白布上。

长春的酸菜白肉火锅真是一绝，王起明越吃越香，他准备先饱餐一顿之后再开始寻找欧阳清音。

十八里铺，他必须顺着这个线索开始打听，没到这里之前，他有思想准备，认为十八里铺是个乡下，可真的到了这里，他感觉到自己像是到了地球的边缘。

这个所谓的高级餐馆里，也就摆着四五张小桌子，没什么生意，也没什么装璜，除一组闹闹哄哄的小乐队外，一张桌旁坐着几个手持"大哥大"的年青人，他们一边喝着烈性白酒，一边听着他们点唱的歌曲，一位漂亮的小姐浓装艳抹，站在他们的桌前唱着"谁来爱我"的台湾歌曲。

一看便知，这几位是本地区的"改革先锋"，向他们打听欧阳的消息，一定会问出点眉目。

"你们俩先吃着，等我一下。"他对那两个小伙子说完就放下筷子，用袖子擦了擦嘴，走了过去。

那个圆桌很大，桌中央放着一个火苗窜得挺高的铜锅，锅子里涮的也是酸菜白肉，他没说什么客气话，拉过一张凳子，坐了下来。

开谈没有几句，王起明就入了正题："请问十八里铺东方乐器厂你们听说过吗?"

"那咋没听说过呢，那是我们长春乡镇企业的先进单位。"

"请问厂长欧阳清音在哪儿住?"

"他还能住哪，省肿瘤医院呗，快完了，也就这两三天儿啦。"

王起明一听，马上站起来，对司机喊道：

"快，快走，马上去医院。"

"你要去，带上大嫂一块去吧，她正急着没法走哪。"桌旁的一个人说。

"大嫂？"王起明停下来问。

"是啊，欧阳的老婆，她急死了，正在家里哭哪。"

"你快带我去找她。"王起明拉起那人推开门冲进了风雪。

欧阳家住得离这里不远，过了街就是。

"欧阳已经结婚啦？"王起明边走边问。

"就在去年。去年初他还好好的，到了今年年末就不行了。他可是个好人，死了太可惜，太早啦。"

"他们有小孩吗？"

"刚怀上，多可怜哪！"

"他家的经济情况怎么样？"

"家里摊上这样的病人还好得了吗？秀珍真是个好老婆，家里的东西全卖啦。"

那人把王起明带进一个破旧的宅院。几只肥胖的母鸡正在院中啄食，听了急匆匆的脚步声，立即拍打着翅膀向两边跑去。正房的房门紧锁着，那人喊了两声：

"秀珍大嫂，李秀珍！秀珍哇！"没人答应。

王起明正想问他，那人用手指敲了敲脑门说："没错，她一定在那儿。"

"哪呀？"

"王瞎子，王半仙那儿。"

"王半仙？"

— 259 —

"算命的，大嫂没辙啦，自从欧阳进了医院，她三天两头的算。"

"快走哇。"王起明催促着他。

"不行，不在镇上，还有段路呐。"

"能走小汽车吗？"

"能。那里小汽车去的可多啦。"

57

十八里铺王家屯村外的小路上停靠着几辆小轿车，大风雪已把汽车轱辘盖住了多半截，王半仙的家在村边，村子四周地势平坦，一眼望去，是看不到边的茫茫雪原。

那人把王起明带进正房的堂屋，灶火上的铁锅里烧着的东西所蒸发出来的水蒸汽灌满了小屋。王起明从雪地里跨进门，一下子被笼罩在蒸汽里。他闭上双眼，想恢复一下视觉。

从柴灶的火眼里不断地发出"啪啪啪啪"的声音，燃烧着的松枝发出一股呛人的香味。

"西屋里坐，西屋里坐，这儿不能站人。"一个嗓门厚壮的女人声在他耳边响起：

"听见没有，拿号，20块一人，你是今天的最后一号，别人都走。"随着声音，他被人一把推进了西屋。

他急忙掀起又厚又潮的大棉布门帘，将头探出门外，向外喊道："你们先在车里等我。"

西屋的温度相当高，光线也很强，王起明睁了睁眼，看见土坑上盘腿坐着六七个人，他们正在交谈，见他进来，坐在坑沿上的一位年青妇女，往里挪了挪屁股，请他坐下。

他正想张口问"哪位是李秀珍"，给他让位子的那位妇女，先问了他：

"你是哪疙瘩来的，咋知道王先生算得灵？"

"我，我是从美……从北京来的。……"

"咳，这是个远客，咋的啦，是算别人还是算自己，可准啦，钱不白花，灵验极啦。"

"我，我不算，也不给别人算，我是……"

"这太可惜了，浪费了一个号儿，那你快出去吧，后头还有人等呢，你快走吧。"

"别，别介，我算，不过我先问一个人，这里有位叫李秀珍的吗？"

"你说的是6号吧，在东屋正算呢，刚进去。"

王起明立即跳下火炕，进了堂屋。

由于最后一号已全部发完，堂屋的大门倒插上了门拴，柴灶前有一个十来岁的小男孩在看锅，他见王起明要推东屋的门就说："别进去，会冲了卦。"

他停住了脚步，通往东屋的门上有块小玻璃，他用手指抹掉了上面的水蒸汽，又用手背擦擦潮乎乎的眼皮，他看清了挺着大肚子的李秀珍。

李秀珍面朝着他，听背对他的王半仙在说卦：

"你男人生辰不适，五位不全，如今必有大灾呀，这灾出在身上多了个物，这物在五脏之内，偏右靠下，伤啦，伤到原气啦。"

王半仙虽然背朝王起明，可由于声音洪亮，说得阴阳顿挫，板板眼眼，所以听得一清二楚。王起明不仅听到，也同时看到李秀珍那张木讷的脸上闪着一对目光绝望呆滞的眼睛。

"能挺到啥时候呀?"李秀珍问。

"我断他是明晨子时归天。"王半仙的话又在李秀珍的脸上反应出来,她并没有流泪,而是下巴一下子张得老大,身体跟着一摇。

王起明心里一阵煎绞,很想冲进扶住她。

"要命在你男人,要紧在你肚里的孩儿。"王半仙接着说。

"咋办?"

"孩儿的八字,缺的是金哪,木、水、火、土全占,只少这一门。"

"那生下来,我给他起名叫欧阳金咋样。"李秀珍抽泣起来。

"按生辰八字走向,你得找二斗小米一升红豆,挂在朝西的房梁上,西边儿必有贵人来此,你这孩儿得靠贵人才能顺产生养,就这样吧,下一个。"

李秀珍移动着重重的身子,走了出来,王起明立即上前扶住她。她看了一眼王起明。

出了堂屋,风雪还是那么大,王起明帮她围上头巾。

"你是谁?"

"我,我姓王,是从美国来的,来……来看你和欧阳。"

李秀珍转身向着东屋一拜,喊道:"灵验啊。"

王起明喊来了 LADA,他并没有把李秀珍送到肿瘤医院,而是先把她送回家里,安排她睡下,告诉她一会儿自己就回来。

"你,你真的是从西边来的贵人?"李秀珍茫茫然地问。

王起明含着眼泪点着头说:"是,是。"他生怕使李秀珍失望,又补充说:

"是西边的贵人派我来的,送、送金的。"说着拿出一叠美金放在了她的床头。

他安排好李秀珍，就忙坐上 LADA 向省肿瘤医院驶去。

在肿瘤医院二楼的甦醒室里，王起明见到了还剩下最后一口气的欧阳清音。

医生和护士已经停止对他的抢救，正在准备摘掉连接在他身体上的各种皮管和针头。

"停住，不能，你们绝对不能！"王起明一见这情形忙大声地喊起来。

护士看了他一看，没有停下手里的活。

"听见了没有。我，我……我有钱。"慌乱中王起明说出这样一句话。

一个年轻的小护士冲他顶了一句："有钱管啥用？"

"我，我是说能不能还有其他办法？"

医生无奈地摇了摇头，扬了一下下巴，暗示，你自己可以去看看。

"你们看，他还睁着眼！"他嚷。

没人理他。

王起明走到欧阳清音的面前，清楚地看到他在睁着眼，不过那眼中的目光令他打了个寒噤，后退一步。他不相信，欧阳确实死了。

他伸出手在他的脸前晃动了两下。那目光呆滞，对他的手指没有反应，仍然凝视着屋顶的一角，可那带血的嘴角又似乎在懦动。

"欧阳……"他声嘶力竭地叫了一声。

待他低下头，再次观察着那双眼睛时，他发现，那眼神是凶恶的，好似是在恨什么；又发现那眼神是痛苦的，好似是在遗憾什么。然而最终他发现，那目光中充满了绝望、怨恨、痛苦，还夹着一丝留恋。

他用手掌抹了一下脸上的泪水，然后慌忙地按住挂在胸前的十字架，那枚夜莺从芬兰带回来送给他的十字架。

他转向窗口，望着蓝天，默默地唱着"安魂曲"，他唱给欧阳听，也希望远在罗马的夜莺能听见。

58

威尼斯，冬季的威尼斯仍在繁忙。

马克带着夜莺来到了这里，找到了罗马歌剧院那个大指挥家 NUCCI（努奇）。

努奇能够占据长任指挥这个位置，凭的是真本事。他没真正听过卡拉扬的讲课，是由于他太年轻，比阿巴多还小二十来岁。可近年来，这位刚到四十岁的大指挥在欧洲的乐坛上，却异军突起，被公认为世界卡拉扬二世。

此人精力充沛，不仅在指挥台上威风潇洒，在生活中，也是才智过人。也许是正处于艺术颠峰之期，自他上任后，就忙于两件大事：第一，网罗世界歌剧精英；第二，举办国际大型音乐活动。意大利罗马歌剧节是四年一度的大举动，它有点像世界杯足球赛的规模和宏大，因此对一个职业指挥家和歌唱家来说，终生也就一两次拼搏的机会。

努奇不仅艺术造诣功力深厚，同时也是一个非常有头脑的聪明人，他知道在外围入选活动时，内幕复杂，很可能会漏洞百出，因此，他走南闯北，亲自参加一些 AUDITION，又对一些可靠的经纪人找门送上来的机会，加以考虑。

马克和他以前有过一段交往，这次当他一听说夜莺的事情，就立即欣然答应，尽管他的时间表每天排得很满，但他还是和马克约定明天晚上到他家——威尼斯城来，他要亲耳聆听夜莺的演唱。

地中海沿岸的威尼斯即便在冬季也是阳光明媚，古老的建筑物上空飞翔着群群白鸽，GONDOLA（贡多拉——一种游览船）船上和路旁的艺人，放声唱着意大利民歌："重归苏连托"、"我的太阳"和"负心人"等。

威尼斯既是水城，也是音乐之乡，这里的船虽不至于驶进客厅，但驶进屋门一点不夸张。

这座欧洲音乐古城，空气里都蕴藏着意大利人豪爽的气质和孕育音乐家的养份。

夜莺以前到威尼斯来过一次，那次是受意大利罗马市歌剧院邀请演出《罗米欧与朱丽叶》，当时曾引起一番轰动，尤其是罗马音乐报上的那个大标题"两块纸巾"对夜莺的高度评价，就曾引起过西欧音乐界的注意。不过那次到威尼斯来只是游览，然而这次她却无心再去观赏名胜古迹，那种无名的压力感使她一人躲在威尼斯的一家小旅馆里，闷头练着《露琪娅》的唱段。

马克和她来到这里已经两天了，接见的时间已被推改了两次。尽管马克以肯定的语气劝她要耐心等待，一切都没有问题，可夜莺已有一些不耐烦。她甚至有些后悔，后悔不该来，更后悔不该唱歌剧。

当歌剧演员，一辈子无法控制自己的命运，机会、成功都掌握在别人的手中，而她的个性自幼又是不愿意受别人的控制。自己决定每一件事，每一个步骤，然而却不曾想到在这个行业里，你走得越高却越会受到旁人的主宰。且不说经纪人制度，就是争取一次演出的好机会，也不得不伪心地去做些自己不爱做的事。

她常常感到自己变成了吉普赛人，虽不至于整天坐着大篷车四处卖唱，与古老的吉普赛艺人相比，也只不过是活动范围扩大而矣，她是个世界级的吉普赛人。

傍晚，马克请她到旅馆的楼下喝点饮料休息一下，她没有去，一个人躺在床上思索起来。

吉普赛人，吉普赛人的一大特征就是没有家园，想着想着她又从包里拿出了欧阳清音的照片。

家，何时才能有自己的家？她回忆所有的老同学，几乎都已经成家立业。她幻想着欧阳的病不仅好转，而且痊愈。她幻想着和他很快结婚，也有个家，婚后说不定还会有……

她的眼泪不由自主地淌了出来。她思念着欧阳，思念着他是否真的已经痊愈，真的能够和她结婚。

她又拿出那张飞机联票，纽约——威尼斯——北京——长春。

是的，这里的事情一结束，她就要飞回祖国，去长春找欧阳，不管欧阳能活多久，只要活着，她会立即同他举行婚礼。

家，她多么期待能和自己最相爱的人组成个家呀。

家，她在长岛也有个家，有一个使灵魂得到归宿的家。

想到这里，她马上给美国打了个电话。

接电话的是霍夫曼。

"你好，莺，兄弟姐妹都很挂念你，信心最重要，你会成功的。记住，我们都爱你。"霍夫曼慈爱地对她说。

"谢谢你，霍夫曼，请代问大家好，我也爱你们。"

"另外，王起明先生昨天来找我打听你的情况，我可以把你的电话告诉他吗？"

"可以，要么还是我给他打吧。您知道，他现在在哪里吗？"

"春湖。"

夜莺放下电话，并没有立即给王起明打电话，她翻了个身，又想起了王起明：这个善良的人，为什么总被人们误解，甚至是咒骂。

他和他原来的太太是不可能再和好了，她也不主张他俩再和好，他们是两个完完全全不同类型的人，追求是那么的不一样，合在一起两个人都受罪，爱是不能够纠"和"在一起的，那不人道也不符合爱的标准，他要是真的能和阿春……可也不现实，阿春对现在的家庭很满足。阿春就是阿春，她有她的生活准则。

可怜的王起明！她真想多帮助他一些，又不知该怎么帮才好。

看了看表，她坐了起来往春湖打通了电话。

"喂，是起明吗？"

"夜莺，你，你什么时候回纽约？"王起明听到夜莺的声音激动起来。

"大概一周以后吧。"

"为什么那么长？"

"明天才正式听。"

"那你唱完就可以回来嘛。"

"不，我还有一些其他事情要处理。"

"可是，钱小苹急着要见你。"

"什么事？"

"她正在医院。"

"小苹病了吗？"

"她……不太清楚。"

"我暂时回不去，你先帮帮忙吧。"

"你也要，也要当心，快点回来。"

59

努奇在专心地听着夜莺的演唱，眼里闪动着他那双特有的音乐巨匠的光芒，还不时地摇晃着他那头过了肩的长发。

从夜莺唱的节奏、强弱和他全身摇摆的动作看得出，他和夜莺对《露琪娅》的理解和处理不谋而合，他已按捺不住自己激动的情绪了。

他摘下那副架在鹰勾鼻上的眼镜，上上下下仔细打量着夜莺，又从座位上站起来围着夜莺转了好几圈，欣赏着这位美丽的东方"露琪娅"。

艺术家和艺术家最相通的地方，莫过于对艺术有着共同的理解，这比私人感情有多么融恰或彼此有着多么深厚的交情，要有着更多的不同含义。

努奇就是听得再多，见得再广，可一位来自中国的女高声，能把《露琪娅》唱得如此通透还是第一次。

夜莺第一段刚刚唱完，他高喊一声："BROVO！"（好啊！）就紧紧地握住了夜莺的双手，用英文说：

"I HEARD YOUR NAME BEFORE, BUT TODAY I KNOW WHO YOR ARE."（以前我虽听过你的名字，但今天

才知道你是谁。)

他对马克大加赞赏一番之后说，目前夜莺还没有真正的对手，只有一位黑人女高音，下周将从英国赶来，届时请夜莺再唱一遍，让所有制作人都来听，再做最后定夺。

这一周的要求遭到了夜莺的拒绝。马克一听，当场发了脾气，有什么事情还能比这个更重要？

"不，马克，谢谢你对我所做的一切，不过我真有比这更重要的事情。"

"CREAZY，CREAZY！"（疯了，疯了！）马克疯狂地叫着。他百般阻拦仍然无效，最后说：

"好吧，我留下来，你去吧，我是你的经纪人，我一定要争取到这次机会，绝不是为我，而是为你，为你的民族！"

夜莺平时对马克就非常尊敬，这次更加赏识他的品格，准备自己出钱补偿他这一周的损失，马克不仅谢绝了这一提议，而且激动地说：

"请相信我，我之所以这样做是为了伟大的艺术。"

夜莺当夜就起身赶回中国。临走之前，她独自在圣·马尔克大教堂里静静地站了5分钟。

王起明在返回纽约长岛春湖公寓的第二天，一大早就跑到邮局，电汇了3000美金。他在汇款单上一笔一划地写着：中国 长春 十八里铺 李秀珍同志。

汇完钱，王起明又驾车赶往医院去看望钱小苹。

钱小苹之所以住院，是由于流产后的大出血。

自她的丈夫王祥回国后，她就一直与陈然同居。然而陈然是个极不负责任的男人，他根本就不爱钱小苹，当初钱小苹同意他从格林威治村的地下室搬到她的家里，也是出于同情。

他学的是版画，这个在美国根本就没有出路的行业。有许多学油画和水墨画专业的同学，都在马路边给行人、游客描个像，剪个影什么的，还能混口饭吃。可学版画的陈然，就连这点基本功也不具备，可他又不肯改行，还认为自己是个天才，早晚他的版画会在美国闯出名堂，不到大师级，也得成为著名版画家。

他的梦不小，可大事又做不成，不过他也有自己的优点，能利用自己的特长。来美4年了，没打过一天工，可生活得却不错，他的最大资本就是年轻、英俊，外加一张会打动女人心的嘴。

在小苹怀孕还不到两个月，他又被一位台湾籍开发廊的女老板看中，这个女人当然要比钱小苹教钢琴的收入丰厚得多，于是，在上周的一个夜里趁小苹不在家，他夹起行李不辞而别。

钱小苹本打算生下这孩子与他共度未来的日子，却接到了陈然轻率的分离电话，她当场昏倒在地。

钱小苹体质虚弱，精神上又受到了严重的打击，造成了流产大出血。昨天院方认为有危险，请她提供亲属的姓名电话时，她说出了王起明。

钱小苹之所以说出王起明的名字是有她的打算。她不愿把这事张扬出去，在老同学中传开。王起明既不属于老同学，他的生活圈子是在老同学之外，可又是个老老同学，心地善良，因此，应该算是最合适的人选。

王起明昨天已经来过一次，今天又去买了些牙膏、牙刷、毛巾等物品送来。

他不负小苹所望，两天来跑里跑外，对她照顾得无微不至。

钱小苹来美五年多，为了开那个倒霉的珠宝小店，拼命攒钱，连医疗保险都没有买，好在美国的医院非常讲人道，先看病再交钱。

在美国生一回病，对一个新移民来说，就如同突然缩短了寿命一样，因为这就意味着在未来几年或数十年中，你要为医院打一半工，也就是说所欠下的医疗费就占去了你将近一半的收入。特别是住院费，一天最少一千多美金，多住一天，你就要为医院白作一个月的工，因此钱小苹不停地催问王起明什么时候能出院。

"你耐心一点儿，钱不是最重要的。"每当钱小苹这样问他时，他总是这样说。

王起明自从生下来以后，就没去过几次医院，不知是人到中年，还是岁数不饶人，近几年，到医院的次数开始多起来。

渐渐地，他感觉到，那么多人到医院来，其中包括自己，病因不全是自然病灾，大部份都是人为的。人类灵魂的破损，才会导致身体的破损。

就拿小苹住院的根源来说吧，她应该属于年轻力壮、体格健康的女人，要不是因为放弃教钢琴，改行做生意，怎么也不会和王祥分异，不和王祥分异，怎么也不会和陈然同居，不和陈然同居怎么也不会……

大千世界里，难道真的应了"人为财死，鸟为食亡"的这句话吗？

钱小苹受到这次打击后，人的精神整个垮了下来，躺在病床上，时常无由地掉眼泪。由于心情不好也带来了胃口大减，两天来，医院的饭菜不想吃，王起明带来的水果她也不愿意动一下。

"这样不行，小苹，你太虚，需要营养，不然就真的全垮了。"王起明在一旁给她削着苹果说。

"垮了？早就垮了，真不如一死。"

"废话，离死还远着哪。"

"活着没劲。"

王起明慢慢放下了水果刀，给她讲起自己的经历，讲他也曾经垮过，也曾经寻过死，但他没死，现在还活得快快乐乐，这都是由于一段话，一段夜莺寄给他的话。

"哪段话？"小苹问。

"耶稣站在山顶上……"王起明把《马太福音》的第二十五章给她背诵了一遍。

"夜莺，夜莺在哪儿？我想见她。"

"在罗马，快回来了。"王起明站起来走到窗前，望着窗外晴朗的天空说。

60

夜莺到达长春后，得到了欧阳的下落之后，没顾得上与家人吃顿团圆饭，就直奔了肿瘤医院。

医院里，当医生告诉她欧阳已在几天前死去时，她控制不住巨大的悲痛冲出了医院大门。

风雪里，她奔啊，跑啊，疯狂地、没有目的地奔跑，头上戴的那顶黑色德式女帽跑得不知去向，卷发上沾满了晶莹的雪花，挂在下巴上的泪水结成了小冰凌，上下睫毛被雪和泪冻得粘在了一起，她睁不开眼睛看不清前面的方向。

她跪进深深的雪地里，无声地抽泣起来。也许是她刚从罗马飞来，也许是她刚唱完《露琪娅》，浑身的感觉和神经还停留

在"露琪娅"的内心世界里。她双手揪住自己的头发,仰望着
天空,脑子里又盘旋起"露琪娅"发疯后的那段唱词:

多么辉煌的圣殿哪!

绝妙神圣的殿堂,

看,那是主教,他带我们步入了结婚圣坛,

你给我戴上了戒指,你亲吻着我的双唇,我终于属于你。

啊!恶魔来了!他把你从我的怀中夺走。

啊。不。你不要走,你不能走。你……你还是走了。

亲爱的,天堂是永恒的,在那里等我,

……

夜莺闭着眼睛,阳光透过那薄薄的眼皮,在她的眼底照出
一片红色。在红色背景间,她又看到无数颗闪亮的晶体,这些
晶体在跳跃,在旋转,然后组成一组光环,又变成一片通亮的
世界。在这个美好的世界里,全是真正的爱和善良的心,全是
美妙的音乐,露琪娅、朱丽叶、巧巧桑、维奥列塔都在那里,在
那里唱着她们心中的歌。

风雪中,夜莺找到了十八里铺,在十八里铺镇边,她走进
了李秀珍的家。

她打听出孩子出生日期之后,请求李秀珍,让她做孩子的
养母,然后含着眼泪留下了一笔钱。

"贵人哪,这太多了。老天爷呀!您显灵了!"李秀珍惊叫
着挺着大肚子,走到院中央向西连连跪拜,口里不断叨念着:

"孩子他爹,你就闭眼吧。"

李秀珍又返回屋里,说什么也不肯收下钱,再三表示,她
和欧阳一样不是那种贪心的人,贵人们送来的钱已经足够了。

"有谁还送过钱吗?"夜莺诧异地问。

"有哇,有哇。前几天来了一位先生,放下钱就走了。今早晨,邮局又送来他的汇款……"李秀珍说着从兜里掏出来一张从美国寄来的电汇单。

夜莺接过汇单,看见上面的落款是:WANG QI MING,N. Y.(纽约王起明)

"他本人来过?"夜莺问。

"大前天来的,当天就走了。"

"他……"夜莺没有问下去,一切全明白了。她说了声"再见",就默默地转身走了出去。

院中的老母鸡安祥地在地上啄着食,屋檐下挂的干红辣椒,被风吹得"哗啦哗啦"的响。

夜莺又踏上了飞回威尼斯的旅程。

在飞机上,她怎么也不能入睡,她想,下了飞机,要马上去找马克,让他安排 AUDITION。她太需要休息了,但是,她不能放弃这次机会。保证这次演出是为了欧阳,还是为了王起明?她不十分清楚,反正她认为这次演出的性质在变,变得越来越重要。

她盖上毯子想睡会儿,然而却做不到,脑子里一直还在转着这个人,这个悄悄地来到长春,悄悄地帮助欧阳一家的王起明。她回忆着这个人,从第一次接触到现在的变化,回忆着爱的种子在他心灵上盛开的一个又一个花朵。

61

在威尼斯，努奇又一次审听了夜莺的"露琪娅"。

夜莺虽然身体过于疲劳，但声音仍然清彻明亮。这趟中国之行，似乎又加深了她对剧中角色的深刻理解，情绪和感情更加逼真，当唱完《露琪娅》最后一段，她趴在马克的肩上哭泣不止。

努奇也被感动得不断地摘下眼镜擦抹眼泪。他不再讲什么赞美的话，只要马克快快让夜莺在合同上签字。

飞回纽约的前一天晚上，夜莺给长岛打了个电话，想让王起明到机场接她，可是打过去几次都没人接，在王起明的电话录音上，夜莺留了3次言，也留下了她在罗马的电话号码，可一直等到深夜两点多，还是没有回音。按道理，这么晚，他不在春湖公寓写作，也该睡在那里，他不会出去的。

她有些不放心，于是在最后的一次电话留言上，她这样说："起明，不管多晚，回家后立即给我打电话，我，我很不放心你。"为了加重语气她又说："起明，你到底怎么回事，是不想到机场接我，还是把我忘了。"

王起明没收到这个电话录音，他一直在医院里忙碌着。

钱小苹由于失血过多，陷入了昏迷状态。主治医生决定马上输血。可是该医院的血库，存放的血浆都是8天以前的。按美国的法律,鲜血不得超过一周,这个时间从别的医院调血,最快也要一小时。

王起明说不能等,反复强调他也是 O 型血,和钱小苹的一样。经过化验,医生点头同意了他的请求。

抽血前,医生问王起明是否同意开给他的价钱。王起明气得差点又骂开了人:"你就先抽吧,我不关心人血是什么价。"

医生看着这个莫名奇妙的东方人,大有趁机把他的血全部抽干的架势。

吊瓶下的钱小苹,苍白的面色慢慢地红润起来。

她睁开眼睛看着血浆吊瓶,吊瓶上写着血浆的日期和输血人的姓名,她又转头看了看王起明,也许是几天来的劳累,也许是输血过多,他的脸色很不好看。

"起明。"钱小苹轻声的叫着他。

"嗯?"

"你,怎么能……"

"睡吧,一切都会过去的。"他说着又给她往上拉了拉被子,把她凉在外面的另一只手,放进了被子里。

钱小苹紧紧地抓住他的手,哭着连连叫着:"起明,起明。"

王起明轻轻地抽回了他的手。

第二天,经过一天的观察,主治医生勉强同意她可以出院。不过,身边一定要有人照看。

王起明给钱小苹办好了一切出院手续,准备送小苹回到布鲁克林她自己的家,钱小苹执拗着不肯回去。她讨厌看到那个令人窒息的环境,她要等到陈然身上的那股气味散光再回去。

"那怎么办,你准备去哪儿?"王起明急得不知所措。

"春湖。能让我在你那里缓几天吗?"小苹哭丧着脸央求。

"行……走吧。"王起明想了一下说。

王起明把她带回了春湖公寓。

他边给钱小苹煮汤面，边听着两天来的电话录音。

夜莺最后一次的话语从录音机里播放出来：

"起明，不管多晚，回到家里立即给我打电话。我很不放心你，你到底是怎么回事，是不想到机场接我，还是把我给忘了。"

王起明听了一怔，他从来没听到夜莺对他有过这样的态度。

"你真有两下子，想不到，还能把夜莺勾到手。"钱小苹笑着说。

"小苹，别误解，她，她总喜欢开玩笑。"

"算了吧，她可是个很严肃的人。这怕什么，我还为你们高兴哪。"

紧接着，电话录音里出现了一个既熟悉又凶狠的声音。

"王起明，你一定觉得很奇怪，很意外吧。"他停住了煮面的手，仔细听着，他确实感到奇怪，宁宁怎么会找到这个电话号码，她不是被警察抓起来了吗？

宁宁继续咆哮道："你跑了和尚跑不了庙，现在，我是你前妻的代管人，她的离婚协议，我根本不同意。目前你只有两条路，一是回到我这里给我打工，二是我要100万现金，否则，我让你一辈子离不成婚。留点神吧你。"

"真是个混蛋，少有的混蛋！"钱小苹一时忘记了自己的病，喊了起来。

王起明煮好了面，给她端过来，说："吃吧，这儿没你事。"

"我不吃，气都气饱了。你怎么能有这么个败家仔儿，我真怀疑她是不是你亲生的。"

"吃吧，吃，吃完了再说。"

晚上王起明在外间客厅沙发上安排钱小苹睡下，走进自己的卧室，久久没有入睡。

他没把宁宁的话放在心上，关心的还是夜莺这次罗马是否成功，那个指挥听了以后会作出什么样的决定，万一合约没签成，对夜莺会不会是个打击。

他又想起了长春欧阳清音的事，他还是不准备告诉她，他要等到意大利歌剧节闭幕以后。

夜莺电话的留言也是使他不能安睡的原因之一。她这是怎么了？怎么会突然对他……？她从来没有这样对他说过这类话，难道她真的……？不，太不可思议了。即便是她有什么想法，他也绝不会接受，从心底里他不愿给夜莺带来任何麻烦。

他真是个太麻烦的人了。怎么总有这么多解决不完的事呀。

62

夜莺回到纽约之后，在机场里先给春湖公寓打了个电话，可是仍然没有人接，她打开电子记事本，找到了王起明给她留下的吴颜电话号码，于是打了过去，吴颜听出了她的声音。

"夜莺姐，真的是你吗，王大哥真是个守信用的好人，上周他说要安排咱俩见面，我坚持说去长岛见你，可没想到他让你先跟我联络，真不好意思。你现在在哪儿？我特别想见你。"

"我在机场，刚到纽约。"

"那快来我家吧。是王大哥接你吧。"

"不，他，我也正在找他。你知道他在什么地方吗？听说钱小苹病了，她在什么医院？"

"夜莺姐，告诉你吧，小苹真不像话，她的事复杂极了，你最好劝起明大哥少管她的事。她，她太轻浮，离开男人就受不了，她和陈……"

"吴颜，你过得好吗？"

"我，……你快来吧，我有一肚子的话想跟你说。"

"不，改天吧。"

"夜莺姐，我知道我对不起你。可是当初……"吴颜的声音颤抖了起来。

"好吧，我马上来。"

吴颜和夜莺大约有一年半没见面了。

吴颜已快是两个孩子的母亲了，大儿子托尼刚刚会爬，肚子里的胎儿也已有 8 个月。

刚见到夜莺时她还很不自然，生怕夜莺见了她难过或者责备，使她更加难堪。可没想到，夜莺见了她不但没有责备反而还非常肯定地对她说："你的路没有走错。真的，蛮好的。"说着抱起托尼亲了又亲，问起吴颜这第二个孩子，希望是男的还是女的。

"我？什么也不希望，我没有希望了。"吴颜说。

夜莺仔细打量着吴颜，不合体的宽大孕妇袍仍然遮掩不住她那八个多月身孕的体态，虽然个子很高，但行动起来，还是显得相当笨拙。她原来身上的那种高雅的气质、活泼的气息不见了，留下的只是哺乳的母亲和家庭主妇身上的那种特有气味。

"我很羡慕你现在的生活。"夜莺亲吻着托尼的小脸蛋说。

吴颜看了她一眼，以为夜莺是在讽刺她，心里更是一阵难过。她佩服夜莺的才能，更感激当时对她的帮助和忠告，夜莺没有对不起她的地方，现在就是她说了一些奚落自己的话，她也能够接受，也应该接受，不过她仍想解释几句，毕竟她与夜莺曾是一对最好、最亲近的朋友。

"夜莺姐，我知道你的意思。可是后悔也晚了。"

"不，没什么后悔的，为什么要后悔？"

"为什么？我不能够整天过这种牢笼似的生活，我要找回我的朋友，我要找回我的歌唱艺术。现在，我成了什么啦，变成了生孩子的机器，给人家传宗接代的工具。我跟他没有半点儿共同的地方，他一天到晚在外面忙他的，有时候一走就是几个礼拜，回来后，也没有什么共同语言。我的精神快要崩溃了，我简直要疯了。悔不该当初没有听你的话。夜莺姐，你看，我现在都成了……"吴颜掉下了辛酸的眼泪。

"你应该找个寄托。"夜莺打断了她。

"寄托？我还能有什么寄托。"

"孩子。"

"孩子？他说他要孩子，包括肚子里的这个。"

"你们吵架啦？"

"吵架？已经分居了！"

"别，千万别。吴颜，努力地试着去爱吧，爱孩子，爱他……"

"爱？"

"对，爱。要先从家里人爱起。"

"我根本就不想要这个家。"

"不，千万别学我，家是重要的。现在一提起饭店、飞机我就怕，吉普赛人的日子我过够了。我真的羡慕你，吴颜，好好的珍惜吧。"

吴颜听得出来，夜莺的话是真心的。她了解西方艺术家的生活，他（她）们最大的奢望莫过于有一个晚上能和家人坐在一起，安安稳稳地看看电视。然而吴颜却渴望着艺术家那种满天飞的日子，她已经怕死了这种整天锁在屋子里的生活。

"夜莺姐，这趟罗马之行签约了吗？"

夜莺点了点头。

"太棒了！我是唱不了啦，你能成功我更高兴。"

"吴颜，你也有机会，等孩子生下来，我帮你先介绍一些小的演出，然后……"

"真的？夜莺姐，你现在就帮我练练吧，我要找回我的感觉。我多想再回到舞台上去呀。"

"别急，慢慢来。"

"不，夜莺姐，现在就开始，那架新的'斯坦威'买了以后，一直还没用过，彼得买它是为了摆设，以后我要用它练声。夜莺姐，你看我还行吗？"

"当然可以。"

"来，你快帮我练练声。"

她们来到了大客厅，夜莺放下了小托尼，坐在那架最新式大三角钢琴前弹了一个简单的音节，叫吴颜跟唱。

吴颜开始时唱得还不错，可是当夜莺把音高升到 A 时，吴颜的喉咙里发出了一声怪音，这怪怪的音调就像黑管里的哨片没有调好，用力一吹出现的杂音一样，吓坏了吴颜，也使夜莺吃了一惊。

吴颜低下了头，眼泪落在钢琴的键盘上，她用拳头猛击了一下琴键，随着一片混乱声，吴颜哭着跑出了客厅。

63

从吴颜家回来，夜莺直接回到了研究生宿舍，进了门就问母亲，这两天王起明有没有来过。

母亲摇了摇头。

"来过电话吗？"

"没有。"母亲还是摇了摇头。

她放下背包，马上给钱小苹家打了个电话，没人接。

"春湖"的电话，她又打了一次，还是电话录音。

她真的急死了。

"真不像话。"她又急又气一屁股坐在了沙发上。

母亲不安地看着她。

以前每次她从国外回来，进了门总是滔滔不绝地向妈妈讲这讲那。虽然老人家不懂西洋歌剧，可是也认真地听，听她讲事情的来龙去脉，听她讲对角色的理解，母亲从来不打断她，总是和她共享成功的喜悦。她从没见过女儿像今天这样失态，进了门不讲她在罗马的事情，而为找王起明发这么大火。

"有什么急事吗？"母亲小心地问。

"他失踪了。"

"失踪？"

"对，他都不到机场去接我。"夜莺含着泪回到了自己的房间。

妈妈没有跟她进去，走进厨房给她做饭去了。

夜莺听到了母亲在厨房炒菜的声音，打开门喊了一声，

"妈，我不吃。"

"你今天到底咋的啦？"母亲走进来关切地问。

夜莺躺在床上没有回答，妈妈站在床边，看了她一会儿，正想往外走。

"妈。"她叫了一声，坐了起来，抱住了母亲。

"有啥心里话，就跟妈说出来吧。"

她不敢告诉妈妈，她去了长春。她抱着妈妈掉下了眼泪，哭得双肩颤抖，像个小孩子。妈妈心疼地摸了摸她的头说，

"不早了，睡吧。"

妈妈走了，夜莺躺在床上还在不住地擦着泪水，她自己也弄不懂，为什么这么伤心。欧阳的死，露琪娅的疯，王起明的失踪，李秀珍的苦难，……她真想放声大哭一场。

整整一夜她都在想着这些事，也在想王起明，她急着想见到他，想对他说点什么。他到底去哪儿了，是有意躲避我吗？他去长春为什么不通知我？他现在哪儿来的富裕钱去补贴李秀珍……？

当然这一切他是为了爱，更是为了我，为了我的事业，为了我在罗马演出成功。

她不得不承认，王起明开始在她的心中占据了重要的位置，她不得不承认她开始爱他了。她真想知道他现在究竟在什么地方。

早上天不亮，她爬起来匆忙地洗了个脸，拿着春湖公寓的钥匙下了楼。

车子开得飞快，她要去看看王起明在"春湖"留下了什么。她猜想他一定会留下信或纸条什么的，他不会就这样不辞而别。

她停好车子，来到公寓门前。她不常回这里，所以，钥匙用得很不熟练。

捅门开锁的声音，惊醒了睡在客厅里的钱小苹。

钱小苹先向卧室喊了一声，"起明，有人来了。"可王起明卧室的门是关着的，由于几天来的疲劳，他睡得很死，钱小苹没有惊动他，自己下地来到门前，问了一声：

"谁呀？"

夜莺开门的手停了下来，一阵诧异。

门打开了，她看见钱小苹披着睡衣出现在屋门口。

"夜莺？你？……你不是在罗马吗？"钱小苹说。

"小苹？你？我以为……王起明……对不起，我走了，再见。"夜莺显得有些慌乱，说完转身就走。

"不，夜莺，你别走，快进来，王起明在这里。"

夜莺没有停住脚步。

"起明，王起明，夜莺回来啦。"钱小苹向卧室里喊。

王起明听到声音马上穿上衣服，冲到了门口，"夜莺！"他叫道。

夜莺的脚步犹豫了一下，但她没有回头，也没有回答，急匆匆地打开车门，开出了春湖公寓。

"夜莺！夜莺！"他拼命地喊。

"不听人家解释就走，太狂，太傲气，有什么了不起。"钱小苹说着关上了门，走回了客厅。

"你别这么说，咱们这样，谁见了都会误会。"

"有误会，就听人家解释几句呀。她这人太清高。再说了，这有什么，就是咱俩好，睡在一起又怎么样，至于吗？要这么着，我索性还不向她解释了，要么就开诚布公地告诉她，我就是跟你好了，我爱的就是你。"

— 284 —

"钱小苹，你……。"王起明气得说不出话来。

"怎么啦，我就爱你，你就是大好人。起明，别管这些，你怎么想吧。"别看钱小苹的病还没全好，说起话来底气还挺足。

王起明喊道："这不可能！"

"好吧，算我不知好歹，算我给你找麻烦了，我走，我马上就走。"

"你不能走，你的病还没好！"王起明拉住了她。

"算了，算了，我自做多情了，好吧？我配不上你，我不自量力。我算看透了这个世界，全是假的，我怎么这么倒霉呀！"钱小苹难过地哭了起来。

"小苹，你冷静点，哭什么嘛？"

"起明，"钱小苹哭泣着抱住了他。

王起明扶她坐到了沙发上，走出门外，点上了一支烟。他心烦得很，想立即去追夜莺解释这一切。

钱小苹转身一边擦着眼泪一边收拾她的行李。

王起明抽着烟，在门外来回踱着步子。

钱小苹的婚姻、感情太不顺，他同情她，想帮助她，可真没想到会闹出这么个结果。在这个时候，他不敢太伤小苹的心，现在她太需要有人来帮助了。他担心小苹会自报自弃，会做出什么不测的事情来。

回到屋里，他见小苹已经收拾好了行李，也穿好了衣服。

"你呀，真是个孩子，使什么小性儿。"王起明一边哄她，一边走进了浴室。

钱小苹挥着眼泪，背上行李走出了春湖公寓大门。向门卫问清了长岛火车站的方位之后，踏着晨辉走去。

王起明洗完澡出来，发现小苹不见了。他立即穿上衣服，发动汽车，沿着大门守卫指的小苹走的方向追去。

开了不到十分钟,在铺着白雪的小路上他追上了钱小苹,于是不由分说地把小苹拉进了汽车。

钱小苹已冻得两唇发紫,下巴在不停地打颤,他脱下自己的衣服给她披在身上。

钱小苹又抱住他哭起来。

"走吧,我送你回家。"他说。

夜莺在开回 STONY BROOK 大学的半路上停住了,她觉得自己突然变得很可笑,为什么会生这么大的气?为什么会这么容易失去控制?到底为什么?仔细地分析起来,她的脸一下子红了,她明白了,这是爱,是控制不住的爱。她不认为王起明会变化这么快,只有几天不见,就会爱上钱小苹?是自己多疑了。她不好意思地笑了笑,马上在路中央调转了车头,开回了春湖公寓。

打开门之后,她先是叫了几声,没有人答应,心里不禁一阵自责。她很同情钱小苹,猜测王起明大概是把小苹送走了,大概用不了多久就会回来,于是坐下来等他,她有很多话要对他说。

她一眼看到电话机,想起了在罗马给他的留言,就按了一下机器上的 PLAY(开关键),查一下她的留言是否录在上面。当她听到自己最后那次留言时,无声地笑了,她想王起明听了也一定会笑,一定会感到突然,正想关掉机器,宁宁的声音冒了出来。听完宁宁那恶狠狠的语句后,她皱起了眉头。

她回忆起小说里的宁宁,又比较了一下现在宁宁的态度,更加理解了小说中的那个主人公,更加明白王起明写这么一本书的用心何其良苦了。

记得王起明曾把他的心里话和不为人知的用心,告诉过她:

"当时我和郭燕实在没法沟通，就把全部希望寄托在宁宁身上。我惯她，溺爱她，到头来她却成了个祸害，败家仔儿。可我仍不死心，想写信给她，又找不到她的人影和住址。想打电话给她，又不知她的号码。于是，我就想写，也把她写进这本书里，万一真的出版了，不管她在哪儿总还会看见的。希望她能看到这本书，希望她能理解我，能回到家里，回到我的身边。仔细分析一下吧，这本书通篇不就是写的父女情吗？地狱之惑从哪里来，不就是灵魂没了归宿，寄托没了指望，精神没了支柱，心态失去了平衡吗？"

她曾多次安慰过王起明，设法帮他寻找新的归宿和新的寄托。她同情他的遭遇甚至有些怜悯，生怕他再次遭到打击，在他破碎的心灵上再浇油撒盐。她真不理解，世界上还有这种人，为了钱连血缘都不要的人，更不要说爱了，邪恶竟会使人的灵魂变得如此可怕，无论你的年龄是大还是小。

她判断王起明已经听过宁宁的这段录音了，因为这段话是在她的电话录音之后。

她了解王起明是个聪明人，可是他也有个极大的弱点，就是太讲人情，对宁宁的一切做法他甘愿不声不响地忍受，就是真的有一天宁宁对他举枪，他也不会躲闪，也不会反抗，况且以前已经发生过这种事情。

她又看了看表，估计王起明快回来了，就走进厨房。先是煎了两个王起明最爱吃的嫩荷包蛋，然后又切了一点平时他喜欢吃的那种香肠，用葱花炝了一下锅，准备再给他做个北京打卤面。

面还没下锅，电话铃响了起来，她急忙跑过去，猜想是王起明。

"喂，我是夜莺，你这个人跑到哪儿去了？"她兴高采烈地问。

"夜莺？是那位歌唱家吗？"她听出来听筒里的声音是宁宁，拿着听筒没有立即回答。

"名人啊！王起明是住在这里吗？"宁宁生硬地问。

"请问，你是宁宁吗？"

"对。王起明抛弃的亲生女儿。看来我又多了个名人当妈妈啦。"宁宁大笑着。

"宁宁，请你对人礼貌些。"

"礼貌？对一个从我妈妈怀里夺走我父亲的女人讲什么礼。你讲礼貌吗？"

"你说话要有根据。"

"算了吧，装什么假斯文哪，你能在王起明的卧室里接他的电话，这难道不是证据吗？"

"你不了解情况。"

"这我不管。王起明能追到你，这是他的本事。这下更好，你有名有钱，有钱就先替他还债吧。"

"他什么也不欠你的。"

"我也没说欠我的，我是替我妈要帐。你也别怕，也就几十万，一百万什么的。"宁宁大笑。

"宁宁，你错了。你不应该借你父母的感情纠葛来谋求自己的利益。你不小了，你应该进学校学点东西。要自食其力，不要一辈子总是依靠父亲。"

"这你管不着，你还不是我妈哪！"

夜莺气得放下了电话。

电话又响了，还是宁宁："喂，夜莺，你和王起明倒底是什么关系。"

"朋友。"

"哪种的？"

"随你怎么想吧。"

"痛快点，说明了，是准备结婚的那种吗？"

"……对，你说对了！"夜莺对着话筒喊了一声。

听筒里立即传出来另一个声音。

"王起明是我的前夫，"是郭燕，她意正词严地说：

"夜莺，离了婚，并不等于财产也判决了，你要仔细想想，他还欠我的巨款债物，不然你会后悔一辈子的。"

"郭燕，你误会了，我跟他没什么关系。不过确实是好朋友，好到就连你签署过的离婚协议书，他都让我看。在那个文件里，你可从未提过巨款债物。"

"可以修改。"

"郭燕，为人还是善良些的好，不要逼他走上绝路，这样对谁都不好。"

"你有什么权力对我这么说话？"

"我也是你的朋友。"

宁宁夺过话筒大骂一声后说："你不配做我们的朋友。"就挂断了电话。

夜莺走回厨房，继续为王起明准备饭菜，盼着他早些回来。

64

在钱小苹家里，当王起明又一次拒绝了她的要求时，钱小苹语重心长地对他说了一段话：

"起明，我不怪你。可是看看咱们这帮好同学吧，离的离，分的分，都在各奔前程。人到了美国，有谁还顾得上管家庭、婚姻？

冷静一想，陈然也没什么不对的，他所以这么做也是为了求生存，也是让金钱和身份逼的，这两样我没法满足他，当然要跑。王祥离开我回国去发展，也没什么错，人各有志嘛。可说实在的，留下我一个人怎么生活呀？

起明，我是不幸的，你也是不幸的，两个不幸无助的人搬在一起住，没什么丢人的，这在美国没人指责、嘲笑。"

"小苹，我理解你，可我做不到。"

"我不反对你的追求、信念和向往，可你总得现实一点吧，我知道你心里在惦记着她，这可能吗？不觉得太天真吗？"

"你误解了。"

"别假迷三道的，你总还算条汉子吧。"

王起明低着头不住地抽着烟。

"不论从地位、金钱、学位，你怎……"

"就算我在追求她，也不是为这些。"

"这就对了。甭管是为了什么，你倒底还是承认，你在追求她。你敢说你不爱她吗？"

王起明又连吸了两大口烟。

钱小苹继续说："我承认，她是个令人崇拜、尊敬的女性，这我一点儿也不忌妒。可你想过，她会真的爱你吗？她对你的关心、爱护，是她那种层次人讲的时髦，这跟他们帮助亚洲难民、赈济非洲的贫穷是一样的。

咱们可以设想，叫一个整天在美国上流社会圈子里周旋的人，同一个难民式的人物真正相爱，组织家庭，这在现实生活中可能吗？难道你不认为，在现代人的脑子里，等级观念还没有摆脱？!"

王起明没有说话，点了点头。

"她不可能对你有真正的爱，顶多是同情，这你比我懂，同情不是爱。"

"我明白。可是，小苹，同样的，我对你的感情……"

"笑话，咱俩不是感情的问题，是生存。"

"算了吧，别扯得太远了。"王起明说着站起身来要走。

"起明，别那么死心眼儿，你要是真心爱她，离开她才对。"

"为什么？"

"因为你会毁掉她的前途和名誉。"

"嘭"地一声王起明关上了大门，不但没走出去，反而坐了下来。

"好，那我就实说吧。"王起明又点上了支烟，放在了发颤的嘴角上，看得出来他的情绪很激动。

"小苹，你猜对了，我是爱她。甚至觉得，在今后的日子里我不能没有她。她是那样的无私，无畏，那么光彩照人。我的重生是她赋予的，我生活的勇气也在靠着她来支撑。可我心里又矛盾，正像你说的，她的名气越来越大，她的事业如日中天，我是什么人呢，是个一事无成的人，是个麻烦事缠满身的

— 291 —

人，是个掉在泥潭里爬不出来的人！我怎么敢斗胆说爱她？我配得上人家吗？"

"起明，你别……"钱小苹看着他那痛苦不堪的样子，不知说什么好。

"你看看我现在都成什么样了？"他接着说："家没个家，业没个业。四十多岁的男人，应该说事业有成，该享受一下生活乐趣的时候了，可我？活到这个时候，反而成了无业游民，灵魂更是游游荡荡，无依无靠，好像淤泥也已经没到了我的下巴，整天痛苦而又令我窒息。我常想，一横心一闭眼沉下去得了，活着也是干受罪。"

王起明越说越激动，声音也越来越颤抖。

最后他说："可是，一当我不想活的时候，就会想起她，想会起她给我的那段话。"

"那叫爱吗？你千万别抱太多的幻想，看得出来，你很痛苦。不过，你想想，一旦遭到她的拒绝，你会怎么样？真的，起明，你别陷进去太深，你懂吗？"

王起明轻轻点着头。

"最好的办法就是离开她那里。你才四十岁，在美国这并岁数不算老，你懂做生意，还来得及去重新开拓，不必过份伤感。"

"我走了。"王起明揉着潮乎乎的眼睛说。

"去哪儿？"钱小苹问。

"长岛，春湖。"

"你……？"

"去取我的行李。"

"搬到我这儿来？"

王起明摇了摇头。

"那你去哪儿?"钱小苹拽着他的袖子问。

"去我该去的地方。"他回答。

"你别想不开。"

"不,不会。"

65

王起明自己给自己判了死刑。

在回长岛的路上,他的车开得很慢,又赶上塞车,一眼望不到头的汽车河流的尾巴上,都亮着刹车的红灯,他好像看出这红灯是在给他目前生活道路上的一种提示,提示他再往前走是行不通的,不如立刻悬崖勒马。

其实用不着钱小苹劝阻,他也早已意识到这一点,他和夜莺的关系,最终是要遇到红灯的。

仔细回想起来,夜莺对他的爱,只是在他痛不欲生时,让他振作,不要气馁,要对生活充满信心。夜莺的"爱",不仅限于男女之间的"情爱",是对第三者或是更多的人而言。他俩之间也谈"爱",并且谈得很公开,但不是那种"爱"。可他必须承认,他深深地爱着她,而且感情一天比一天深厚。

他决心,不管对方对他如何,他都愿为她的幸福和快乐做出奉献,甚至死也情愿。人活着总得为点儿什么吧。

一年多来,她成功,他就兴奋;她顺利,他就高兴;她闷闷不乐,他比谁都难过。她的喜怒哀乐,就像晴雨表一样影响着他,牵动着他的心。

夜莺对他始终是抱以一种关爱的态度，然而从罗马打回的那个电话留言，却……？

车子被困在公路上，一动也不动，他的心似乎也停止了跳动，但他的头脑却在不停地思索着……。

他决定离开她，不只是在形式上，而是在心灵上完完全全地离开她，这样才对得起她，这样才是真正地爱她。

这纯粹是出于真心，不是玩弄什么感情。他知道，这种想法谁听了，都不会相信。只要是爱情就是自私的。越爱越远离，这只有在电影或小说虚构的情节里才会有。

不管人家怎么想，他是这么想的，也准备这么去做了。爱是一种奉献，爱是一种牺牲。

车子越朝着长岛的方向开，他的心就离夜莺越来越远，越来越痛。

他现在还不准备回春湖公寓，他想去找勤向。

可见着勤向说些什么呢？盼着和他一起喝点酒？再不就是和他挤在一起，住上一段时间，再另寻出路？

他不想再给夜莺打电话去解释今天早上的事，这样也许更好。

近十一点钟，王起明才把车子开到勤向家门口。

圣诞节已经过去两周了，可是居住在长岛的居民，似乎对这个一年一度的节日有着特殊的感情，各家各户的门前屋后的彩灯还在点着，也许他们是为了装点环境，也许是为了留住节日的欢乐气氛。

只有勤向那间半土库地下室里没有一丝灯光，屋外也是黑漆漆一片。

他迈出车，敲了敲屋门，没有动静，又转到房子的另一面，一条腿跪在地上，去敲紧贴着地面的小窗子，还是没有反应，他有点儿着急，生怕勤向一个人无人照应出什么差错。

他又绕回到前门，准备用肩膀将门撞开，可肩还没碰到门上，突然发现，门上用胶条粘着一封信，信口封得死死的。

他划了根火柴，借着光亮看见上面写着：王起明、夜莺收。

他连忙回到车里，打开车灯，掸掉信封上的残雪，撕开了一边。信很厚，大约有七八张纸：

起明、夜莺：

好！

临走前，分别给你们去了电话，不巧二位都不在。

《楚河争》已经找到了婆家。上海大歌剧院邀我返沪签约，初定6月开排，年底公演。

夜莺，虞姬一角在剧中虽不属第一，但份量也不亚于霸王。思前想后仍觉你出任此角色最为理想，此事虽尚未与上海大歌剧院进行商谈、确定，但这是我的愿望。

我深知，你合同甚多，教学繁忙，此次演出又获利极微，如你能空出年底的时间，我勤某甚为感谢。

《楚河争》是继《荒原》后的又一出举足轻重的大戏，我打算先在国内打响，再进军美欧歌坛，这对中华文化在世界的地位将起重要作用。

日前那位华盛顿大歌剧院制作人看过总谱，说，女主角音域极宽，难度极大，看来，非夜莺莫属。

他对我还说了一段有趣的话，他说："中国在奥运会上摘到了可观的金牌，成绩优异。体育人才三五年就可训练出来，可是，造就一代文化精英，却并非短时间内就可以完成，而宏扬一个民族的文化，更不能靠纺织品的出口和短裤、背心、水泥、猪鬃的推销，这代替不了中国新一代的精神文明。"

起明，夜莺，千万别以为他是在嘲笑和挖苦，实际上他对中国一向友好，《荒原》在美的推出，他就是决策人。他认为中华文化了不起，五千年的文明史是个宝库，世界上任何一个民族都应从中取其学之。可喜的是输出中华文化，中国的歌剧名流先走出了一步。

我已经老了，《楚河争》也许是我最后创作的一部歌剧。你们都还年轻，正是出成绩的时候。我想夜莺一定会出任的，起明你也一定会支持的。

可叹的是，眼下世风败坏，人心不古，要使高品味、深层次的作品推出，让人接受已经很难，更何况向西方输出这样一项巨大"工程"了。

我们这一代文化移民应责无旁贷地为之奋斗，在这座坚固宏伟的桥下，当一个小桥礅也是值得的，也没有枉费移居西方一场。

起明，我钦佩你的魄力，不管出于什么动机，你弃商从文，搞这种在世人看来是个不讨好，且笨且傻的事，这就是成功。不要灰心，你写的东西，不是被东西方人接受了吗？据说年底你的电视连续剧即将在国内开播，届时希望你同夜莺一起回来，共享播出盛况的喜悦，我在上海迎接你们。

望夜莺速速决定，也好让上海大歌剧院正式发邀。

钥匙在门前右边，正数第三块石头下。

拜托起明照看我的谱子、钢琴和杂物。

谢谢

最后我想真心地说一句：祝你们愉快，幸福，美满。

勤向

66

看完勤向的信，王起明点燃了一支烟，思考了一会儿，然后下车打算去开勤向的门。

今晚就睡在这里，他不想再回到春湖，这正是离开夜莺的一个机会。可又一想勤老师邀她出任虞姬一事太迫切，不马上通知就会误了大事。

他琢磨了一会儿作出了决定。找到钥匙，打开了勤向的房门。

打开灯，环视室内。看来勤向已经走了几天。寒冷的地下室里杂乱无章，钢琴盖是打开的，键盘上覆盖着一层薄薄的尘土。

由于一天都没进食物，早已饥肠如鼓。他打开冰箱，想弄点什么吃，冰箱里空空如也，除了一瓶还没喝完的威士忌，还有两包硬邦邦的方便面。他打开最底下一层的抽屉，没有水果，只有一棵发了霉的半棵洋白菜。

关上冰箱门，他叹了口气，真想不到这位中国的"普基尼"，竟靠这些食物写出了震惊四方的大型歌剧。

电话铃突然响了起来，他还没来得及回到客厅，录话机里传出了对方的声音：

"勤老师，我是吴颜，听说您的《楚河争》已经完成，现在正物色演员。我知道在美国您首先考虑的一定是夜莺。我虽然在名气和技术上比不了她，但也想试一试。坦率地说，我愿意出任虞姬B角，如果您能启用我的话，我可以动员我丈夫在演出经费上给与赞助。希望您尽快回音。谢谢。"

王起明听完笑了笑，吴颜并不知道勤老师已回上海，不然，这电话一定要越洋打过去的。

他把勤向的信又从兜里拿了出来，找到最后一页，把勤向祝他俩"幸福美满"的那句话，叠了个印儿撕下来，把信又装回信封。

他必须立刻找到夜莺，把信转给她。不能让勤向在上海着急。

他先向研究生宿舍大院打了个电话，空响了四五声，没有人接。他看了看表，已近深夜，这个时候她能去哪儿呢？他忽然想起今天早上发生的事，立即把电话拨到了春湖。

接电话的果真是夜莺，没等他说话，听筒里就出现了她激动的声音：

"宁宁，一天你要打几个电话？这么晚了，还来电话骚扰，太不人道了。我想你还会问我，为什么这么晚会在他的卧室？算你猜对了，我爱他，这是我的自由，也是你父亲的自由。早上你不是声言要毁坏我的名声吗？那就请便吧，你……。"

"夜莺，是我，我是王起明。"

"什么？你，你在哪里？"

"宁宁打来电话，到底要干什么？"

"这不重要，没有什么，快回到春湖来，我有事情找你。"

— 298 —

"我也在找你，这里有一封勤老师留给你的急信。"

"那就快回来吧。"

"太晚了，路上还需要一些时间。"

"你在哪儿？"

"我，我在钱小苹这里。"

"你骗我。"

"不，不，真的。"

"好吧，我马上就到。"夜莺激动地说完就挂上了电话。

王起明放下电话之后，急得像热锅上的蚂蚁，在勤向的地下室里打起转来。他不能骗夜莺，不能让她这么晚白跑一趟布鲁克林，来回浪费三四个小时对她实在不公平。

他马上抄起电话，把电话又打回到"春湖"阻止她，可是电话已没人接，他不知道夜莺是否已经出发。

"春湖"离勤向的住处不远，也就十来分钟的路程，王起明立即发动汽车，急急忙忙赶往春湖公寓。

车灯照在了春湖公寓的墙壁上，他看见公寓右侧的私人停车道上，停着一辆小汽车，这才放下心，知道夜莺还没走。

他进了屋门，叫了两声"夜莺"，没有应声。

厨房的灯是开着的，台子上放着一碗面，已经凉了，炉灶的微火上炖着一锅红烧肉。他又叫了一声"夜莺"，就走进书房，写字台上放着一条 KENT 香烟和一个精制打火机。

他又打开客厅的大灯，沙发前的茶几上，放着一把汽车钥匙，钥匙底下压着一叠钱，钱下面还压着一张纸，有几行潦潦草草的字写着：

天太冷了，货车不挡寒，这辆 HONDA（本田）虽是二手车，可也是 91 年出产的。我知道你的钱已全部用光，这几千块

— 299 —

留在身边，买烟、加油用吧。

宁宁的电话不要在意，安心地在这里住下去，我已通知电话公司，明日将更换新的号码。

晚 6 点

夜莺

王起明的眼泪"窸窸窣窣"地流下来，掉在了纸上，他推开房门，驾起那辆货车就追了出去。

此时，长岛公路上车辆稀少，但也是警察出没的时间。这个时候驾车进城的人大都加快了车速。

王起明不顾警察会随时追上来开罚单的可能，双眼紧盯着前方出现的任何一辆白色丰田车，夜莺的车牌他记得相当清楚，是"CY669"。

这是通往曼哈顿、布鲁克林唯一的一条公路，他相信只要他不停地赶过一辆又一辆车，一定会追上夜莺。

必须追上她，不能叫她白跑！

车子开到 49 号出口时，前方的路面出现一个黄牌，黄牌上闪着"修路"的红灯，他并没有减速，他看到了 CY669 的车牌——夜莺的那辆白色丰田车。

鸣着警笛的蓝色警车追他而来，他仍就不顾一切地加大油门儿，冲上前去，一个紧急刹车，横在了白色丰田车的前面。

紧接着他跳下车去敲夜莺的车门，发现夜莺满脸是泪地扶着方向盘坐在驾驶座上。他刚要说什么，后面紧随而来的警车也停在了他们旁边。警察迅速从警车里跳出来，把枪口对准了他，命令他趴在车前不许乱动。

夜莺猛地冲出车门，站在王起明的前面，胸口迎着那乌黑的枪口。

那个警察望望他俩，请他们出示证件。看过他们的证件之后，他收回枪开了罚单，又礼貌地递在了王起明的手里，向他们帅气地敬了个举手礼，说了声：

"HAVE A GOOD EVENING。"（希望你们有个美好的夜晚。）

警车开走了，夜莺再也控制不住自己的感情，转身抱住了王起明。王起明也紧紧地搂住了夜莺。

夜莺那颗急速跳动着的心振动着他，使他感到，天不冷了，就是子弹飞来也不可怕了。

67

新年又到了，夜莺打算再次召集老同学开PARTY的想法并没有如愿。

勤向老师已赴上海，吴颜肚子里的胎儿也将在年后降生，李大可、肖玫玫正在日本巡回演出，钱小苹也由于一个人难以支撑，已于上周回国与王祥和好团圆，夜莺的母亲也已回国，老人家准备今年在中国渡过春节。

王起明自回到春湖公寓后，没日没夜地埋头于《身份证》一书的写作。第一稿已经基本完成，修正二稿也近尾声。他打算，一月底或二月初把稿件寄到北京去。

夜莺常过来，主要是帮他修整小说中的英文部分，为了准确无误，她把马克也请过来，念给他听，请他一起帮助校正。

新年过后的第一个礼拜，夜莺约王起明去 ST.JAMES 教堂。

这一天的唱诗班增加了很多新人，指挥又突然有事，霍夫曼牧师想找个人临时代替，问到夜莺，她举荐了王起明。

"不行，不行。多少年没碰这行了，我……不行，不行。"他竭力推辞。

"起明，我觉得你现在还是太缺乏自信，你行，一定行。"夜莺鼓励他说。

"可我，对古典诗经音乐……"

"反正是我领唱，到时我会提示你的。不用背谱，按规范的节奏打拍子就可以。"

"那算什么，要是错了，可就丢人了。"

"放心吧，有我在。"

俩人来到了教堂。

弹琴的是霍夫曼的女儿，她正在那里着急，一见夜莺，就问找指挥的事办得怎么样了，夜莺指了指王起明，王起明虽然心里有点胆怯，可仍表现出信心百倍的样子。他心里已经多少有了些底，刚刚在车上，他看了一下谱子，一共只有几十小节，各声部的和声不太复杂，只是领唱的散板与合唱的进入没有把握。但他相信只要看准夜莺的换气，就一定出不了大错。

管风琴的前奏是个大三和弦，夜莺自由地进入，捧着双手用英文安详地唱道："牧羊的人在前方引路，我们的信念更加坚定，我的爱，我的主，我们把生命依托给您，我们的灵魂是属于您。"

这段散板，她唱得过于自由，唱时还不时地合起双眼，这叫王起明心里有些发慌，担心把握不住合唱队进入的准确时间。

当唱到："爱在向我们招手，灵魂感到呼唤"的时候，夜莺睁开眼睛，微笑着向他把头重重一点，王起明双臂一抬，合唱队准确无误地唱起：

"我的主，我的爱，我们永远追随您。"

……仪式结束后，霍夫曼对王起明的指挥大加赞赏，说他感觉好，有灵性。却羞得他满脸通红地摇着头，他心里明白，这是夜莺的功劳，是夜莺增强了他的信心。

霍夫曼听说王起明在写小说，非要坚持看看他写的内容。

"我写的是中文，霍夫曼先生。"

"没关系，我来用英文给他翻释。"夜莺抢上前说。

"太好了，谢谢你们。"霍夫曼说完就坐进了他俩的汽车，一起来到春湖公寓。

大约用了三个多小时，夜莺才把《身份证》的故事用英语讲完。听到一些重要章节，霍夫曼还摘下老花镜，不住地擦着情不自禁流出的眼泪。听到一些重要的段落，他边听边不住地点头。

他特别赞赏王起明在书中写的一段话：人生旅途，大都带有一定的盲目，为了这个目的挣扎、拼搏。就像河鳗和旅鼠一样，终日赶路，不知深浅，拼得伤痕累累，甚至被同类吞食。人类的生命时钟几乎与它们一样，似乎在征途上，实际是一直迷失着方向。

霍夫曼又问《我的阿春》写的是什么，夜莺只把这本书的主题词用英文念了一遍：假如你爱他，就把他送到纽约，因为那里是天堂；假如你恨他，就把他送到纽约，因为那里是地狱。

霍夫曼听完眼睛一亮说："怎么，东方人也在讲爱和恨、天堂和地狱吗？会这样不谋而合？看来人就是人，不分东方西方。西山老虎吃人，东山老虎也吃人，这吃人的老虎就是狼。那么，这本书的内容呐？"

王起明告诉他，英文版很快就要在美国销售。霍夫曼一听，说：

"太好了，我要让我的朋友和家人都买一本，也让教会的兄弟姐妹们读读。"

"可别，那样人家会误认为我写的书是在传教呢。"

夜莺笑着说："没人那么认为，就连中国还准备放你的电视连续剧。"说完，走进厨房为他和霍夫曼准备晚餐去了。

霍夫曼小声对王起明说："你应该写写她。"他用手指了一下厨房的方向，王起明笑着点点头。

他是想写，可是多少日子以来，就是不知如何下笔，提纲拉了好几次，可又都被自己推翻。

他想按音乐家的生平，从她一出生开始写，就像《约翰·克里斯朵夫》一样，可是厚厚的4卷，未必就能写尽她的才华与可贵。他想写个报告文学，反映她在西方的成功，可又不足以说明她的重要和厚度。

勾画她的外型时也遇到了困难：写得太美，会使人感到过于浮浅，再说她的照片又常常在各大中英文报纸上亮相；写她不美，也不符合实际，因为她确实很美，那些登在报刊上的照片，都没能反映出她的美貌。

吃完了三明治，霍夫曼喝了一杯咖啡就走了。临走时，慈祥地对他俩说：

"祝周末快乐，让爱带给你们幸福。"

霍夫曼走后，王起明注视着夜莺。从认识她以来，王起明确实没有仔细地观察过她，也不敢这么仔细地望着她。可今晚，他却感到有一股力量使他目不转睛地望着夜莺的每一个细小的动作。

春湖这套公寓的内部，并非是按照夜莺的意思装修的。

这一带高级住宅区专供住在长岛的白领阶层享用。室内装修规格一流，在地毯和墙壁的色调上有所区分。夜莺挑选的是全部浅绿色调，高高的欧洲式城堡屋顶上悬挂着一盏明亮的吊灯，吊灯不常开，平时用以照明的是立在沙发后的那盏可调节式壁灯。

夜莺擦洗好厨房，走近王起明的书桌，她一边整理桌上凌乱的稿纸，一边说：

"起明，我给你订了一台 IBM 486 电脑，免得桌上总是堆满稿纸。"

"什么？ IBM 486 ？夜莺，这太浪费了。那种电脑，指挥星球大战都可以，几百块买台 286 就足矣了，我已经选好了一台。"他说。

"算了，486 一劳永逸，咱们不缺那点钱。"说着她从书房里走出来。

室内的恒温使夜莺穿得很单薄，白色绸衫里隐约可见她那丰满的胸脯。没穿高跟鞋的赤脚站在地毯上。

她的身材不要说在东方女人堆里，就是在西方女人圈子里也属于高大型，可她却有着一双小巧的脚，一双纤细的手。王起明想，这双小手，这双小脚怎么那么白嫩，与她的身材配在一起，显得那么娇小可爱。……

看着她的脚，她的手，他出了神。

夜莺绕过茶几，坐在了他的身旁，抓住了他的手。他猛地一怔，心"嘭嘭"地跳出了声，血一下子涌到头顶，太阳穴上的青筋蹦起老高。

"你在想什么？"她轻声地问。

"没，没想什么。"他缩了一下身子，躲闪着她的眼睛。

"你怕什么？"

"……"王起明屏住呼吸。

"我也是人哪。"夜莺一边说一边替他脱去上衣，他用力地按住衣服的前摆。

"你怎么啦？"她疑惑地望着他。

"我，我是怕，叫别人知道会毁掉你的名声。"

"我不在乎。好名声坏名声全是人为的，我在乎的是你。"说着，她慢慢地脱去自己的上衣，脱去了长裙，转身打开了吊灯。

在强烈如昼的炽光灯下，他第一次看到真正的夜莺，她那闪着光环的肌肤。他不禁为她那比卢浮宫里的维那斯还要美的躯体而惊叹不已。

"起明，勇敢些，别忘了，你是条汉子！"她柔中带刚地对他说。

王起明激动，感激，他的心像火一样被燃烧起来，他越过茶几，扑了过去，抱住了她的双腿，那长长的、丰满的双腿。

夜莺轻轻地摘去胸罩，退去短裤，平躺在了地毯上。

王起明抱住她，流着泪喊道："夜莺，你应该是我的。"泪水不停地滴在了她那雪白的丰乳上。

"起明，我本来就是你的，你本来就应该是我的。"

王起明把夜莺更加紧紧地搂抱在怀里。他们贴的是那样的紧，两颗心犹如连在了一起。

他这时才真正地感到：她是一个真正的人，一个真正的女人。她的心是这样的烫，她的血是这样的热。他直到今夜，他才彻悟到：什么，才是真正的爱！

68

"b、p、m、f"这种汉语拼音，对王起明来说，如同学一种新的语言。上小学时他学的不是这种字母，而是那种ㄅㄆㄇㄈ。

夜莺比他小十来岁，自然学的是前者，她笑王起明："你的记忆力真好，连老祖宗时候的事儿都记得，真是老古董。"

夜莺嘴上虽是这么说，实际上在她心里，并不认为王起明是个"古董"，甚至觉得他比一般人还要新，只是这种拼音字母他没学过罢了。

自从夜莺把那台 IBM 486 搬回家之后，王起明就像个老和尚似的，盘腿坐在沙发上，口中念念有词，细听全是汉语拼音：b、p、m、f、d、t、n、l。

夜莺买这台电脑，不是在乎稿纸太多，把房间搞得太乱，而是心疼他用笔写字太累。

闲下来的时候她常常帮助王起明整理稿件。用汉语拼音方法，她比较得心应手，一来她小时学过，二来在校 9 年的音乐训练，使她对手下那个键盘的敲打速度不亚于弹钢琴。

她还有一个能耐，手脑反应合一。每当王起明说过一段话，她那 10 个纤细的手指头便在键盘上下一齐飞舞，音落手停，电脑屏幕上就亮出了刚刚说过的那段话。

"好，以后我就给你打字吧。"夜莺说。

"那怎么可以，大博士当我的打字员？"

"我情愿。"

"那不成了我的私人秘书啦。"

"我愿意。"说完，夜莺搂着王起明的腰晃动起来：

"真的，起明，我真的愿意，就这样你我一辈子永远不分离。"

王起明抚摸着她的头说："真像做梦一样，怎么也想不到，我会得到你，难道世上真有一股潜在的力量？"

夜莺翘起食指往天上指了指。

王起明亲了亲她那带着馨香味道的头发说："夜莺，你来教我练习拼音吧，不然，等你巡回演出，我还真的什么也干不了。"

"不教，叫你离不开我。巡回演出的时候，我再给你买一台小型手提的。"王起明拍拍她的肩，点头笑了笑。

新年没过几天，学校的寒假期也快满了，夜莺天天忙着准备开学后的新教材。

"你忙你的，我还是写我的，趁你还没开学，先帮助我突击练习一下拼音打字，好吗？"王起明征求着说。

"那好，我说你拼。"夜莺一边理着各类书籍和谱子一边说："你拼中国。"

"中，ZH ONG，国，G UO，"他像一年级小学生一样在键盘上按着，屏幕上出现了"中国"两个字。

......

没过一会儿，王起明对键盘渐渐地熟悉起来。

他拍了拍夜莺扶在他肩上的手，"我了解自己，这算不了什么，用不了几天，我就能掌握。我急的是，你不让我去加油站工作，又不让我出去打工，我一个大男人，怎么……。"

"又来了，打工、挣钱。不是我心疼你，而是你还有比这更有价值的工作。我的收入和演出的报酬，足够我们在长岛的生活，一点也不用愁。人活在世上，钱用不了太多。你曾对我说过，钱多了，灾难也就多了。"

"可我怎么也得赚一点钱哪。"

"是的，但不是现在。现在更有价值的工作在等待着你，你写吧，把你要说的话全写出来。中美之间太缺少沟通和了解了。我们正好处在这个桥梁位置，为什么不写呢。"

"可是一个男人靠……"

"起明，不要分彼此你我了，你赚得少，我赚得多，你不赚我赚，这有什么不好，不要总操心这些。我总觉得，架起这座桥比什么都重要，你会有做不完的事，会有更高品味，更大价值的事情在等着你去做。相信我。"

王起明转身站起来，拥抱着她，喃喃地说："夜莺，我真爱你。"

"我也爱你，起明。"她依偎着他。

"下一部你准备写什么?"

"偷渡客。"

"偷渡客? 对! 源源不断地以各种非法途径和手段进入到美国的偷渡客，不仅有中国人，还有墨西哥人、东南亚人，甚至东欧人。美国确实富有美好，全世界的人都想方设法地涌向这里，他们带着五彩缤纷的梦幻来追寻着他们的前途和希望，可当绝大部分人踏上了这块土地之后才发现，这里离他们想编织的梦有多么遥远。"

"是啊，这正是我要写的主题。

故事中的主人公是从中国福建来的一对双胞胎，一双漂亮，正值妙龄的姑娘林姐林妹，她们被人贩子骗上船，当上了人蛇，惨遭欺辱。到达美利坚之后，又被蛇头看中，并把她们也训练成了贩卖人口的骨干分子。在一次抢拼人蛇之战中，蛇头中弹死亡，林姐林妹取代了他的位置。一时间，这一双姐妹成了大富，成了黑社会的头目，吸毒走私，肆意挥霍，草菅人命，后被同伙人出卖给另一派黑社会，火并之下，双双亡命。"

夜莺听完故事梗概，忙问他："是你自己编的吗？"

王起明没有说话，给她放了一段录像。这是王起明半年多来为写好这个体裁，收集、采访人蛇、蛇头的记录。

夜莺激动起来，连说："写吧，写吧，黑社会里的故事，别人还真写不出来，只有你，不过你要真下大功夫。"

"是的，夜莺，这本《偷渡客》的前言，我用了你送给我的那段话。"

"哪段？"

"《马太福音》第二十五章。"

"那合适吗？"

"放在哪儿都一样，目的都是一个。"

69

母亲回国后，夜莺认为在研究生学校宿舍租的那套房子，再保留没什么必要了，就退了房，于是夜莺彻底地搬回了春湖公寓。

帮夜莺搬家时，王起明发现了她的十几本又厚又重的大像册，近日来，他写累了，就翻看翻看。他感到，这些像册就是她的生平，不仅记载了她在东西方的辉煌，也记载了她的成长过程。

在生活照的部分里，能明显地看出她儿时的贫困，中学时代的纯朴，大学时代的成熟，到美国后的光彩。她就像一朵花蕊，慢慢地含苞开放，光彩夺目。另一部分是她的剧照和世界各地风光。她出任的角色真多，所走过的地方遍及各大洲。从中不仅能看出她的成功，还可以看出她对生活的无限热爱。

还有一部分是她与各国要人的合影，每当翻到这里，都会令王起明对国际风云的变换和政坛人物的巨大变迁而感慨万千。有些人物他还清楚地记得，诸如里根总统和夫人南茜，英国女首相撒切尔以及中国当时的政界要人。随着时间的推移，时代的变迁，有的已经退位，有的已经下台，有的却已不知去向，也有的仍在掌管着政权。

夜莺从未把这组照片给人炫耀过，她不认为这是一种荣誉，是一种资本。

王起明看过这些影集后曾笑着问过她：

"夜莺，你不觉得你少了一根筋吗？"

"什么筋？"

"要是换了别人，早就会把这些变成地位、功名的本钱了。能见到这些要人，这本身……"

"这些人跟唱歌没关系，这些人……"

"对，这些都是人，对吧？"

王起明懂她的意思，在他们俩以往的往来中，他早就清楚了这一点。她与她的启蒙老师，中央音乐学院的周教授如同母女；与长春的小朋友仍在息息相关；对霍夫曼尊如兄长；她还特别关心勤向和吴颜……

王起明几次想提醒她，接触面要宽，可话到嘴边又没好说出来。有时心里想，夜莺毕竟出生在小城市，难免为人处事沾染着保守和乡土观念。直到上周日的那件事，王起明才又推翻了自己的看法。

上周日，夜莺起得相当早，她掀开王起明的被子兴奋地说："快，快起床，洗菜，和面。"

"干嘛呀，太早了吧。"王起明懒洋洋地翻了个身，假装又睡着了。

"别讨厌，快起来帮我干活。中午咱们吃春饼，晚上咱们吃捞面。快呀。"她一边说，一边摇动着他的后背。

"真神经，晚上你不是有宴会吗？"

"有宴会就不这么吃了？"

王起明翻身坐了起来，穿起睡衣笑着说："我要是副总统奎尔，过生日绝不请你这号人。何苦呢，花那么多钱。要不然，咱下次就通知总统，再请夜莺，给她准备一碗烫面饺儿就行了。"

"别啰嗦了，今个儿咱们就吃两顿饭，上午吃完春饼，就去中国城，买完东西顺道回来，还要去马克家，把去罗马最后的合约、手续全部办好。你的那张飞机票和旅馆费他包办。"夜莺说着走进浴室，给他放洗澡水。

"我说夜莺，"他大声叫：

"意大利人要是知道《露琪娅》那首大唱段只靠春饼和烫面饺儿顶下来的，一准的会惊讶，也一准的是个大新闻。"

"快点去洗澡，我先出去热车。"

"人家总统先生要是知道，你赴宴前吃了一肚子捞面，下回准保不请你。"王起明一边走向浴室，一边继续说。

"不请拉倒。"夜莺说完向门外走去。

王起明通过和夜莺这段生活，有一个重大发现，他发觉尽管夜莺的外表和舞台上的风采，令每一个人感到高不可攀，肃然起敬，敬而远之，然而，世上的人都不了解她的另一面，这另一面与前面的印象形成极大的反差，就像她出任的那两个迥然不同的角色：露琪娅和金妹子。

在她身上你既能发现露琪娅的那种贵族气质，纯真而又高雅，又能在她身上发现金妹子那种乡土的质朴和野味的泼辣。两者之间，你绝寻找不出对接部，可她们又是融合得那么自然。对于只认识她表面，不了解她内心的人来说，绝不会知道，她的爱有多强，情有多柔，恨有多明。

她真是个好女人！每当王起明看到她那颗美好的心，丰腴的肌体和灵巧的双手，内心总会这么感慨不已，右手在胸前不停地划着十字。

近来，他也时常在琢磨着另外一个问题：夜莺到底是从哪儿飞来的，她到底是天使，还是村姑？他疑惑不解，他只得相信霍夫曼的那句话：这是上帝的安排。

晚上10点整，纽约的一家有线电视台，租下了一个频道，转播了副总统奎尔先生的生日PARTY。

王起明按时打开了电视机。

电视镜头从一个大蛋糕开始，接着播音员依次向电视机前的观众，介绍前来祝贺的人群。镜头闪过一些人后，停在了夜莺面前，她稍稍地向摄影机摆了一下右手，王起明一见笑出了声，这是他俩规定好的暗号动作，这一摆手是在向他打招呼。

宴会中，夜莺风度翩翩地与赴宴要人谈笑风生，潇洒自如，特别是同奎尔总统的几句简单对话，引起王起明的兴趣。

总统："夜莺小姐，你是一个成功的人，我在家常听你的唱片。"

夜莺："谢谢，你干得也不错。"

总统："不，有时也失败。"

夜莺："比如呢？"

总统："今天是高兴的日子，不宜多谈。"

夜莺："那以后当心吧。"

总统："谢谢。"

这段没有什么精彩的对话，却使王起明想了好久，也没琢磨透。

你说，她在上流社会的风雅是与生俱来的？是装出来的？还是表演的？是在美国生活时间长了，养成的？还是她本身就具备这种素质？

夜莺是个混合体，看起来高深、纵横，但又好像都不是。她简单起来，如《荒原》里的金妹子，泼起来赛过《骆驼祥子》里的虎妞。直到现在，王起明也没找到他俩相爱的真正基石，相互的对接点在何处。

夜莺从总统的 PARTY 回来，正赶上吴颜打来电话，姐妹俩在电话中的窃窃私语，使王起明终于恍然大悟。

吴颜大概也是刚刚看完电视转播，按捺不住激动的心情，给夜莺打来了电话。

"喂，吴颜，对，我刚进门。"夜莺一边脱下高跟鞋，坐在沙发上揉着酸疼的脚趾，一边夹着话筒跟吴颜聊了起来，

"你别总说丧气话，也别羡慕我参加这些活动。要说吃，说实话，我和起明吃完了捞面才去的。

……对呀，你知道我爱吃什么，……嗯，闹市口儿的驴打滚，鲍家街的油炒面和艾窝窝。……对，没错，当然了，最想吃的还是长春的大馃子，还有糖葫芦、烤地瓜。

我才不在乎什么名誉、地位。

他是个好人，……对，他正是我要找的那种人。

— 314 —

什么？点？追求的点？对，我们俩有共同的追求

……谢谢你的祝福，吴颜，我理解，真诚就是爱的全部含意。

……对，越简单越难寻，真诚也不简单，他需要善良的心。

是啊，他非常善良，我爱他，一辈子的爱……。"

王起明走过来，坐在夜莺身边帮她揉着被高跟鞋硌红了的脚趾头，心疼地说："以后再也不要你去参加这种PARTY了，真受罪，除非他们答应，可以穿球鞋。"

夜莺抱着他的头，用指头戳了一下他的脑门："真像个孩子，不去也不行啊。出门不穿高跟鞋，不受点苦，咱们的车、房子谁养，咱们的肚子谁管？"

王起明躺在夜莺的怀里，甚至忘记了自己的年龄，越发充满柔情地说："不，就是不让你去。"

"别说傻话了，不早了，早点休息，后天一早咱俩还得去罗马。"

回到卧室，他搂着她，她偎着他安稳地睡了，这晚王起明睡得又香又甜。

70

罗马 —— 歌剧的诞生地,歌剧的王国。

提到罗马的历史,人们自然会联想到凯撒大帝,联想到他的虐政与荒淫,还会联想到十七世纪末叶的文艺复兴和十八世纪的文化鼎盛时期。时至今日,在这个城市里,历代文物古迹处处可见,有幸来这里的人们无不为其悠久灿烂的雕塑群和建筑物叹为观止。

意大利,这个处于地中海沿岸的小国,或许是由于长年诗一般的海浪渗灌,或许是由于亚得利亚海上空的阳光过份明媚,只要一踏上她的领土,你就会感到自己的整个身心都沉浸在艺术和美的享受之中。

上帝创造人类的时候,大概赋与了这个民族更多的艺术细胞,故此,后代的子民们个个性情豪爽,浪漫奔放。

历史上曾出现过的,现在仍在称王称雄的音乐、美术、雕塑、建筑等方面的巨匠和大师们,就是诞生于此,他们那独特的先天条件,不禁被其他民族所妒忌,就连他们喉头里的那条声带似乎也比别的民族长得既长且厚。

这里的人们对歌剧艺术的欣赏品味甚高,而且相当普及,就连开出租车的司机,一高兴起来也要唱上几句《费加罗》,《茶花女》。

这绝不夸张,王起明和夜莺刚一到罗马,就遇到了这样的趣事。

他们出了机场，挥手叫了辆出租车，司机问明他们要去的饭店，立即明白，是来参加歌剧节的东方客人。

留着大胡子的中年司机，热情地为他们开门。

上了车就问王起明，喜欢哪一出歌剧，王起明不加思索地说了声：《露琪娅》。高兴得他一边驾车一边唱了起来，他唱的是露琪娅与埃德迦多初见的那一场。

他唱完了第一句，没想到夜莺接上了《露琪娅》的下一句，他眨了眨眼睛，好奇地听着夜莺那极富专业化的歌声，然后亮开了他的喉咙跟着唱了下去。夜莺像在舞台上一样认真地与他对唱、重唱起来。

王起明怎么也想不到，《露琪娅》的开幕式会在这里拉开，小车厢里演开了大歌剧。

一路上大胡子司机和夜莺尽情地唱着，从机场唱到饭店，正好把这场唱完。

司机激动得热泪盈眶，到了饭店，等夜莺和王起明下了车，他非要留个纪念，拥吻夜莺，被王起明巧妙地拦挡过去。

司机不甘心，又从车里找来了一支黑粗笔，让夜莺在他雪白的上衣上签个字。夜莺说了声："OK"，挥笔在他胸前写了几个大大的英文字母：CHINA（中国），他顿时露出一脸的惊讶。

马克比他俩早来了两天，这时已等在里面。带他们安排好房间之后，说了声："好好休息。"就离开了他们。

帝国饭店里处处洋溢着节日的气氛，门里门外贴满了海报，在《拉麦尔莫的露琪娅》的巨幅海报前，围满了来自世界各地不同肤色的人群，他们看着夜莺的剧照轻声地议论。王起明和夜莺站在人群中，静静地听着。

"起明。"有人在叫他。他一回头，没想到阿春站在了面前。

"你……?"

"嘘——"阿春做了个暗示他不要出声的手势。

夜莺也回过身来，紧紧地和阿春握了一下手。尽管她俩的嘴里没有出声，但彼此的眼神里却都流露出惊喜的神色。

他们三人分开人群，挤了出去，来到大厅里的咖啡间。

"你们俩见到吴颜了吗？"阿春坐下来问。

"她也来啦？"王起明高兴地说。

"她先生真是个精明的商人。"阿春说：

"我在长岛购买的房子基本上已经成交，只是在地点和价钱上还有些矛盾。为了把买卖作成，他还特意送了我一张来罗马的飞机票，把吴颜也叫来陪我。对这种人情，我是来者不拒。恐怕机票的钱早打在他的利润里了。"

王起明和夜莺同时笑了笑。阿春还是那样，永远把正事当作玩笑，玩笑中又说了正事。

夜莺非常喜欢她这种性格。"阿春你总是那么快乐。"夜莺说着接过王起明递过来的咖啡。

"哪有那么多快乐的事，装装样子罢了。你和起明不用装，一看就知道快乐，对吗？"

夜莺甜蜜地笑了笑："很快乐。"王起明虽然也冲阿春点了点头，但他多少有些不自在。为了掩饰这种窘态，他换了个话题。

"这么说你很快就能搬到长岛来啦？阿春。"

"那要看吴颜的先生彼得的诚意了。"阿春说完喝了口咖啡。

"他刁难你了吗？"

"不，是我的要求他还没有完全答应。"

"是价钱？"

"是地点，现在他给我选的那个房子离 ST. JAMES 教堂还是太远。"

"噢——"王起明和夜莺异口同声地噢了一声。

谈话中,马克气喘嘘嘘地跑来说:"SOMEBODY IS LOOK-ING FOR YOU。"(有人正在找你。)

"NUCCI?"(努奇?)夜莺问。

"YES。"(是的。)

夜莺站起来向前走了两步,又回过头来对阿春说:"一会儿我就回来,请你帮我照管好他。"

"怀疑我俩藕断丝连吗?"阿春笑着问。

"我相当自信。"夜莺的爽朗笑声似乎比阿春的更亮。随后,她随马克走去。

咖啡间很大,但奇怪的是没有什么客人。阿春和王起明换了个台子,坐到了靠窗口的一个位置。

两个人静静地坐着,等待着侍从送上咖啡。

帝国大饭店坐落在罗马市中心,隔窗可以清楚地看到"角斗场"的遗迹。阿春望着那残垣断壁说:

"起明,你不觉得人生如梦吗?"

"又短又快。"王起明接着说。

"十几年前,你刚到美国就在我的店里打工。圣诞之夜,纽约的大雪切断了你回家的路。在曼哈顿的一家咖啡屋里,我向你讲了我所有的故事,生意、婚姻、爱情,你都问了,我也都一一回答了。记得当时你还特意问我有没有孩子。我是怎么回答的……?"

"我不想让一个小生命来到世上,继承我的痛苦。"

"一点不错。可是现在变啦,现在我的希望、寄托、支柱都在我儿子身上。信吗?"

"信。"

"为什么?"

"我想大概你是让儿子接受洗礼了。"

"猜对了。"

王起明想问问她丈夫的情况，可又怕引起阿春的苦酸。但不知是出于什么动机，他总想开口问。

"傅先生他很好，"阿春看了出来，

"他正在佛州筹建第三家连锁店，忙得很。"

"我是问……"

"对我也不错，我的工资加上股份的抽成……"

"阿春，我想你知道我要问什么？"

"周末的大部份时间是看'黄金拍档连环套'，噢，还有'今夜我们说相声'。"

"咳——"王起明不由自主地叹了一口气。

"叹什么气，也别说，这很对傅先生的胃口，带子一出来，他就抢着去买。"

"阿春，那你和他怎么……"

阿春也许是天性反应快，或是对他太了解，总是没有等他把话说完，就打断了他。

"你是太有运气，上帝的宠儿。起明，真比不了你。夜莺，……坦率地说，自从夜莺和你相处之后，你变了，变得……变得你我之间感到了距离，一些……我们……"

"阿春。"王起明不让她说下去。

"为什么不说，为什么不承认，我真实的意思你应该理解，你要珍惜，这种归宿不是每一个人都能得到的。"

"我知道，我真的知道。"

"羡慕你呀。"

"阿春，等你搬过来我们就近了。"

"我？再近也是属于羊群之外。"

"不，阿春。"王起明说：

"夜莺对你有很高的评价，她说你有极好的灵性。你天性善良，你懂得爱，你还……"

"起明。"她叫道。

"嗯？"

"你还是那么迟钝。"

"怎么啦？"

"喜欢激动，爱唱赞歌。你呀，以后在她面前，千万不要，……女人……。"

"不，阿春，你真的还不了解她。"

夜莺和马克回来了。

"NO，MARK，I TELL YOU ONE MORE TIME，DON'T DO THAT TO ME AGAIN！"（不，马克，我不希望再有下一次。）

马克有点儿不知所措地耸了耸肩。

"怎么啦，夜莺？"王起明皱了一下眉头。

"NOTHING。"（没事。）

阿春一口气把咖啡喝完，看上去喝得有些匆忙，甚至能听到从她喉管儿里发出的咕噜咕噜声。

王起明看了看夜莺那张由于激动而涨红的脸，又看了看阿春，眼睛里露出了不安的神色。

71

晚餐前，夜莺对王起明说：

"咱们最好去另一家饭店。"

"不是和阿春约好了在这里吃饭吗？"

"不，你通知阿春，今晚不能按时赴约了。"夜莺一边翻阅着乐谱，一边低着头说。

王起明没有吭声，默默地打开旅行袋，把他们的衣服一件一件地抖落出来，挂进房间的壁橱里，心里仍在不住地琢磨：刚才，她和马克之间一定发生了很大的不愉快，否则……。可现在又不便多问，他深知这部歌剧的份量，三个多小时的《露琪娅》，不要说唱好，就算是全部唱完，也要全神贯注，不得有任何的杂念。为此，在演出之前，他不能问任何带有敏感或刺激性的问题，以免影响她的情绪，一切一切都等回纽约再说。

"起明，快一点，我们得走了。"夜莺看了看表说。

"去哪家饭店？"

"吴颜住的那家。"

吴颜没有住在城里，她先生给她定的是罗马郊外一家比这里还要豪华的饭店。

出租汽车飞驰着，王起明打开车窗，贪婪地观赏着这座古城的夜景。夜莺在闭目养神，王起明没有打扰她，让她充分利用时间得到休息。

然而夜莺并没有休息,她在回想着下午所发生的事情。

下午,马克把夜莺从咖啡屋带进努奇的办公室。

努奇一见到她,又是拥抱,又是亲吻,不顾歌剧节各方主办人士的在场,大声宣告:"SHE IS MY GIRL。"(她是我的。)

夜莺在西方生活的时间不短,对斯拉夫民族的热情开朗性格和开放习惯有所了解,可是像努奇这样在大庭广众之下对她公然不礼貌的动作,还少有发生。也许是努奇的过份自信,以他的名声和在欧洲歌剧界的地位,对女演员,他想当然地认为就应该如此。

努奇发觉了夜莺的反感之后,不但不加以收敛,反而更加放肆,猛然把她搂在怀里,用力亲了一口,深情地说:

"我不会放过你的,我的东方小夜莺。"

夜莺挣脱出来,理了一下头发说:"大概你想错了,努奇先生,你不会得逞的,因为我就要结婚了。"

"是吗,有趣。更有味道。"说完,努奇向着马克和在场的人大笑起来。

大家鼓起掌来,连连大声说:"是露琪娅,是露琪娅。努奇,恭喜你的发现。"。

夜莺转身向门口走去,马克连忙追了出来。

努奇打开门,在他们身后喊道:"倔强的女人永远是我的追求目标。马克,别忘了。今晚我们在一起吃饭。"

……

夜莺靠在车座上一边回忆着,一边思索着。她睁开眼睛看了一眼王起明,拉过他的手,紧紧地握了几下。

"你不舒服吗?"他问。

"不,我很好。"说着把头依在了他的肩膀上。

王起明松开了她的手,把她拥在了怀里。

"你等等，"夜莺往边上坐了坐，要他把腿放平，然后她把头枕在他的腿上，仰面躺了下来，双手拢住了他的脖子。

"你有心事，莺？"他轻声问。

夜莺用两个纤细的手指按住了他的双唇，没让他问下去。然后望着他的双眼，从他的唇上移开手指，喃喃地私语："吻吻我。"

汽车在罗马市内飞速穿行，他俩紧吻着的双唇始终没有离开……

车子一个急转弯，夜莺的头碰到了前座，王起明心疼地为她轻轻地揉了揉。

"起明，我想快点回家。"。

"嗯，很快，再过几天，咱们就回去。"

吴颜推着婴儿双座车站在饭店的门口迎候着他们。

夜莺一看见她，立即高兴地跳下车，跑上台阶，马上先蹲下去亲吻了两个孩子。

"快叫阿姨。"吴颜命令着孩子。

大儿子托尼很听话，那小儿子似乎也听懂了妈妈的意思，伸出了小手，晃了几下。"真可爱。"夜莺笑了，笑得比婴儿还甜。

她站起身拥抱吴颜，吴颜已不像上次见到时那样臃肿不堪。不过，可能是由于正在哺乳期间，过量的营养使她原来瘦长的脸庞变得圆圆的，光亮亮的下巴被脂肪撑得像是快要绽开，扶在夜莺肩上的手，也变得胖胖滚滚的，已看不出了皮肤上的纹路。夜莺由于过于激动，把吴颜搂得太紧，吴颜不时地往后退着身子，左手不断地护着肚子，看样子又有两三个月了。

"吴颜你……？"

吴颜苦涩地移动了一下脸上的肌肉，那样子又像哭又像笑。

时间太早，餐厅里冷冷清清的。饭也吃得简单而清淡，尽管主要是为夜莺的嗓子着想，但实际上，三个人谁也没有什么胃口。

"快回去休息吧，明天就是开幕式了。"吴颜催促他俩。

"你能去吗？"夜莺问她。

"能。"

"那孩子呢？"

"保姆跟来了。"

他俩告别了吴颜，走出饭厅。忽然听见背后传来吴颜的大声呵斥声：

"我说过你必须随时带着孩子。"

"是，太太。"

"等了这么久你才下来，倒底我是太太，还是你是太太！"

"是，我改，太太。"

"最好你今晚就带着孩子回纽约，真受不了你！"。

夜莺停住脚步，转身要返回餐厅。王起明拦住她，摇了摇头。

他们两个人回到帝国饭店，刚一进屋，电话铃响了起来。

"HELLO，"王起明抢上一步，拿起电话，听了几句就捂着听筒问夜莺：

"是马克，叫你下楼去吃饭。"

夜莺摆摆手："告诉他，我需要休息。"

"HELLO，MARK，I'M SORRY，SHE IS ALREADY SLEEP。"（对不起，马克，她已经睡了。）他客气地回答。

对方并没放下电话，听筒里冒出了欧洲味的英语："TELL HER，I'M NUCCI。"（告诉她，我是努奇。）

"他说他是 NUCCI。"王起明对她说。

夜莺冲过来,抢过电话听筒用意大利语喊道:"难道你不希望《露琪娅》的开幕式成功吗?"说完就挂上了电话,在听筒未挂上之前,王起明清楚地听到电话里边传出来哈哈的笑声。虽然他听不懂意大利语,但是他看出了夜莺的不高兴。

"休息吧,你真的需要休息。"说着他去为夜莺铺床。

"把电话拔掉。"夜莺低声说道。

72

王起明整理好写字台上的歌谱,尔后向浴室走去,为夜莺放洗澡水。

为了使夜莺情绪上能逐渐放松,他边干边哼着《露琪娅》的序曲。

"要不你先洗吧,起明。"夜莺说着打开盘在头上的发髻,脱下身上的外衣。

他笑呵呵地走过来,抚摸着她洁白光润的脖子说:"我洗,我再怎么洗也是个黑不溜秋。"

夜莺笑着转身拧了他一把,"我就喜欢你这黑不溜秋。"说完走进了浴室。

王起明走上阳台,点上了一支烟,望着脚下这座灯海世界的罗马城,想着自己的心事。

想着想着,自己低头笑了起来,他笑自己的傻像,又笑自己的变化,这种铺床、放水、侍候人的事儿,他何时干过?十几年来,他走到哪里,"摆谱"摆到哪里,偶尔给别人倒回茶,事后都觉得丢面子。多年的老板生涯，使他养成了一个概念：最没出息的男人才热衷于买菜、洗碗、铺床、做饭。为此，他还总结出了一个定义：这是区分大男人与小女子的界线。可如今，这些事他却都做了，非但没有觉得没出息，反而做得是那么的自然。

浴室的门响了，他回到卧室。

"该你了，快点。"夜莺催促他。

夜莺用一条粉红色的毛巾包着头，胸前围了一块奶白色的浴巾从浴室走了出来，室内顿时弥漫着她肌肤上散发出的馨香。看着她那诱人的模样，王起明的心狂跳起来，恨不得立刻扑上去，然而他没有，目前保存她体内的能量对明天的开幕式该有多么的重要。

他不敢再多看她一眼，扭身迅速地走进了浴室。

夜莺散开头发，做好发卷，上了床，仍按她多年的习惯，打开台灯，看起了外文书。

"能停一天吗？别那么跟自己过不去。"王起明一边冲着淋浴一边向卧室喊。

"好吧，等你洗完，我就不看了。"

不一会儿，王起明擦干身子，披着睡衣走进卧室。他发现夜莺已经放下书，把灯光调到了最暗。

他刚想说点什么，却看见柔和的灯影中，夜莺已微闭双眼，于是就轻手轻脚地上了床。

刚一坐上床垫，弹簧发出了"咯吱"一声，他重又抬了一下身子，准备换个姿势躺下去，夜莺却一把从后面抱住了他：

"装的，你没那么细心，臭黑蛋。"

他笑着躺了下来，拍拍她的脊背，亲妮地说："睡吧，睡吧，好宝贝儿。"

“你想吗？”夜莺轻声问。

“不，一点也不，睡吧。”

“还说哪，你看。”夜莺笑着就要掀被子。

“不行，开幕式要紧啊。”

“咱没那么多讲究，你别为……”

“不，那也不。”说着他翻了个身，把脊背朝向她。

“是想同床异梦？”

“夜莺，你别，别……”他卷缩地躲避着夜莺抓挠他的痒痒肉。

他翻过身，抱住了她：“莺，听话，睡觉。我知道你疼我，可没两天咱就回家啦。”

“嗯……，那好吧。”她顺从地安静下来，不大一会儿的工夫，她的呼吸变得均匀起来。她睡得是那样地安祥。

王起明睡不着，眼角的泪水不住地往下流，他想了很多很多。

他生长在一个不稳定的普通市民家庭。打他一记事起，家庭就不稳定。四十多年来，还是从头到尾透着一个不稳定。

妈爱他，可死的太早。爸呢，说不上，他想爱也没法爱，五十年代初，就被误打成“老虎”，举告人又是自己的亲姐姐。

那时他刚三四岁，什么也不记得，只记得：母亲的泪，父亲的恨，姐姐的凶，哥哥的仇，这泪恨凶仇都是从哪儿来的，他不清楚，直到今天也讲不清。可他清楚一点，他的家和别人的家都差不多，各家都一样，一直到赴美之前，还是那样，一点没变。

可这爱呢？谁真爱过他，他又真心爱过谁？

坦率地讲，他没真心地去爱过，包括郭燕。可要说不爱宁宁，真是天地良心。然而，宁宁对他，就像他姐姐对他爸爸一样，都是真枪实弹地把自己的父亲置于死地。

他奇怪，难道这种基因，也他妈的遗传吗？

世界上人类最重的情份莫过于父女情了，可父女恨，这种邪事，就偏偏出在了他的家。

中国人的"子不孝，父之过"这理儿，准不准哪。虎妞恨她爸并没举枪；祝英台他爸棒打鸳鸯，投坟化蝶也没叫警察。

父女成仇在美国也大有人在，典型的例子就是顶尖歌星麦当娜。

人情，哪有真的？父女之间为了那点物质都反了目，这个世界不根本就是个冷冰冰吗？

可今天，今天呢？面对躺在身边的夜莺，他不得不做一个反省，耳边似乎有个声音在问：王起明，你尝过真"爱"的滋味儿吗？你体味过关爱与真诚的感觉吗？现在你总该明白了：人间有爱，不过这爱只有一个通道，那就是：共同的信仰。

73

罗马歌剧节开幕了。

装扮一新的罗马帝国歌剧院里，《拉麦尔莫的露琪娅》的序幕正式拉开。

王起明的座位是在二楼靠舞台的包厢。阿春和吴颜的座位虽在楼下，但通过每人配备的望远镜，不但可以彼此隔楼相望，而且透过那小小的望远镜镜片，觉得舞台就近在咫尺。

乐队已在乐池开始了各个声部的调音，观众席的前排，各国要人已经就座。灯光逐渐从亮转到暗。

多尼采蒂的三幕悲剧《拉麦尔莫的露琪娅》，是根据瓦尔特·司各脱的小说《拉麦尔莫的新娘》改编谱曲的。1835年，在那不勒斯首次上演。1883年10月24日，大都会歌剧院开幕后的第一个歌剧节，上演的也是这部歌剧。

随着序曲的渐弱，大幕徐徐拉开，布景是拉文斯伍德城堡附近的庭园。

贵族亨利·阿希顿与拉文斯伍德两个家族之间的争斗，已经持续多年。

阿希顿家族虽然已经摧毁了拉文斯伍德家族的权势，夺得了城堡，但是仍不肯罢休，他要争夺苏格兰王位，但这就意味着他要把妹妹露琪娅嫁给在朝的一个极有权势的人。

"露琪娅我一定叫你近期结婚。"扮演露琪娅哥哥亨利的演员那宽厚、低沉的男中音回荡在整个大厅里。

对亨利尊敬、忠诚的卫队长提醒亨利，露琪娅的真正恋人是敌首拉文斯伍德家的长子埃德迦多。亨利大怒，发誓一定要杀死埃德迦多……。

舞台上的灯光转暗，变成了黄昏色，乐队奏起了欢快的乐曲，王起明的心跳动起来，他知道，该夜莺上场了。

露琪娅和她的仆人爱丽丝随着音乐走上舞台，夜莺和英籍的著名女中音的歌声响起来。爱丽丝劝露琪娅赶快回到城堡里。

"不，我要看到埃德迦多"，接着夜莺唱起了"只要他在，忧愁就会消失"这段十多分钟的咏叹调，她唱得完美而动情。

观众席上顿时响起了雷鸣般的掌声，王起明把望远镜对准楼下，他看到，吴颜在激动，阿春也在擦泪，台下观众的脸上，都露出了惊讶的神色。他把望远镜转向乐池，看到努奇的眼睛似乎燃起了火，火花四射，直直地盯住台上的夜莺。

这时埃德迦多出场，换下了爱丽丝。这位男高音是罗马歌剧院的台柱子，上午走台时王起明就已经发现，他的音色和技巧绝不亚于帕瓦罗蒂。

埃德迦多从露琪娅手中接过他的定婚戒指，与露琪娅相依共唱。这一东一西、一厚一淳的歌唱家唱起了"当黄昏来临"这首著名的二重唱。

歌声刚落，台下又爆发起巨大的掌声，这不仅是对他们珠联璧合的高超歌技表示赞赏，同时也是回报剧中男女主人公对爱情的忠贞不渝。

紫红色的幕布在掌声中缓缓地降下，第二幕结束了。

大幕再次冉冉升起，头顶上的聚光灯照在城堡里的一个房间里。

亨利继续筹划着他的阴谋，他已决定把露琪娅嫁给宫廷里最有权势的阿多罗，而且主张婚礼立即举行。不过，他担心再次遭到露琪娅的拒绝。

露琪娅脸色苍白，神色忧郁地冲进屋里，她无力地喊着："为什么，为什么?!"

亨利拿出一封伪造的寄给露琪娅的信，说埃德迦多已在法国娶妻。"现在你该同意嫁给阿多罗阁下了吧?"亨利逼问。

善良天真的露琪娅心情沉重地屈服了。

王起明和所有在场的观众一样，揪着心等待着剧情的继续发展。

努奇猛地一甩他头那蓬乱的长发，指挥棒在空中一挥，乐池里奏起了"在结婚喜庆的日子里"的乐曲。

台上合唱队高歌，喜庆欢乐。露琪娅在她与阿多罗阁下的结婚证书上，软弱无力地签了字。

这时埃德迦多赶到，当他发现露琪娅已成为别人的妻子时，悲愤交加，谴责露琪娅，高唱起"我将复仇"，露琪娅当场昏倒在地。

台上灯光通明，人声鼎沸，城堡大厅里，婚礼宴会正在举行，谁都知道，露琪娅的重头戏全在这场。

突然有人报来噩耗，露琪娅发疯了，杀死了她的丈夫阿多罗。喜庆中断，不幸笼罩了整个剧场。

露琪娅冲进城堡大厅，那疯狂可怕的目光是那样的凄惨，她唱道："埃德迦多，这是我俩的婚礼，你看，蜡烛已点亮，客人已来临，牧师就在这里，我属于你……。"

这段被世界歌剧界称为女高音试金石的咏叹调"THE MAD SCENE（发疯咏叹调）"长达二十多分钟。

夜莺唱得很投入，王起明担心，她会真的发疯，因为他注意到夜莺的目光已全部散开，眼中的瞳孔也起了很大的变化。不过，当他听到夜莺那准确无误的意大利发音时，又使他那悬着的一颗心放下来。第一句是弱起的：

IL DOLCE SOUNO, MI COLPI DI SUA VOCE.

AH, QUELLA VOCE, M'E QUI NEL COR DISCESA.

EDGARDO, IO TI SON RENA, AH, EDGARDO, MIO SI, TI SON RESA; FUGGITA IO SON DA TUOI NE-MICI.

………

（一个甜蜜的声音打动了我的心，这个声音在我心中升起，埃德迦多我属于你，我已从邪灵那里逃出。）

这一段夜莺唱得相当细腻，把少女那种纯洁、忠贞的爱情表达得淋漓尽致。

整个乐队在努奇情绪的感染下，也飘出股股柔情，那轻盈的长笛似乎在敲击着露琪娅的心：

还记得吗，埃德迦多

我们相遇在井边

你我共相依

……

努奇再次把露琪娅这首爱情的主旋律掀起到一个高潮。

突然，在他的指挥棒下，音乐急转直下，节奏紧张起来。

疯狂的露琪娅唱道：

OHIME！SORGE IL TRMENDO FANTASMA，E NE SEPARA.

OHIME！EDGARDO！

AH！IL FANTASMA，

NE SEPARA！

QUI RICOVRIM，EDGARDO，

A PIE DELL'ARA.

（埃德迦多你听到一个古怪的声音吗？

那是恶魔，它向我们冲来，

邪恶要冲散我们

不要怕，你不要怕

快，躲到这里来。

躲在祭台下，

上帝会保护我们）。

— 334 —

夜莺的眼里含着热泪，仰望天穹，眼光笔直而又呆滞停顿在那里，把个疯态的露琪娅表现得活灵活现。她不像在唱，倒像是在对着邪恶呐喊："滚开。"

"结婚进行曲"奏响，露琪娅转悲为喜，继续唱道：

美丽的天堂就在前面，

上帝带来了阳光，殿堂铺满鲜花。

你拥着我，我拥着你，迈进殿堂。

噢，上帝呀，我感谢你。……

我们的灵魂永远同在。

王起明明白，露琪娅的最大难度、女高音的试金石将主要表现在即将出现的"花彩"乐段。

在西洋歌剧里，往往对第一主角有个特殊的优惠，就是乐队全部停下来，让女高音尽情地表现技巧。虽然听上去这段技术的展现与剧情无关，可是不知是什么人立下的规矩，花彩唱得不漂亮，就不能算是真正的花腔女高音。

什么叫花彩？说白了，就是耍歌技，在女人声带上玩绝活。因此，历来名角为展现自己的招术，花彩越耍越复杂，没人规定你非怎么唱，可是音域不够，乐感不强，各种技术不全，干脆就别耍。

历史上也保留了一些花彩的模式，可这些模式也没个确切标准，从谱面上也看不出多么高深，它只能给演员提供个基础，全凭歌唱家自由发挥。

夜莺选择了最难，也是最好听的那种，因为那里边有个音定在 Hi 降 E，是个无限延长的高音，需要花费玩命的气力。而且，随着长笛与声带的轮奏，演员要把嗓子当成乐器，强弱快慢、音准高低，人家是用乐器控制，而你得全凭一条声带。

花彩开始了，乐队立刻停止演奏，观众席上也声无俱息，大家屏住了呼吸，王起明的心更是提到了嗓子眼。

四十几小节的跳音、长音，高低转换、阴阳顿措，夜莺完成得无懈可击，最后那个可怕的 Hi 降 E 调来临，几千名观众似乎在同夜莺一起作了个深呼吸。王起明甚至不由自主地摸了一下自己的丹田，看是否气流饱满通畅。

这时，只见夜莺上额轻轻仰起，那个细细的、纯纯的降 E，从她的喉咙里轻轻的、柔柔的飘了出来，慢慢的渐强，渐壮，最后像一根石柱顶住舞台，又一个结束强音顿时充满了整个大厅。

……

观众在欢呼，在跺脚。

努奇把指挥棒往上一扔，向台上作了个双手飞吻的动作。

王起明跑出包厢，长出了一口气，哆哆嗦嗦地点上了一支烟。

场内的掌声还在经久不息。他跑下楼，走出剧场。

最后一幕他不打算看了，他知道，那该是葬礼和墓地的一场，他不愿看到这些，他要到附近的中国餐馆去为夜莺买碗馄饨，最好能有烫面饺儿。

74

回到纽约没有平静几天，夜莺又开始忙碌起来。除了平时的教学和演出，STONY BROOK 大学音乐系主任的职务也落到了她的头上。

尽管如此，周末她在离春湖公寓不远的树林与草坪之间开了一小片荒地。

"春耕不误农时"，上周她特意从中国城买来了豆角儿、黄瓜和西红柿的菜种，种进地里。每天早晨晨跑之后，她就蹲在地边，看着那些破土而出的小嫩绿芽。

王起明的书房正好对着这片小菜地，看着她抡锄拔草忙个不停，心想，这到底是金妹子？还是露琪娅？想来想去，他还是觉得，那个朴实、泼辣的金妹子的影子在她身上更多一些。

王起明也忙。从罗马回来之后，他就产生了一股冲动，想放一放《偷渡客》的写作，考虑一下《夜莺》。

可是《偷渡客》这本近四十万字的书稿已近完成，为了它，他曾与许多黑社会的蛇头、人蛇交朋友，与许多受害者接触过。这本书写得他荡气回肠。

或许两本书同时写，《偷渡客》写黑社会，《夜莺》写灵性，两个主题，两种写法，换着写还不致于感觉太疲劳。

不管怎么想，他反正是控制不住那种迫切感，那种创作欲。于是他钻进书柜，搬来大量的有关夜莺的东西方报刊评论及一切材料。

真不知从何处看起，一眼望见报纸上的"罗马"字样，好，就先从这次罗马歌剧节各报对《露琪娅》的反映看起。

意大利文看不懂，先放一边儿，等夜莺忙完了"春耕"再让她翻译给自己听。

翻了翻美国近几日的报纸，《纽约时报》上的一段话跳入他的眼帘：夜莺以她那独具特色的演唱，征服了欧洲观众的心。那华丽的音色，精湛的演技，再一次证实了她就是世界一流的女高音歌唱家。

《华盛顿邮报》也在一篇评论中这样写道：这位来自东方

的姑娘，用她极明亮、极抒情、极富表现力的演唱，给罗马人留下了深刻的印象，观众之所以能够为她长久的欢呼，是因为她不仅属于中国和美国，她还属于全世界。

读到这里，王起明看了看还在翻地种菜的夜莺，忍不住喊了一声：

"夜莺，快进屋吧，阴天了。"

"等一会，下种不能过芒种，节气不等人啊。"夜莺停住擦了擦汗对他说。

"我正等你来翻译意大利报纸中对你的报导呢。"

"没用，还是先下种吧。"

"即便真的大丰收了，也不值几个钱。"

"总比报上的吹捧有价值。"

正说着雨点真的落了下来，王起明忙跑出去送雨伞，一开门，夜莺已经顶着外衣站在了门口。

"看你，小心感冒。别瞎忙了，来，帮我翻释一下。"说着帮她擦掉头上和胳膊上的雨珠。

"哪有空啊，一会儿我还要去新泽西。学校音乐系组织的，去给无家可归的人和老人院义演。"

"组织者就是你啦。"

"不同意吗？"

"当然同意。可我就不去了。"

"为什么？"

"我想写点东西。"

几天过去，他打印出来的书稿越堆越高。他的身，他的心都投入在了电脑上、纸笔上和不断闪现在眼前的人物悲欢离合里，他顾不了夜莺又在义演什么，又在哪里讲演。但夜莺的重大事情都向他征求意见，像参加重大的比赛，国际间的演出合同等等。可有一件事，他不知道，努奇已经从罗马往夜莺的学校打了好几次求爱电话，还寄来一张情人卡。夜莺没有告诉王起明，她认为没什么必要，她一直都认为努奇是在瞎胡闹，告诉他，说不定会影响他的写作，增添他的烦恼。

王起明对此事一无所知，仍然整天埋头在《偷渡客》的大海上，人蛇之间的火并残杀和《夜莺》的灵与爱，人间与天堂这两部书稿中。

75

在新泽西州露天义演的歌剧《茶花女》，采取的是 CONCERT FORM（音乐会形式），整个乐队和主要唱段的演员都是来自音乐学院的师生，这种纯属社会福利性的演出，校方特意出请夜莺挑梁担任"维奥列塔"这一角色，正是考虑了她较高的社会知名度。所以尽管这只是个福利性的义演活动，夜莺同样给予认真的对待。

她独自坐在大轿车的化妆间里，一边化妆，一边不时地亮开嗓门练习着咏叹调里的难点。

美国东部的春季气候时好时坏，今天还算运气，晚风虽然还有些刺脸，但草坪上的一排排长椅上已坐满了不少白发苍苍的观众。

夜莺打开车窗看了看演出场地，夜幕降临，宽敞的露天舞台上已亮起照明灯，乐队队员在台前台后吹拉弹奏，发出了音乐会开始之前的那种噪音。

美国人对威尔第的这部歌剧有着特殊的感情。

这部取材于小仲马原作，经弗郎西斯科·玛丽亚·皮亚维改编并取名《茶花女》的歌剧，早在1853年就开始在威尼斯首演，1856年该剧在美国东部纽约登陆，以后在1883至1884年纽约大都会歌剧院落成之后，又先后上演了4个季节，因此老一辈的美国人对《茶花女》的钟情远远超过现代的新潮音乐。

《茶花女》的剧情不要说在美国，就是在远东、中国和日本也是家喻户晓。在移居美国之前，夜莺就曾多次身穿这种十八世纪的古装服，为西方国家级首脑演过这部歌剧，其中包括美国总统里根和夫人南茜。

开演前的第一遍铃声响起，夜莺的化妆台上也亮起了"准备上场"的黄灯。她双唇上下一合，抿了抿嘴唇，拿起笔刷，作了最后的定装，正要点上最具"维奥列塔"特色——下巴上的那颗黑痣时，突然有只手在重重地敲她的门。

"I'M READY。"（我准备好了。）她以为是舞台监督在催场。

门被敲得更响了。

"YES，I'M COMING。"（好，我来了。）

敲门的手还是没有停下来，而且越来越重。

她走到门前，刚一打开门，立即从门缝里伸进一张东方女孩儿的脸。

"可以进来吗？"女孩问。

"请问，你找谁？"

"你，就是你。"女孩说着一步跨了进来。

"我，我不认识你呀。"夜莺感到很惊奇。

女孩儿没有回答，回身要关门。

"别关，开点缝儿，我好盯着。"门外是一个壮汉的声音。

"想必您就是夜莺。"女孩说着点上了烟。

"对。"夜莺一闻那烟味就皱紧了眉头。

"名人。名人难找也好找。名人嘛就是在明处，像你和我爸爸甭管是到哪儿，报上也得见消息。意大利、罗马太远，这新泽西说到就到。"

"什么事，说吧，宁宁。"夜莺明白了。

"名人也有个担忧，这明枪好躲暗箭难防，是不是？我是在暗处，人不知鬼不觉干点事没人知道也对吧？"宁宁阴阴地说。

"你要是再来这一套，我立即叫警察。"

"警察？那可见得多了，不必那么激动，说点正事吧。"

"说吧。"

"实话实说，那两幢房子的房租收不上来了，银行的PAYMANT（分期付款）没交，钱全花了，我和我妈都没了生存的路，请他王起明出面解决。"

"这不关我的事。"

"为什么不？"

"你去找律师。"

催场的第二遍铃响起，舞台监督和几个学生跑了进来，给夜莺解了围。

"等一等，"夜莺停住脚步，转过脸看了一眼站在门边熄灭烟头的宁宁。"你等我，不要走，演出完了再谈。"接着就向奏起了《茶花女》序曲的露天舞台走去。

宁宁转身钻进了斯蒂文的汽车，斯蒂文打开瓶德国啤酒递给了宁宁，然后打开了车上的收音机等候着夜莺。

舞台上，奏起"让我们高举起酒杯"的乐曲，随之夜莺和另一位男高声唱起了"阿尔弗雷多"和"维奥列塔"的二重唱，台下的老人们也晃动着身子小声哼唱了起来。

斯蒂文骂着"老帮子，老调子"，把正在收音机里播放着的摇滚乐音量放得老大，警察跑过来命令他们关上车窗。斯蒂文无可奈何地关好窗子，可又不甘心地冲着警查做了一个下流的手势。

演出结束之后，夜莺打开化妆车的车门，宁宁跟了进来。

"你能告诉我，你找我的真正目的吗?"夜莺一边卸妆一边问。

"行。"

"两点限制，第一不要胡闹瞎威胁，第二不许抽烟。"

"行。"宁宁顺从地把烟放回了口袋。

"说吧，谈正经的。"

"夜莺阿姨，我真的没有出路了。我为我妈干了多少事，可到头来，我得了什么好? 回忆起来，还是我爸好。我知道，叫他原谅我也难，不过，念在父女情份上，怎么他也不能见死不救吧。"

"你应该走正路，快去上学。"

"这我知道，可总得先有点钱吧。"

"养你妈吗?"

"这倒不用，社会福利金、失业保险金足够她的了，我是要我爸帮我一把。"

"怎么帮?"

"您知道，在美国没有汽车就没了脚，没脚，什么事也干不成，干不成……"

"我明白……"

"不，您不明白，我真想自立，可也得有个起步吧。没车，就是上学、打工……"

"这样吧，"夜莺想了一下又说:"明天一大早8点你到北

— 342 —

方大道 DODGE（道奇）汽车行等我。"

"您这……？"

"不见不散。"

76

第二天，夜莺起得很早，王起明还在熟睡，她独自一人驾车进了城。

宁宁很准时地站在车行的玻璃门前，见夜莺过来向她招招手。

夜莺带她挑选车时，宁宁问："能不能换个牌子？"

"不，你也二十三四了，该懂事了，DODGE 虽然便宜些，但也可以代步。"夜莺制止了她。

最后宁宁挑了一部紫红色的 DODGE 车，出门取车之前，夜莺语重心长地对她说："这是你父亲的钱，大概他也就这么多钱了。以后你一定要自立，走自己的生活道路。要记住，你根本不具备任何条件再向你父亲索取了。他希望你长大、成熟，甚至快些成家。"

"这是他说的？"

"嗯，他说的。"

宁宁接过车钥匙，坐进去，一加油门喊了声"BY—BY"，就从夜莺眼前飞驰而去。

看着那辆紫红色的 DODGE 车飞向路中央，夜莺心头不由得一紧，想起王起明曾告诉过她，宁宁曾撞毁过好几辆新车，深为她的速度担忧。

给宁宁买车的钱是王起明的吗？当然不是，王起明对此事一直都蒙在鼓里，他的心还紧紧地拴在那本《偷渡客》的书稿上，美国一个出版商正为要出版此书穷追不舍。《夜莺》虽还不为人知，但"夜莺"的事，"夜莺"的情却使他也无法歇笔。两本书你追我赶，但从立意到内容却是天壤之别。

他王起明就是爱干邪事！

整整一个夏天，他都泡在这两本书稿里，写累了就走到草坪边上，照看夜莺的自留地。小片荒里的豆角藤上开满了藕荷色的小花，绿油油的黄瓜秧也爬上了藤架，硕果累累的西红柿已长得拳头般大小，地上还趴满了一个一个的大南瓜。

夜莺曾预测，秋后一定会有个大丰收。王起明也预测，还将会有另外一个大丰收：两本书秋后全部脱稿。

夏季到了，学校放起了漫长的暑假，夜莺忙着应付各种AUDITION和即将开始的国内外的演出活动。

小型演出合同都不是由马克安排的，他只负责联络，为夜莺接洽国际性的商业化演出。对夜莺经常参加那些不太重要的演出，他很不满意，为此事曾三次来到春湖找夜莺磋商。

这次他趁夜莺不在家，单独对王起明谈出了自己的看法。

"我不明白她为什么给自己搞得这么忙。依她现在的地位和名誉，是不应该参加这些活动的，要知道她的举动不慎，就会影响到她的价值，更不利我与制作人谈价。"他直率地说。

"我明白，马克，其实我更反对她假期安排这么多小型演出，我真希望这一年里，她能在夏季得到个喘息，不然我的心里也不安。"王起明点头赞同地说。

"王先生，您必须清楚，歌剧界繁重的 AUDITION 是在春秋两季，演出则基本是在冬天，只有夏季才有一些空闲，我建议你们应该趁此机会去渡假。真搞不懂你们中国人为什么那么不懂得人生享受。"

"好，我同意，等她回来，我来做做她的工作。"

马克走后，王起明思前想后了许久，他知道已签的秋季那两个合同都很重要，一个是新加坡，另一个是德国的汉堡。看了看日历，现在已是 7 月中旬，离 9 月底也就是两个多月的空闲时间了，他决定把手中的写作暂停一段时间，带夜莺去避暑，好好地休息休息，散散心。

夜莺很晚才回来，王起明对她谈了自己的想法。她没有直接回答，笑着坐在了他的身边，把腿搭在他的膝上。她指了指院子笑着说：

"我不放心那片自留地。"

"咳，别傻了，出去两月，回来正好赶上收成。"

"起明，玩什么呀，一想到飞机和旅馆我就头大。家，对我是多么重要哇，我盼望了多少年，就是想有个家。"说着她把腿放下来，抱着他摇动着身子说：

"咱哪儿也不去，就在这儿，看看电视，种种地，多美的日子。就是社区不允许，不然我还要喂几头猪、养几只老母鸡哪。"

"可你……你现在不常在家，一天到晚在外面忙什么呢?"

"挣钱呀。"

一提到钱，王起明心头就一紧，他一直没为这个家赚进一分钱，自己怎么也是个男人吧。

夜莺意识到说走了嘴，忙解释说："起明，多赚点钱，并不是为别的，钱多了，是祸根，这我清楚，可你想到吗，我们还要为咱们在中国的孩子想想吧，秀珍怎么负担得了欧阳儿子的教育和生活费？也许过不了多久，我们也会有一个。美国这地方，养两个大学生不是个简单的事情，咱俩都不是大公司的固定职员，都属 FREELANCING（自由职业），不趁年轻多干点儿，到老了怎么办？"

王起明听着，心里翻上翻下，不仅为夜莺细心周到的考虑感到钦佩，也为自己感到内疚和惭愧。不，绝不能让她一个人支撑着这个家。他心里这样暗暗地说。

他吻了吻她的秀发又心疼地抚摸着她的脸。

"抱抱我，抱紧一点。"她说。

王起明紧紧地、紧紧地抱着夜莺，眼泪滚了出来，掉在了她的脸上。

"你怎么了？"她仰起头问。

"没有，没什么。"说完他抽出身子走出屋外，点上了一支烟，朝着游泳池的方向走去。

游泳池边的躺椅上，一个四口之家正在聊天。他没有用心听他们在说什么，看着池水的涟漪映出那圆圆的月亮，心里想着一个问题：夜莺这样一个好姑娘，这样一个歌唱天才，应该像这家人一样，过着无忧无虑或者更加辉煌的生活才对。

他吸完了一支烟，见夜莺还没有跟来，心中有些纳闷，平时他俩总要一起来这里，说会儿话，聊会儿天。于是他熄灭烟头，走回房间。

一进门看到夜莺在打电话，说的全是他听不懂的意大利语，但脸色却不大好看。

王起明见夜莺放下了电话，问"谁呀？"

夜莺站起身，走进厨房围上了围裙；"煎几个荷包蛋吧，你写了一天了，也够累的了。"

王起明跟进厨房，解开她的围裙，双手扶住她的肩，盯着她的双眼。

"神经啦！"她故作镇静地笑着说。

"告诉我，谁？"

"真神经，快，松开手，要么咱们下点面条。"

"倒底是谁？"

夜莺挣脱开他，把围裙往椅背上一扔，走进了客厅，坐在沙发上右手托着下巴发呆。

"是努奇吧？"他小心地问，生怕她会点头，夜莺没有点头，只是轻声地问了一声：

"你怎么知道？"

"意大利话，……当然，在罗马我……"

"你甭出面，我有办法。"

"他到纽约啦？"

她点点头。

"他向你求婚。对吗？"

她又点点头。

"我操他姥姥！"他恶狠狠地骂。

"起明，你。我不喜欢听这些脏话，这是我的事，我知道该怎么处理。"

夜深了，王起明还没有睡着，他不是怕努奇这个强劲的对手，是怕真的失去夜莺。

半辈子了，坷坷坎坎，好不容易才找到这样安稳的归宿，为了这个归宿，他耗费了多少精力，耗尽了多少金钱。上帝呀，千万别让她从我怀里飞走。

凌晨的恶梦把他惊醒，他梦见夜莺真的飞了，飞得好远好远，唱着美丽的歌，自由自在地在空中翱翔。他伸手去抓，抓不到，手脚像是被绳索和铁链紧紧地套住，他的整个身体像是被关在一个大牢笼里，挣脱不开，冲不出去，急得他出了一身冷汗。

醒了，是真的醒了。摸了摸夜莺还躺在身边，他擦了擦额角上的虚汗，轻轻打开台灯。

他睡意全无，看着卧室的四面墙壁上挂着夜莺在世界各地的剧照：《露琪娅》、《浮士德》、《艺术家生涯》、《蝴蝶夫人》、《罗米欧与朱丽叶》，还有《茶花女》，他们都曾在全球各个大都会张贴过，上面的夜莺那么神采飞扬，她真不应该被关在牢笼里，她不应该被捆绑在某个人手中，她应该自由自在地飞，这对她才算是最公平。

努奇是个牵动世界歌剧牛耳的人物，而夜莺要高飞，事业要取得更大的成功，一定要有强有力的人来支持，这两位世界性的人物，两个歌剧界的精英相结合，才是最最完美的。

夜莺醒了，动了动身子，王起明翻过身急切地说："夜莺你爱努奇吗？"

"着了魔了。"说完她一转身，背对着他。

"其实，我真的觉得，你们是最合适的一对。"

夜莺一下子坐起来，紧咬着下唇，朝王起明的胸脯重重地打了一拳，说了声：

"窝囊废！"

77

8月底，努奇为筹备明年在林肯中心演出"贝多芬第九"再次来到纽约，虽然他已被夜莺拒绝多次，可是他那种意大利人的个性和艺术巨匠的自信一直对夜莺没有死心。

一到纽约他就给夜莺打去电话，夜莺不在家是王起明接的，王起明一听那不流利的英文马上猜出讲话的是努奇，就平心静气地告诉了他是谁，并要求两个人见见面，努奇爽快地马上答应。

在曼哈顿的一家饭店里，为了一个女人而来的两个男人面对面地坐着。

努奇准备了一瓶"XO"（威士忌）和两只高脚杯，王起明带去的是一瓶中国烈酒。

两个人对视了半天，努奇大概是十八世纪的歌剧指挥得太多了，蓬蓬乱乱的头发里藏着决斗前凶狠的光芒。他"嘭"地一声拧开了威士忌瓶盖，倒进两只高脚杯里，自己先喝了一口，又把另一杯递给了王起明。

"我来这个。"王起明掏出茅台酒，划了根火柴，点着了瓶口。

"王先生，请你告诉我，东方人在这种情况下，一般都选择什么方式？"努奇说完又自酌了一杯。

"你不必担心，我绝不会花俩钱儿，动用中国城里的青红帮来收拾你。"王起明说着嘴对着瓶口洒脱地喝了起来。

"中国城隔街就是意大利区，'西西里岛'的移民大都在这儿，想必你听说过《GOD FATHER》（教父）和《AMERICAN，ME》（美国和我）〔注：两部著名的描写纽约和意大利黑社会影片。〕吧。"努奇操着不流畅的英文说。

"你也不会不知道《YEAR OF THE DRAGON》（龙年）和《CHINA GIRL》（中国女孩）〔注：两部描写纽约中国黑社会的影片〕吧。"

"是火并还是恫吓？"

"就看你了。"王起明心里跟明镜似的，双方都属摸底试探。

"好，既然不喜欢火并，就选个另外的方式。你能把心都放在桌子上吗？"

"你能做到吗？"

"能。"

"请。"

努奇放下酒杯，把前额的乱发往后理了理，咕噜一声，把酒咽了下去，坐在了他的对面，眼睛直视着王起明说：

"我不承认我是个强盗，可干的又是强盗行径。既然是强盗，就应该不顾死活，更不会顾及到任何法律。既然是个强盗，就喜欢有个对手，最好这个对手是个残忍、赌血成性的家伙。"

"是条汉子！"说着王起明举起茅台酒和努奇猛碰了一下杯。

"我知道，你是个无辜的好人，可是在爱情面前，坏人好人没标准。在爱神丘比特面前，你我都在同一公平线上，我会采取各种手段使你屈服。"

"我要是不让步呢？"

"那才有味道。你杀死我，置我于死都不过份。我置你于死地，不得还生，也是理所当然。"

"够公平。"

— 350 —

"因为咱们是朋友。"

王起明颤抖地点上烟，又把烟盒扔给了努奇，努奇摇了摇头。

王起明清楚得很，跟这个音乐混蛋讲常理，讲道德，还不如对牛弹琴。讲情操，讲恋爱观，更是文不对题，所以就往白里说吧，不然他绝对理解不了一条东方汉子的心。

"你爱她？"王起明站起来又大声重复一遍：

"努奇，告诉我实话，你真的爱她？"

"天哪，这还要再说吗！"

"你真的会娶她，一辈子不变心？"

"上帝呀，别再问这些啦。"

"不是意大利人的那种三分钟热气儿？"

"见鬼。"

"你发誓?!"

努奇没有立即发誓，他转过身，面朝着落地玻璃窗大喊："这个人是个疯子。仁慈的主哇，怎么说他才能理解我呀！"他突然转过身，一边向王起明逼近一边说：

"我不知道，在这个世界上，会不会有任何一个男子见到她不动情。但是，我相信如果他是个极有自信心，强有力的男人，就一定不会放过她。因此，我尊敬你，你是个强悍的中国男人。可是，坦率地说，你不懂音乐，不懂歌剧，你不了解她的价值，更不知道她的未来。"努奇像是留出个时间让他思考，将酒杯放到了嘴边。

王起明真想挥舞双拳揍他一顿，谁不懂音乐？谁不了解她的价值？要说摆弄吹拉弹奏，老子从 8 岁就开始了，那时你努奇，大概还穿着开裆裤呢。

不了解她的价值？她真正的价值你们意大利人永远不会了

解。

哼！黑土地、黄土地培育出来的情感，地中海边上的人是永远理解不了的。五千年的文化怎能与两千年的文化相比。

再说了，你了解她喜欢吃捞面和烫面饺儿吗？你了解她喜欢开小片荒儿吗？你更不了解她愤怒起来像"金妹子"！你只知道她在舞台上是个"露琪娅"，你根本不知道她实实在在的内心。

然而王起明并没有挥起双拳，只把拳头攥了攥，他明白夜莺的前景和自己目前的处境与地位。

努奇喝完酒，把杯子狠狠地摔在地上，手指着自己的胸口，发狂地叫道：

"只有我，我，才了解她的价值！她像珍宝、像奇宝、像颗珍奇的无价之宝，举世无双的天才。起码到目前为止，我还没有发现第二个。帕瓦罗蒂告诉过我，夜莺是东方的一颗明珠，错了，这个混蛋，他完全说错了，夜莺是全世界的一颗巨星。

王先生，你以为，是因为我爱她才因此而夸张吗？你以为她现在得到的名誉是公平的吗？不！我一点也不夸张，世界待她太不公平。她不缺少本领，她缺少的是渠道。渠道！你懂吗？"

"照你的说法，她事业的成功，全在于走个人捷径？"

"对了一半，除此之外，她缺少的是背景。"

"背景？"王起明有点疑惑不解。

努奇情绪似乎有些平静，他脱掉了上衣，把领带拉了拉说："王先生，是的，背景。要知道，全世界最棒的女高音，也就那么几个，夜莺本应属其中之一。在这一组人里，她们各有特长，各具千秋。夜莺无论从音色到素质，都属世界第一流。但是，为什么直到如今，她仍没有得到此种殊荣，仍整天穿梭于各种AUDITION 之中？就是因为她缺少强有力人物的推荐和根深蒂固的背景。就因为她是个东方人，与西方没有血缘和裙带关系。"

"我明白了。……"

"不，请你不要误解，我说的这些是告诉你她的价值，与我对她个人的感情是两回事。"

王起明喝了一口茅台酒，望着这位激动不已的指挥家又缓缓地问了一声："那她爱你吗？"

没想到这句话又挑起了努奇的情绪，他双手扒着雪白的衬衣喊道："半年多了，她始终不了解我的心。我到纽约来，她不见我，在罗马打电话，她又总是回绝。不过，我知道，最终她会理解我，因为她是真正的'露琪娅'，她懂意大利男人的心。"

王起明看着努奇痛苦的样子，压着自己心中上下翻腾的巨浪，又喝了口酒，咬着牙根说：

"好吧，努奇，算你有能耐，你……咳，随你的便吧。"

努奇上前一步，握住他的手说："你是个值得钦佩的男人。"

王起明抽回手，来回走了几步，他是在思索，在紧张地思索，脸涨得通红，嘴角颤抖，突然，他停下脚步，转身向努奇大吼：

"你小子听着，她要是同意跟了你，你、你就把她带走。你要是欺辱她、骗她，毁了她的事业，我操……我宰了你！"

"上帝呀！"

"记着，中国的汉子赌血成性。"说完，他把大半瓶茅台酒一古脑地灌了下去。努奇也抄起了"XO"。

王起明看也没看他一眼，抓起外套大踏步地走出了饭店。

78

骂完了努奇回到长岛后，王起明就像给自己的心脏做了一回大手术，移动了部位，生生地把那颗跳动着的血团压到了丹田之下，虽然沉重，但却很平静。

几天来，他不露声色，默默地做着准备。

首先是把《夜莺》这部书稿，用一个塑料口袋密封好，压在旅行箱的最底层，然后又把那本已经完成的《偷渡客》的电脑软盘，复制了两份，一份放在手提箱里，一份交给霍夫曼牧师保存。

霍夫曼接过软盘装在自己的口袋里说："走，跟我去个地方。"

王起明没打听去哪儿，上了车。他猜得出，这是要找个僻静的地方谈谈心。上周日他心情沉重地对霍夫曼讲述了与努奇的冲突和今后的打算。

车子在杰佛逊港口的海滩上停了下来，海滩的背后就是享有盛名的超级富人区。

以前夜莺也曾带他来过这里，那时也不是为欣赏那些高深莫测的豪华住宅和观赏这一带自然风光的旖旎，而是为了寻求一种安宁。

这一带虽是长岛首富区，但也是长岛最荒芜的地方。山上山下偌大的一片地域，竟仅有十来家住户。早晨只有海鸥的鸣叫，傍晚，也只能偶尔听到涨潮的海浪声。

海风习习，掀动起涨潮的海浪拍打着沙滩，晚霞映红了海面，映照着正在海滩上散着步的霍夫曼和王起明。

"你完全打定主意啦？"霍夫曼的语气总是那样祥和。

"是的，霍夫曼牧师。"

"这样做，你不认为有什么不妥吗？"

"不。"

"爱，这一神奇的力量，有时候真是不可思议，恐怕只有上帝才能知道。常人眼里的爱只是一种奉献，谁知在更深处，爱是一种受难。"

"是的，霍夫曼先生，我现在更理解了耶和华为什么把自己的亲骨肉耶稣钉在了十字架上。"

"孩子，这次大概你是对的。不管怎么说，在上帝面前，子民们对爱做出的行动都可以理解，都是正确的。去吧，与主同在。不管走到哪里，相信你永远不会寂寞。"

王起明要去哪里，又为什么跟霍夫曼说？

他要回中国，已经经过深思熟虑，至于为什么跟霍夫曼说，他是想求得一个支持，一种哲理上或是精神上的解释。

回中国，离开夜莺的决心他一直不稳固。与霍夫曼交谈之后，王起明抛开了一切痛苦，坚定了自己的决心。

他变了，以前那种见火就着，心里搁不下一点儿事的直筒子脾气不存在了。他变得安稳、深沉，没有显露出任何迹像。夜莺对他的内心变化，不仅没有任何察觉，反而觉得他正在逐渐老练稳重。

9月中旬的一个傍晚，王起明在屋外一边帮夜莺冲洗着那辆白色丰田车，一边轻松地吹着口哨，吹的是《浮士德》里女主角玛格丽特的"珠宝之歌"。

"算了吧，你真瞎吹，这根本不是玛格丽特当时的情绪。"夜莺说着，扔给他一盒汽车上光蜡。

"夜莺，年底和明年第一季度的几个合同都不能忽视，你记住了吗？"

"嗯。"

"新加坡的独唱音乐会和出演歌剧《保利花》你要好好背谱，这将有关你在东南亚的发展。"

"知道。"

"年初在汉堡的《蝴蝶夫人》你也得重视，'巧巧桑'的份量你比谁都清楚。上期的音乐报上提醒过：饰演'巧巧桑'的女高音，请您上台前务必要上好厕所，否则三个半小时的演唱根本没有喘息的时间。"

"别恶心。"

"不是我说的，是专家的提醒。"

"过份。"

"还有华盛顿大歌剧院的《茶花女》AUDITION 你一定要去，虽然那个总经理对你很赏识，可是其他的……"

"听你这么说，是不打算跟我参加这些活动了？"

王起明打开蜡盒，找了块干毛巾，一边往车上涂抹蜡油，一边若无其事地说："我是想月底回一趟中国。"

"干嘛？"

"电视连续剧《我的阿春》近期开播。好不容易写了本书，人家给拍了电视，怎么也得回去瞧瞧呀。"

"真的，我差点忘了，是该回去。不过我是没那个福份啦，我猜想一定会轰动。多想跟你一起回去，共享成功的喜悦呀。可我这些个合同……"

"算了吧，什么成功的喜悦，说不定还会招来一顿臭骂呢。你忙你的，再说你的这些演出对你来讲，也非常重要，甭管我啦，一个人就一个人吧。"

"什么时候回来？"

"去一趟也不容易，怎么也得呆上几个月吧。"

"干嘛？不行，限你只呆一个月，播完马上回纽约。不然，我可不放心。"

王起明看了她一眼，赶紧蹲下去擦车轱辘，他又有些难以自制，眼圈红红的，湿湿的。

79

王起明回国要呆多久，他自己心里也没谱。

自打上了飞机他就一直盘算。想看电视连续剧，那只是个借口，除此之外是想做些生意。

做生意那是个身不由己的事儿，他有经验，生意一旦做起来时间没个准点，住址也总得调换。不过这样也好，以前的事，可以忘得一干二净，与夜莺失去一段联络，人分两地，可能俩人慢慢都会习惯，这样就能真正为她解脱负担。不过和夜莺这三年来和谐、默契的生活，不是说忘就能忘的，只要王起明一合上眼，她那纯朴的容貌，"露琪娅"的形象总会出现在眼前。

为了麻痹大脑，他不断地向空中小姐要酒，为了忘掉过去，他把机舱里供乘客用的耳机狠命地塞进了两只耳朵里，塞进去又马上狠命地拔了出来，频道里播放的是"莫扎特弦乐四重奏"。他怕，怕听到古典音乐，那曲调会勾起他太多的回忆，会使他脑浆崩裂。他调换了另外一个台，正在播放山东快书"猪八戒装秀才"，他这才安稳下来，把音量调到最大，用两只手把塞在耳朵眼里的小耳塞，狠命地又往里捻啊，捻啊，直捻得耳膜生疼。

北京到了。又回到老家了。

这次王起明走下飞机，不再那么神气活现、趾高气扬的了。

他吸取了上次的教训，沸沸扬扬地做生意，一定垮台。这趟绝不能再垮，他身上肩负着使命：美国的大饮料公司，授权他当中国总代理，在中国寻找合资伙伴；底特律汽车制造商，托他在中国找厂家按图纸生产汽车配件。大概是由于美国市场的饱和，著名的金融家，纽约的地产商、纷纷向中国涌来。凭直觉，他这趟一定能做起个买卖。夜莺的那句话还时时地响在耳边：你在建筑这座桥时出了力，日后走在这座桥上，就会有做不完的事情。

他不再到处张扬了，连过海关也像怕人认出来似的低着头。

检查证件的官员接过他的护照看了看，又对了对他的脸，笑咪咪地点着头说：

"哥们儿，真行，又回来扑腾啦。闹得不善，正播放您的连续剧哪。"

"啊？啊！"他傻乎乎地不敢正面回答，一遛烟儿似地走出了通道。

到机场来接他的是王祥和钱小苹。两位可能已经抚平了纽约的疮口，见他从机场出来，争着帮他提行李，抢着说这几天报上对"阿春"的反映。

"火啦。起明你真行，特火。"钱小苹的脸上闪着红光，根本看不出在纽约曾得过一场大病。

　　王祥还和从前一样，碎催似地扛着皮箱招呼出租汽车。

　　"怎么样，她没跟你回来？"钱小苹趁王祥打车的空隙问王起明。

　　"没有。"

　　"黄啦？"

　　"嗯。"

　　"我不是早就提醒过你吗，这回验证了吧。不过看得出来，没陷得太深，还能挺得住，起明，这趟回来咱好好合计合计，你呢，也别……"

　　"小苹，你和王祥没事啦？"他把话题转到了她身上。

　　"能有什么事，老夫老妻的还是好说话。以前的事，他要是不原谅死追究，没什么好说的，分就是了。"

　　"王祥真是个好脾气。"

　　"没错，他要是再没这点优点，还有什么可取的？"

　　"你别老欺负人家。"

　　"谁欺负他了。"

　　"他要是知道，你和陈然那段……"

　　"他知道。不过，我也打了些埋伏，哪能全告诉他。别提了，他来了。"

　　王祥叫来一辆日产皇冠出租，打开车门，请他俩上车。钱小苹坐在前排，他和王祥坐在了后座。

　　"王祥，听说你'练'得不错。"

　　"还行，对付呗。"王祥说。

　　"什么还行啊，"钱小苹接下话茬，说：

　　"现在人家的脑子可活泛多啦，接春节大联唱的配器，倒不是为了钱，是为了名，北京这些个歌星大腕请配器，人家也算上一个了，抖上啦。要是地方电视台邀请，还要掂掂份量，砍砍价什么的。哪像在纽约时那么窝囊。"钱小苹扭着脖子说。

"行啊你，王祥。"王起明说着拍了一下他的大腿。

"咳，一方土养一方人。我比不了你和夜莺，我天生的就是这地上的虫儿。"王祥谦虚地接着说：

"怎么打算，和夜莺什么时候……"

"王祥，"钱小苹打断了他，又用眼角扫了一下王起明：

"起明啊，我看你别住饭店了，先在我那窝几天，第一休息休息，第二躲开新闻界的纠缠，第三咱们一块合计个事，我这儿有几个点子。"

"行，就这么着。"王起明爽快地答应着。

机场外建了条新高速公路，王起明兴奋地说："前年回来的时候还不这样呢，怎么说变就变哪。这路要是没人提是北京，开在上面好像还在美国呢。"

"别真像爱国侨胞似的，尽唱赞美歌，如今没人爱听这个，换点新词儿。"钱小苹又把头扭了过来。

"眼下流行什么词儿？"

"挣'钱'呗，离了这个字，你唱得多好听也没人理你，拜金主义，你以为光在美国有哪，如今，东西方全一样，你这连续剧干嘛那么吸引人，别以为你写的怎么怎么好，臭美！没人提这个，人家研究的是你小子在美国怎么发的财。"

"错啦。真的，我的主题……"

"小苹谈的只反映一部份人的看法，不全面。"王祥摇着头。

司机插了话："什么一部份人，我就这么想。我干嘛到点儿连客都不拉，趴在电视机前看什么，就看您在那儿怎么耍，怎么练。"

进城时，街上已掌起了灯，汽车戛然停在了一片楼群前面。

"您能不能往里开开？"钱小苹对司机说。

　　"往里开？门这么小，刮了车你负责呀？再说，要是把车顺进去，连退带扭，没十来分钟的工夫可进不去，这十来分钟表可不停，字可照走，您不……"司机慢条斯理地侃上了。

　　"得得得，就停这儿吧。"王祥说完打开车门，叫了一声："师傅，您打开后盖儿。"就去拿行李。

　　王起明出了车看了一眼一个个黑洞洞的楼门，他记起这是歌剧院老宿舍。

　　他们进了大门没走多远，在楼群前的一排小平房前停了下来。

　　"还住这儿？"他问钱小苹。

　　"这破单位，穷死都没人心疼。如今的人谁还听歌剧呀。"

　　王祥打开了小房门，王起明哈着腰进了屋，立时使他吃惊不小。

　　里边儿算不上富丽堂皇也称得上绝对现代化。27寸的彩色电视机占了一个角，传真机摆在了席梦思床边，虽然是一间屋子半间坑，可靠门边儿，还立着一架新钢琴。

　　"哟，歌剧没人看，你们倒抖起来了。"他说。

　　"这叫能耐。写歌剧，驴似的，能赚钱吗？王祥好歹给大腕们写个曲配个器，一次怎么也得万八千的。"小苹一边说一边打开了小冰箱，取出了现成的熟菜。

　　地方不大，还能摆下个小折叠桌，王祥支起桌子后说："哥儿们，今儿我露两手，上后院厨房给你炒两热的。"

　　"后院？"

　　"自个儿搭的，十来平米，煤气罐，碗架子都放得下。"王祥说完就炒菜去了。

　　"小苹你也玩配器？"

"没那本事，我练我的活。"

"干什么哪？"

"今个儿要是不接你，我还得赶场呢。王府、中国、香格里拉乐队我承包。"

"也挣钱？"

"积少成多呗。不过，挣大钱不指望这些零碎活，我的正宗是出盒带。"

"出盒带？"

"你可别小看，这可是大买卖。"

"做买卖？你可别忘了，在纽约，你那珠宝店是怎么垮的。"

"完全两码事，今非昔比，咱鸟枪换炮啦。在美国耍不开，那是人生地疏，隔行如隔山。现在咱是驾轻就熟。王祥又跟我配合，合算下来，收入绝不比珠宝店差。"

王起明听着点上烟，往床上一仰，望着房顶，怀疑地问："说得这么欢势，你和王祥怎么还住这地方？"

"外行了不是？这小套间不住白不住，不用付房钱。你要是再晚到一个月，我就叫你大开眼。方庄小区咱已买下了四室一厅，眼下正装修，这套房完了活儿，绝不亚于布鲁克林的那套 CO－OP 公寓。"

"真有你们的。"

说话间，王祥已炒好了菜，摆上了桌，三个人边吃边聊。

王起明干了一杯酒，说："祝你们俩在家乡干得成功！"

"成功？我们俩？起明，你可真逗，谁成功，你才成功哪。多火呀，你得趁火……"

"到点啦，打住，看电视。"王祥一按遥控器，电视机里正好播放片头曲："千万里我追寻着你，……"

80

几阵秋风，把绿绿的长岛吹得变了颜色，有的地方黄灿灿，有的地方红彤彤，满山遍野红黄交错，映在眼里，熬是好看。

夜莺蹲在小片荒边，看着自留地里豆角的叶子已经脱落，没摘净的几根大豆角儿干枯的外壳，鼓鼓地包着熟透了的大豆子。西红柿秧也已枯萎，贪吃的松鼠常来光顾，被咬了几个大洞的胖西红柿，拉着母秧倒在了地上。

硕大的南瓜长得比枕头还大，她试着搬了搬，想移到车库里的空地去，可半天也没搬动窝，气得她一屁股坐在了地上，泪水涌进了眼眶。

她难过绝不是因为搬不动南瓜，而是在生王起明的气。答应好的，到了中国就来电话，可一走十几天都不见音信，她曾给北京的同学打电话询问他的情况，对方除了介绍连续剧多么轰动外，没听说王起明回到中国。

夜莺确实很不安，她想立即回国去找他，可又拿不定主意，几个合同去年就签了字，怎么好说改就改。

她焦急地等着王起明的电话，星期天也窝在家里。即便是去教堂唱圣歌，也是唱完了马上回家。霍夫曼牧师默默地看在眼里，准备不久和夜莺谈一次心，明白地向她交底。

吴颜每个周末也来唱圣歌了，阿春于上星期天已经搬进离教堂隔几条街的一幢洋楼里，看上去是一幢很普通的红砖房，不过前后院子却大得出奇。

傍晚，夜莺随便吃了点饭，坐在电视前不停地调换着频道。

她心里烦闷，什么也看不下去，关掉电视给吴颜打了个电话，电话铃响了好久，吴颜才来接。

"吴颜，忙什么哪，怎么都不接电话？"

"在看录像带。"

"真有闲心。什么录像带这么让你着迷？"

"呀，你没看吗？《我的阿春》呀。"

"这么快就到美国啦？"

"你真是个慢三拍的人，如今纽约的中国人谁不看。都在抢，我是刚刚排到。王起明这回可是出了大名啦，报上说澳洲、欧洲、北美洲华人反响可大了。"

"是吗？"

"可不是，就连我们那位彼得，这两天也走火入魔啦。夜莺姐，我看完了马上转给你，你要是到录像带店去租，准保得等上两礼拜，不罗嗦了，我得抓紧去看。"

"好吧。"

"起明还没来信儿？"

"没有。"

"这人，等回来再收拾他。"

夜莺放下电话，没多一会，电话铃急促地响起来，她立即抓起话筒大怒地喊：

"起明，你在哪里？"

"什么起明，我是李大可。"

"噢，对不起。玫玫好吗？"

"起明不在呀。告诉他年底哪儿也别去，我们乐团11月中旬到纽约，和几个乐团合演《贝多芬第九》，这回的规模可大了，还特邀了欧洲的大指挥。"

"我知道，大概我也参加。"

"是领唱吧?"

"嗯。"

肖玫玫插进来说:"夜莺，这回你可得大显身手，争取到这次领唱可就成了世界大腕了。"

又是李大可的声音:"什么世界大腕，她早就是了。对了，夜莺，他去哪儿啦?"

"中国。"

"叫他快回来，年底说到就到，魁北克这地方，都快把我们俩憋闷死了，真想找他好好侃侃。"

夜莺放下了大可的电话，心里七上八下:王起明为什么这个时候走开，是真的回国看连续剧，还是有什么别的原因?

她突然想起他临走前几天曾和她很唐突地说起努奇和她才是最好的一对。听上去虽像是开玩笑，可是今天，这件事令她陡然生疑。他是不是知道了努奇是这次《贝九》的指挥，故意……想到这里，她又抓起电话，拨了个号码。

"喂，我是夜莺，阿春，我必须马上见到你。"夜莺的声音有些发颤。

"夜莺，别急，到我这儿来坐坐吧。"阿春的声音像个和蔼的老大姐。

夜莺冲出屋门，急速地发动汽车，来到了 ST. JAMES 镇，见到了阿春。一句话没说，眼泪先流了出来。

"阿春，你了解他，能告诉我这到底是怎么一回事吗?"过了一会儿，她才抽泣地问。

阿春把她请进刚买的这幢新房正厅里，指着墙上的一幅达芬奇的油画说:"你应该去问意大利人。"

夜莺似乎明白阿春这句话的意思，也意识到了这一点。她急不可待地问："阿春，我能用一下你的电话吗？"

"当然可以。不过无济于事。你最好写封信，写封能使他明白的信，明白中国汉子的心的信。"

夜莺没说什么，立即坐在阿春的写字台前，打开了电脑，用意大利文写了一封给努奇的长信。

阿春和她共磋了信中三项内容：第一，感谢上帝赋予他的灵感，对一个东方女人所表示出真诚的爱；第二，长篇论述了不可能的理由，不仅介绍了王起明这位中国男人过去的不幸和现在的为人，同时更详尽地阐述了对王起明的尊敬和爱的决心；第三，让我们都成为好朋友，共同生活在不朽的圣殿里。

信写好后，立刻通过阿春的传真机传送到了罗马。

2天后，夜莺收到了努奇的回传。信写得非常简单，道出了一位艺术家的内心痛苦，字里行间都显示出了意大利人在爱神面前的屈服和那种在强手脚下骑士般的洒脱气度。信尾的最后一句话写道：

我已通知马克，《贝九》的领唱不会为了此事而有所改变。

81

钱小苹这几天大概是遇到了麻烦，每天深更半夜才回家，王祥比她回来的更晚。两口子整夜整夜地点着灯，有时，王起明还能听到隔壁传来轻微的吵嘴声。早晨醒来，推开里屋门想看看究竟，不料，两位早已出门，室内空空。

闲着没事就在院子里转，听到平房对面楼里偶尔传出零零落落的器乐声，使他想起自己小的时候，天桥剧场内外总是挤满着人潮的情景，大家都在争着抢着，都想目睹《茶花女》"维奥列塔"的风采，听听《叶普根尼奥涅金》"塔基阿娜"的歌声。

他转到大门口，迎面走来一位老者，虽白发苍苍，但身板挺直，与传达室值班的一位大妈声音洪亮地打起招呼："刘大妈，您再替我盯会儿，我把这兜菜送回去，马上就下来接您的班儿。"

王起明一惊，这，这不是当年的……？

"没事，老李，咱老姐俩谁跟谁呀，您忙您的。"

王起明扭头又扫了一眼那位从传达室探出头来说话的老大妈，也觉得很面熟，可就是想不起当年她演的是哪一出戏了。

几天来，他除了白天这么瞎转悠，就是等着看晚上那集连续剧，吃饭也有一搭无一搭，饿了就到房后头的小厨房热点东西。北京的各大小报对《我的阿春》展开的评论，他也无心去看。

一天，他在小厨房里看到一个王祥和钱小苹存放的破纸箱，箱子的一角，露出一张旧唱片，唱片的封套上是夜莺早年的剧照，他想拿回屋里听听，可想起这种塑料的软唱片早已过时，钱小苹的音响设备是眼下最时髦、带激光唱盘的那种。他去翻那破纸箱，希望还能找到其他有关夜莺的文字材料。

他早有打算，不管夜莺将来跟他是什么关系，这本书一定要完成，不是心疼已经花在上面的时间，而是总感到有一股力量在时时地催促着他把她写完。

他吹了吹纸箱上的尘土，又用袖子擦了擦上面的油腻，打了开来。他没有找到有关夜莺的任何材料，里边存放的全是乐谱，有西洋歌剧各大名著的总谱，还有中国近代的歌剧介绍书籍，他翻了翻又整好放回原处，叹了口气，回到了房间。

这一天他哪里也没去，也没再去院里散步，他打开公文手提箱，取出了那个牛皮纸口袋，把稿纸铺在小桌上，继续写起尚未完成的《夜莺》。

晚上王祥和钱小苹回来的比平日都早,电视连续剧刚播完,两口子就推门进屋。

王起明敢忙收起桌上的稿纸，放进了手提箱。见他俩都不说话，就大声嚷道：

"怎么茬儿，都忘记了你们家还有个大活人吧，我饿了一天啦，咱吃什么？"

钱小苹走出来，一屁股坐在床上，嘬着嘴说："没心吃，真晦气，栽啦。"

"怎么啦？"他笑着问。

"怎么啦，给她封了呗。"王祥说着从里屋走出来。

"封了？"王起明止了笑。

"我提醒小苹多少回啦，挣钱适可而止，见好就收。可她没结没完，想要点把戏吧，又不聪明，税务局是好惹的？这批盒带先期投下去的资本就将近六十万，这可倒好，全封。"王祥抱怨着。

"还说哪，都怪你。"钱小苹冲着王起明数落起王祥：

"他永远是这么个人，马后炮打得最欢。事先，我叮嘱过他，多找点门路，多托几个关系，如今没关系想挣钱？做大头梦吧。可他老先生，见着人就犯憷，你说，能不遭封吗！"

正说着有人敲门。

王祥皱着眉头说："你瞧瞧，我说什么来着，准保找上门儿来了。"

"我就不信，税务局还能抄我的家？"说着钱小苹冲到门口，门一打开，她惊叫起来：

"怎么，你……夜莺?!"

夜莺一脚迈了进来，见到王起明，委曲、愤恨……。她不顾王祥、钱小苹在场，高高地举起右臂向着王起明的脸上落了下去。

王起明没有躲闪，直直地、愣愣地站在屋子中央。

夜莺的拳头在空中猛然停住了，鼻子里"哼"了一声，继而，眼泪夺眶而出。

"你们俩先亲热着，我得通路子去。夜莺，对不起，这事得抓紧，王祥，跟我走。"钱小苹拉着王祥就出了门。

没走出多远又跑回来，探进头说："你们俩要是饿了，就自己弄点吃的，冰箱里都有。要是困了累了就睡这儿，别等我们也别走，我跟起明还有事要谈哪，明儿见。真累!"说完她"啪"地一声关上了门。

夜莺哭得很伤心，不住地擦着眼泪。

"你静静，听我解释一下。"

"算了吧，没良心。"

"你怎么骂都行，可是……"

夜莺没有骂他，也没有打他，而是在他身上掐着。

"行啦行啦，隔着衣服掐多不过瘾，来，我脱。"

"讨嫌，我掐死你。"夜莺见他不讨饶，真的再次扑了上去。

王起明觉着她这次真的手重了，连皮带肉直掐到心里。

过了一会儿，夜莺打开了大灯。王起明摸着身上被掐红的肿块，说："你看看，你看看。这儿，还有这儿，一块，二块，三块……"

"活该。"夜莺说是这么说，可还是将湿润的双唇，贴在了他身上的那些肿块上亲吻着，亲吻着。……

82

夜莺决定马上和王起明离开北京，回趟东北，她对李秀珍母子很不放心，又非常挂念长春的母亲。

离飞往汉堡演出《蝴蝶夫人》就剩一个多礼拜了，时间要抓紧。不过离京前还有个人她要见，就是中央音乐学院，她的恩师周老师。夜莺这次给她带了不少药品，老人家虽然还在持鞭任教，可是浑身上下已患了不少老年常见病。

第二天一大早，她和王起明俩人来到鲍家街，迈进中央音乐学院大门，王起明顿时感到自己仿佛又回到了童年。学院里虽然新盖了一幢教学楼，可是进门左手边的老槐树还是那样老，仍像当年那么挺拔而有风度。老槐树对面的礼堂，给人的感觉依旧是那么新。1号楼的教学楼还是那么旧，就连3号楼前操场上的篮球架，也依然是二十几年前的样子。

夜莺正准备敲周老师办公室的门，看见门上贴了张纸条，写着她不在，有急事请往和平里打电话，和平里的电话号码也写在了上面。

电话打过去一问才知道，周老师是在老指挥家，老指挥一听是他俩，忙说："快快，快过来，羊肉泡馍凉了没法吃。"

他俩都熟悉这位德高望众的老指挥，中国交响音乐的鼻祖，也是西洋歌剧的老前辈。老人虽然体胖块儿足，可是往指挥台上一站，就站了好几十年。如今已年近八旬，满头白发，一口的京腔，为人坦诚。

进了老指挥家没说上几句话，他就晃动着他那两百多磅的身体，侃起了他的设想：

"我就不信二十几亿只耳朵，就专爱听一种声儿，我和周教授正在研究一个计划，下季度，先从'施特劳斯'和'波尔卡'往里灌，太重的歌剧还不行，港台的噪音给十亿双耳膜都磨厚了茧子，真要把这层老皮剥掉，得动动脑筋。用锉刀锉疼了，人家嫌烦，用细砂纸打，老皮不掉，还是听不进去。"他说话风趣而幽默。

王起明和夜莺听着，对这些老一辈的艺术家倍感崇敬，连连点头，不断地说"对，对。"

别看老指挥体态臃肿，可头脑敏锐，他接着说："这耳朵连着脑，脑连着心，心连着灵，俩耳朵听什么声，我敢说这灵就往什么地方去。整天让他听，去荒野、去沙漠'潇洒地走一回'，他还能往哪儿去？主心骨都没了，腿还能听使唤？什么都不信了，也就什么都不在乎了。"

周老师托了托老花镜小声地说："听说现在正在抓严肃音乐哪！"

吃完羊肉泡馍，放下带去的药，夜莺和王起明告辞了两位老艺术家，就直接奔北京机场

路上，王起明由衷地感叹说："这些老人真可敬。"

"他们也真不容易。"夜莺若有所思地说。

俩人快马加鞭，一路到了长春，先拜见母亲，然后直接去了李秀珍家。

李秀珍的孩子已经会满屋跑跳，白白胖胖的都会叫"妈妈"了。

王起明这辈子就没怎么抱过孩子，抱起欧阳金让他叫"爸

— 372 —

爸"。孩子模仿得还挺快，张开小嘴连叫了几声"爸爸爸爸……"，乐得个王起明猛劲地亲了孩子几大口，把孩子吓得大哭起来，转身找他妈妈。

夜莺笑着边嗔怪王起明不懂怎么哄孩子，边脱下貂皮大衣，像个妈妈一样搂着孩子哄逗着小欧阳金。

王起明也笑着说："怎么看怎么不像呀。"可孩子在她的怀里既安稳又听话，还仰着小脸叫了声"妈"。

夜莺到达长春的消息不径而走，当地的新闻媒介展开了大肆宣传。

电视台、电台和大小报连连采访报导，各种各样的标题刊登在报刊的版面上：《飞来了，家乡的夜莺》，《母亲爱你，我们的小夜莺》，《唱吧，东方的夜莺》。

2天来，虽然她尽量回避着家乡人的这种热情，可是又时时激动不已，总想说点什么，可面对着闪光灯和摄影机镜头却怎么也说不出话来。

家乡的父老请她在新年和春节晚会的节目上给他们唱支歌，唱支家乡的歌。

唱什么呢？《露琪娅》，《罗米欧》那些西洋歌剧，家乡人不一定能听得懂，她急得火烧火燎，问母亲，母亲说："唱唱你的心里话吧。"唱心里话，对，唱出心里话。她拿起了笔，伏在桌上，思绪万千，心潮激荡，写下几行拿给王起明看，王起明一看，扑哧一下笑出了声：

"太白，哪有这样唱家乡情的，什么叫黑土地上的雪呀，东北的风，长春的大馃，吉林的冰灯呀，不行，不行，我来。"

他也挥笔写道：我是东北的一只鹰，黑土地把我养大，黄土地育我飞腾，风雨折不断高傲的翅膀，大洋彼岸的浪涛，扑不灭我美妙的歌声。每当怒放的鲜花把我拥抱，心中就升起妈妈的身影。"

"不行，太狂，太空，我不喜欢。"夜莺看完连摇头带摆手。

正巧，夜莺的一位吉林老作词家朋友来看望她，于是老作词家执笔，三人满怀激情地写出了：

我是东方的夜莺，

我是妈妈放飞的精灵。

他乡的风雨，

折不断我骄健的翅膀。

他乡的明月，

圆不了游子的梦境。

大洋彼岸的波涛，

激起我放声歌唱，

大洋的季风，

吹不散我燃烧的乡情。

我要用美妙的歌声，

编织爱的花环。

我要用美丽的心灵，

去呼唤人间的真情。

今天我又回到妈妈的怀抱！

心中的依恋，永远年轻。

当夜，一位年青的作曲家给这首词谱了曲，为了展现她的技巧，又在歌词中加了一段花腔，夜莺试唱两遍，连连点头，说没问题，立刻拍板。

2天时间里，她唱着这首歌走进演播厅，走进林区的工人中间；在长白山顶上唱，在天池边上唱。唱得自己落了泪，唱得在电视摄像机前打开了感情的闸门。

　　唱完了故乡，辞别了亲人，她乘着风雪，又整装奔向下一个征程。

　　王起明默默地送她到了机场，他心里很难过，这次不能与她同行，为她呐喊助威。他必须留下来，这几天省外贸单位与他谈得正投机，他从美国带来的那几个项目已基本在这里有了头绪。明天要去夹皮沟考察人参产地，为此夜莺昨天特地为他准备了老羊皮袄和厚皮裤。

　　夜莺站在飞机舱口，回过头来看了看他，又向远处白茫茫的长白山望了望：人生苍苍，几多欢乐，几多愁；人在旅途，来去匆匆。而今天她匆匆忙忙不是飞往汉堡，而是赶往上海。

　　勤向得知夜莺回国之后，已打来多次电话，请她火速到沪，排练《楚河争》里的虞姬一角。

　　王起明站在停机坪上，不停地向她挥着手，向着腾飞而起的银燕挥着手，向着他那只冲进云层的夜莺挥着手。

83

　　对夹皮沟，王起明有着非常深刻的印像，小时候看《林海雪原》的电影和样板戏时，对少剑波，杨子荣解救小常宝和李勇奇怒发冲冠地吼道："要钱没有，要命有一条！"的台词倍受感动。不过他这次去夹皮沟，不是去深山问苦，更不是去探寻当地盛产的金矿。他是去考察人参产地，然后试图把中国的人参大量向美国出口，与北美的"花旗参"和南韩的"高丽参"进行抗衡，竞争。

临行前，为了答谢那位老作词家和年轻的作曲家，他们三人在斯大林大街上的一个火锅城，喝了两瓶"吉林原浆"。

酒席上大家都喝得很开心，可在最后付账问题上产生了争执，两位跟他撕着扯着，非要尽地主之谊。

"别，别，二位，熬灯耗油的已经心里过意不去，这是夜莺的意思，还是我来吧。"

"整这玩艺，手到擒来没咋地。这点小钱儿，我们花得起。"两位争着掏钱。

王起明知道东北大汉豪爽仗义，好面子，说了句："二位艺高手快，当然不缺钱花。"也就不争了。

没想到两位一听这话，把掏钱的手又缩了回去。

"老哥，你不了解呀，如今这作词、作曲的可是苦呵呵的。"作曲家一脸苦相地看着他说。

"我俩只能算是七等和九等。"老作词家也摇起了脑袋。

"什么七等九等？"王起明听不懂，追问着。

也许是喝了点酒，二位晃着头拍着板，说了一段顺口溜：

"一等艺人红歌星，挣钱又多又轻松；
二等艺人"音带"贩，一把下来好几万；
三等艺人配器匠，人人都有车一辆；
四等艺人搞电声，千八百块总不停；
五等艺人录音师，各种饭店随便吃；
六等艺人抄乐谱，点灯熬油挣小储；
七等艺人搞作曲，徒有虚名骗自己；
八等艺人演奏员，百八十块挣小钱；

九等艺人写歌词儿，总想发财没有门儿；
十等艺人合唱队，鬼哭狼嚎活受罪。"

王起明听着，一时不知该说什么，于是举起了酒杯说：
"两位干杯，为了明天干杯。"

"还是改个字吧，"老作词家说："为了明白干杯。"

在去夹皮沟的路上，王起明还在想着这首歌谣，不时地拿
出笔来追忆。陪他去夹皮沟的那位外贸局的张先生，一路上不
停地向他介绍沿途的风光，他收起了纸和笔，问了声：

"咱们到哪儿啦？"

"前面就是三岔子，过了这个林区，咱就进大山啦。"

山越爬越高，路越走越窄，不到六点，天已漆黑，张先生
打开了车前大灯。

车灯在一片白幕中跳晃，闪着红的绿的彩光，车灯照在远
处的山梁上，他看清那是密密麻麻的落叶松。窄窄的路上，不
见任何车辆和人迹，只在落叶松里闪着星星点点的亮光。

"那是什么？"他问。

"伐木区，他们快下班了，咱们得快走，不然就卡壳了。"

张先生说是快走，可是由于刚下了一场雪，落在地上的新
雪，还没被车压实，所以，车子仍然走得很慢。

真让张先生说着了。没过多一会伐木工人下了班，运送原
木的车队顶头开了过来，震天动地的发动机声灌满了山谷，十
几辆巨型载木大卡车，横在了路前。他们的小面包车停在路中
间，如同游击队碰到了大军团。

"倒，倒，退，转！"第一辆卡车上的伐木工跳下车，对着
他们喊。

"倒？转？妈了个巴子，左边是峭壁，右边是山涧，咋倒？咋转？"张先生坐在车里骂。

王起明把车窗摇下一条小缝，可刚摇下，又立即关上了，那道窗缝中灌进的山风如同一把小刀割在脸上，火辣辣地生痛，他连忙蹬上了厚皮裤，穿上了羊皮袄，又捂上了李勇奇式的大皮帽。他怎么也想不到北国山区竟会这么寒冷。

伐木工一个个的先后围了上来，张先生和王起明也跳出小面包车，双方合计着怎样才能通过，可讨论了半天仍找不出合适的办法。

"这个时候想过梁是别指望啦，你们只有往后退。"一个大个子伐木工不客气地说。

"退，退哪去？"张先生哈着双手，王起明借着大卡车的前灯，看到了他那张无奈的脸。

"往下退 15 里地是黑瞎子沟，你们在那儿过夜吧，不然这天这地走夜路，危险！"大个子说得相当诚恳。

"就这么着，退吧，张先生。"王起明趴在他耳边扯着嗓门大喊。

大卡车上的柴油机又突突地冒起了浓烟，小面包车委屈地往后退着。前后花了三个多小时，小面包车的尾巴才退进黑瞎子沟的村边，十几辆大卡车，一踩油门，又上了路。

张先生的脖子扭酸了，王起明的肚子也饿了。他们调头进了黑瞎子沟。

黑瞎子沟也就十来户人家，住户都是林业局的伐木工。这里的人个个都直爽痛快，一听他俩的情况，二话不说，上炕热饭。

鸡蛋烙饼吃了两大张，大碴子粥喝了两大碗，王起明真累了，他放下碗，把老羊皮袄往头上一蒙，后背紧贴着暖暖的热

— 378 —

炕睡着了。

一觉醒来，天已大亮，他们爬起来接着赶路。一上车王起明就觉得头昏眼花，鼻孔，喉咙里又苦又涩。等到经过一天一夜的赶路，他们到达夹皮沟的时侯，王起明已是手脚冰凉，四肢发软。张先生扶着他走出了小面包车。

如今的夹皮沟，已不是深山问苦时的模样。镇领导对他的到访非常热情，给他安排住在镇上最好的旅馆里，旅馆里的陈设虽然都是崭新的沙发和席梦思床，可他仍觉得不如黑瞎子沟的炕头暖。

他病倒了，"支气管扩张"病又犯了，他不敢再吸烟，他吐出了大口大口的鲜血，血里夹着痰。

他起不来床，下不了地，只觉得天旋地转。

84

上海的电视台演播大厅里，正在现场直播着美声唱法"青年杯"比赛。

评委席上坐着各级领导，还有勤向和夜莺，有上海歌剧界的著名演员以及音乐学院的老前辈们。

演播休息15分钟，评委们都来到了贵宾室，勤向握着夜莺的手，抱歉地说：

"这事，你得多包涵。你来得太晚，虞姬A、B角都已选定，所以我……。"

"勤老师，您别再解释了，就是E、F、G角我都愿上。"夜莺笑着说。

"夜莺!"正说着,有人在叫,她抬头一看,有位慈祥的老太太正向她走过来,她马上迎过去,"老师,你身体好吗?"

"好好,要是有可能,我还想唱他个半场一场的。"老太太声音透亮,能使人想起当年她驰骋南北时亮丽的花腔。

"老师,有可能,您一定有可能。"夜莺对她似乎有着特殊的感情,看见她,就使她想起十几年前,在上海参加的那场比赛。那场比赛中,夜莺初出茅庐就拿下全国第一,和今天一样,老太太也是当年的评委之一,没有她的公平和那双慧眼,哪能有自己的今天。

"夜莺,我知道你后天一早就要飞走,能不能明天晚上到歌剧院合合乐队,感觉一下虞姬的各个唱段?"勤向诚恳地问。

"没问题。"

第二天晚上歌剧院的舞台上亮起了灯光,夜莺按时赶到,勤向和她走进排练场。可左等右等就是不见"霸王"的影儿。

"霸王哪?霸王!"勤向大喊起来。

没人理睬。

"没关系,咱们先跟乐队合你的唱段。"勤向说完让夜莺上台,他自己走向乐队,站到了指挥台上。

他拿起指挥棒,刚要扬手,又停住了:"人呐?怎么就来这么几个人?"他看见弦乐声部稀稀拉拉,铜管乐声部也没坐满,打击乐干脆一个没到,只有木管算是将将到齐。

"勤老师,以后您还是改在下午排练吧。"一个吹黑管的小伙子一边摆弄着哨片儿,一边说。

"为什么?"

"晚上事情多,'大上海夜总会'能闹个整夜,南京西路的

'咖啡屋'能干个通宵,就算'国际大厦'和'新绵江'吧,不到十二点也完不了事。"

勤向气得把指挥台敲的山响。

夜莺站在台上唱了两声说:"没关系,先练吧,我想他们早晚会走到一起来的。"

……

清晨,在新盖的虹桥国际机场候机室里,夜莺握着勤向的手说:"勤老师,您别急,我感觉这出戏早晚会在东西方打响的。"

"到时候你可要飞回来呀。"

"当然,宁肯推掉其他的合同。"

"难为你了。"

"勤老师,别说这些了。"

"可,可总叫你飞来飞去。……"

"我本来就是吉普赛人嘛。"

"不!你是祖国的夜莺!"说着勤向摘下眼镜掏出手绢擦了擦眼睛。

"回去吧,老师。"夜莺催促着勤向。

"他好吧?"勤向没动地方。

"他好,不过那边太冷,真叫人不放心,夹皮沟通讯又不方便,五六天没有信儿了。"

王起明此时正躺在夹皮沟的火炕上,他只觉得七窍生烟,开水在往五脏里灌。盐水瓶换了一个又一个,地上摆满了空吊瓶。

他不知自己已经昏迷了几天几夜,早晨刚一苏醒就忙问日期,他叫护士赶快撤掉插在他身上的那些管子和针头。

"先生,您,您不能动。"护士急忙按住了他。

"不行,我得马上走。"

"急个啥？"

"你看，"他指了指墙上的日历，"离年末只剩下5天了。"

护士叫来那位张先生。张先生问他："要去哪儿？"

"纽约，快，快，我们有契约。"王起明颤颤巍巍地要下床。

"可是……？"

"放心，咱们的生意不能断，过了年我一定会再来。"

"不是，我是说你这身体。"

王起明不由分说，让护士帮他穿上了衣服，出门前又装备上那件老皮袄和那顶大皮帽。

"这，这人咋这急？"小护士着急地去给院长打电话。

等院长和镇领导急忙地赶到病房时，王起明和张先生已走得无影无踪了。

车子一出夹皮沟，王起明浑身就打起颤来，上牙撞着下牙"咯咯"地响，盖过了汽车的小马达声。

"这咋整，到长春还得一天一夜哪。"老张急得直要停车。

"快快，快别停。"他迷迷糊糊地斜靠在车座上说。

到了三岔子老张要吃饭。王起明哼哼叽叽地说："不行，不行。"

"你不吃我得吃。"老张说着跳下车就去买了个煎饼，回来一看，王起明已坐上了驾驶台，老张一把将他推到一边，气鼓鼓地骂了声：

"神经。"

他们昼夜兼程赶到了长春，老张要把他带进医院，王起明冲他直摇头，又指了指他腕子上的日历表，迷迷瞪瞪地说：

"上飞机，我要赶《贝九》。"

"啥贝九断十的，你到底要干啥呀？"

"定好的，……到不了，她要急，……我心疼。"

"行，行，行。"

小面包车又继续急速地冲向飞机场。

老张拿着他的 OPEN 联运机票，急急忙忙地把他送上了回北京的飞机。

他就这样离开了长春。

回到北京他清醒多了，在机场吃了两碗蛋炒饭，可是，他越清醒就越着急，因为中国民航今天没班机。他立即找到美国联合航空公司驻京办事处。

"无论如何您得帮个忙，只要今夜能飞，怎么都行！"他央求着。

"头等舱还有空位，那要加不少钱。"

王起明二话没说拍出了钱。

当晚他坐上了返美的飞机，一屁股坐进机位，他才松了一口气。美国乘务小姐见他这身打扮觉得好笑：

"先生，舱内太热，您……"

"怎么，这影响坐飞机吗？"他不是有意顶撞乘务员，而是想发身汗，去去夹皮沟的寒，好好睡他一大觉，到了纽约好去见夜莺，按点赶到林肯中心。

他一边计算着时间，一边想着夜莺临走时对他说的话："起明，你要赶回来看《贝九》，我在票房给你留好票，要是像上次一样不听话，你可知道我的脾气，《贝九》你要是不来听，我一散场就飞回中国来找你。"

一路上，他睡得安稳极了，老羊皮袄不仅捂得他发了一身汗，也捂得他心中爱的火焰正在一股股地升起。真的，他真的觉出，只要灵魂中永驻着爱，一切都将安稳，生意、赚钱又能算得了什么？

飞机平稳地降落在纽约，他出了机舱奔出机场，险些撞倒了出租汽车司机。

"ARE YOU CREAZY?"（你有病啊！）司机骂道。

他没在意，抹了一下鼻涕说："LINCOLN CENTER. HURRY UP!"（林肯中心，快点！）

车子急驶进曼哈顿中城隧道时，正赶上塞车，把个王起明急得又看表，又拍玻璃窗，还差三十分钟，"QUICK，I'LL PAY YOU MORE。"（快点，我可以加钱。）

加吧，加吧！多少钱都不在乎，他只在乎这场音乐会。

只差三分钟，他赶到了林肯中心大门口，取出夜莺留给他的票，转身冲向大厅。

进了大厅，他的双脚突然停住了。他隐约看见走在前面的两个人，一个像郭燕，一个像宁宁。揉揉眼睛，前面的人影一晃又不见了。

第二次钟声敲响，他刚好走到二楼，迅速地坐进了二楼一排的位子里。

王志明下意识地低头看了看楼下的观众，突然他睁大双眼呆住了。惊奇极了，他看到阿春、宁宁、吴颜、郭燕，还有那位可敬可亲的霍夫曼，都来了，都坐在一排。

最后一遍钟声刚落，努奇潇洒地站在了指挥台上。

合唱队和观众连成一片，观众席上也坐满了乐队队员，李大可和肖玫玫也在其中。

夜莺和另外三位世界著名歌唱家鱼贯而出，走上舞台，全场爆发出震天动地的掌声。

《贝多芬第九交响乐》是一部宏伟的音乐巨作，是人类音乐艺术的瑰宝，是德国诗人席勒和贝多芬的血与肉，灵与魂。

只见努奇的指挥棒在空中举起，全场顿时静寂，然后他的

手臂优雅地一甩，场内外响起了神圣的"欢乐颂"的歌声，这歌声来自老人，青年；来自男人，妇女；来自东方，西方：

欢乐女神，圣洁美丽，

灿烂光芒照大地。

我们心中充满热情，

来到你的圣殿里。

你的威力能使人类团结在一起，

在你温柔的翅膀下，

一切人类成兄弟。

夜莺挺胸站了起来，昂首唱着。她的声音是那样富有穿透力，那样震撼人心，唱的还是这段词。她，再次引来了台上台下那洪流般的歌声，那洪流般的激情。

王起明激动兴奋地真想高声呼喊：中国！中国！夜莺！夜莺！

他摘掉了老皮帽，汗水、泪水交融在一起，不停地往下滴，往下流。他伸出手掌抹了一把脸，抹着那汗，泪，还有那从夹皮沟带来的清鼻涕。……

后记

写完了这些，决定弃笔砸砚不再与这方块儿字叫劲了。

不写了，并不等于不再出版，什么意思？我指的是那本《偷渡客》。近四十二万言的东西，丢了舍不得。都已写完，就等着找家出版社，选择适当时机了。所以，等过些时候，在书店里看我又多了一本书，你可别说我说话不算数。

4本书写完了，心里头也踏实了。三年多的时间，凑出的字数也上了百万。虽不能说把人生研究得怎样怎样，可该说的话，也差不多了。

说完了话，不再写字，好像是就没了痛苦。不对，不再写字，正是为了解脱更大的痛苦。

写字痛苦有三：

其一，

爬格子需要有耐心，而我恰恰是个急性子。粗纲一拉好，就立马动手写，一口气写完一稿，扔给出版社，就懒得再去看。不是不负责，是实在没时间。上本书还在校定、排版时，下本书的冲动又涌到了笔尖。写完一本书就掉一颗牙，4本写完了，满口牙也全松动了。一向标榜自己是钢肠铁胃，可如今是今天这儿痛，明天那儿胀。眼睛也不中用了，尽管换了3次眼镜片儿，可看、写东西时，还总得调整距离。不对准目标，干脆就是一个睁眼瞎。

不错，再写下去，身体要垮。

其二，

这些年，人们都在弃文从商，我呢，却倒行逆施，弃商从文。其实，两样我都不想弃。以前，我曾大肆宣扬，文商要合，看看美国，哪个名作家、大影星不做生意呀，商文本应是一体。

可这事，说起来容易做起来难，这几年，我边做生意边写书，这个苦哟，怎么说呢，真是不堪言。

写书你不来真格的，没人信你，读者心里头，就跟那明镜似的。骗人家，瞎编，有你好受的，因此，写字时，你得把心掏出来，让人家看看，那心是红的，热的，嘭嘭乱跳的。可做生意呢，绝不能这么干。我有十几年丰富的经验，得捂住胸口，别叫对手看见你的黑心，如果像写书似的，上来就交底，保准你玩完。

因此边做生意边写书，实在是件痛苦的事。白天谈判时，你得捂着胸口，晚上写字时，你又得打开胸怀。天天这么合上打开，打开合上，日子长了谁受得了哟。以致于我都想，有谁能发明个变心术，或能在胸口上开上一刀，按个拉链，该多好，多方便哪！日后要是真的有哪位敢做这种大手术，我发誓，不怕见血，甘当临床实验品，绝不犯怵。否则，这辈子我是不会再动一个字了。

其三，

好不容易写了几行字，出版了，遇到的头一个问题，就是百分比。

关心我的人，见了面就问："你写的东西虚构的和真实的，各占多少百分比？"

这可把我难坏了。记得小时候上学，音乐、体育还能说得过去，就怕加、减、乘、除、百分比，班主任常在我的作业本上加上批注："胡算、胡写、糊涂！"开家长会时，气得老师对我妈说："这孩子智商有问题！"

长大了也为此事发过愁，特别是到了美国做生意，成本、利润总是算不清，发出货，心里就没底，好在老美的智商比我也强不了多少，也幸好在那儿全靠先进的计算器。

没想到，如今写了字，又与这难题挂上了钩，来不来就问我百分比。

为了脸面，我还得装蒜，托了托眼镜，摸着下巴说："我写的东西嘛，真事儿占百分之九十，不，不，大概百分之八十才准确。"脸一红又改口："大概占百分之六十吧？"有时为了表现干练，便精于此道地说："整个计算下来，应该说占百分之七十八点四三。"

好在人家也不计较我的精确度，报上还如实作了报导，几次不同的回答却引来了不少非议："这叫什么人哪，整个一个没谱！"

急得我没辙，就扯着嗓子说了实话："你……你们别挤兑我啦，我……我小时候算术不及格，为此还留过两次级哪！"

真苦恼，也很委屈，在美国写点方块字着实不容易，怎么一出版，就用算术来考我。人家写了一辈子的书，也没见有人问他百分比，轮到我，怎么就这么难哪，非得化验，非要弄出个百分比。这，这哪里是在搞文学，这分明是在搞化学。

我急了，后来，当有人再问我百分比时，我就跟他们辩：少来这套，别懵我，文学、数学、化学，不是一回事，这在大学还分个系哪！

《夜莺》这本书写完了，我真希望各位别再问我百分比，更别对号入座，在美国的同学和朋友，在中国的哥儿们和姐儿们，看了书，觉得像你，你就笑笑，觉得不像干脆别理。

还是叶英博士说的好，她说："我觉得他写的夜莺，不是写一只，他写的是一群。"

有水平，她瞧出来了。

我没别的目的，就是想把那些在西方，在世界，这代文化精英、祖国儿女的奋斗与成就，向家人作个汇报。炎黄子孙，过去强盛，现在也不赖，增强点民族自尊心，更要发现她（他）们成功的内在。

值得欣慰的是，信笔写下 4 本书，眼下本本都已基本有婆家。

《北京人在纽约》不必谈了，中国的电视台播了又播、放了又放；《绿卡》一书也被中国顶尖的电影大腕们看中，现正在筹拍；《夜莺》这本出版之前，一家影视中心就和我签下了合作意向；《偷渡客》浓缩的电影剧本刚一完成，精于商业化的好莱坞影探就开始跟我谈起购买拍摄权。

所以，几年来，也没白累，搁笔回首，也放了点光彩。

好了，最后再跟各位说句重感情的话：

"永别了，理解我、帮助我的读者们。"

唉，别谈会不会去死，只是不再写字了。

"真的不写啦？"

"真的。"

"干什么去？"

"老本行，做生意。"

"做生意你可别忘了，第一页上你引用的话。"

"不会，我还记着《贝多芬第九》'欢乐颂'中的那段歌词儿哪。"

曹桂林

掷笔于 1994 年 2 月

《黑梦》(偷渡客)简介

作者　曹桂林

在当今世界经济低速的时期，一种早已遭人唾弃的生意——人口买卖却以变相的形式迅速地蔓延开来。据《华盛顿邮报》报道，每年大约有十几万人，从东方涌进西方。其中有许多人来自中国。浊浪翻滚的偷渡潮，震动了全世界，也引起了我国政府的高度重视。

《黑梦》(又名偷渡客)这部四十余万字的作品，就是在这样的背景下产生的。作者为了写好这部作品，花费了大量的时间，阅读了成吨的历史的和当今的文字资料，并一次又一次地采访了各色"人蛇"和负责接头的"马仔"，甚至还与"蛇头"进行过深入的交谈。因此，这部作品与其说是文艺小说，倒不如说是报告文学。

作品讲述了被贩运出国的林姐，在十几年后成为美国东部黑道上举足轻重的人物。她虽然家产亿万，但内心却很贫瘠。她深恋着的阿庆，心里却装着自己的结发之妻阿芳，在林姐带着年轻美貌的心腹继红第三次回乡"办货"的时候，阿庆请求她一定要把阿芳带到美国来。林姐心里极不平衡，几次动心想让手下人除掉情敌，但终究未能下手，反而在阿芳上船之前，一再叮嘱船老大关照阿芳。

林姐前夫的表弟戴维斯，为人狡猾奸诈，一直想要独揽'人蛇'买卖的生意。他不择手段地骗取了继红的爱心，在一天夜里，他在占有了继红的同时，也盗走了记有"人蛇"在册和各地"马仔"名单的电脑软盘，并骗得了调出文件的电脑程序。

林姐带着继红再返大陆，准备继续组织偷渡，但已落入中国安全部和美国中央情报局的监视之中。

　　太平洋上，偷渡船的老大并没有保护得了阿芳。阿芳惨遭"蛇头"轮奸，船靠在海地后被卖进按摩院，不久又被转卖到纽约"心心俱乐部"。

　　戴维斯根据电脑名单四处收款，榨取了大量金钱。但在几次狂赌中，全部输尽。

　　林姐得此消息大怒，继红后悔不已。林组决定立即返美，沿途遭到安全部、中央情报局的追捕，黑道人物也想置其于死地。

　　她历经千险回到美国，但发现自己已无处藏身。

　　阿庆为了寻找阿芳，走遍了美国的大小"蛇窝"，最后夫妻相见于青楼，阿庆悲痛欲绝。

　　林姐5年前买下了太平洋中途岛附近的一个小岛，她为了躲避充满血腥的撕杀，决定带着继红到岛上去生活，但在启航之际，继红又突遭冷枪，中弹身亡。

　　林姐来到了岛上，整日与动物作伴，过着孤独而原始的生活，最终被大西洋的风暴所吞没。

现代出版社推荐书目

李光耀 40 年政论选   48.00 元

　　本书选收李光耀从事政治活动 40 年来政论精华 90 余篇以及珍贵照片 90 余幅，全面、生动反映李光耀关于政治、经济、法制、文化、外交等方面建设的观点、见解，内容丰富，引人深思。

曹操争霸经营史（1—3）   大 32 开   19.80 元

　　本书用现代经营意识重新分析了群雄混战的三国时代，全面地考察了曹操作为一个政治、军事战场上的竞争者是怎样成为最后的强者、赢家的。对于今天的历史研究者以及商场经营者都有着重要的启示意义。

朗文现代英汉双解词典（精）   大 32 开   31.50 元

　　本书为适用于中国英语学习者的良好工具书，收词 55000 条，并有详细例句。编排合理、适用，内容丰富、充实，深受广大读者的欢迎。1993 年被中国书刊发行业协会评为全国优秀畅销书。

英汉对照外贸应用文大全（精）   大 32 开   19.50 元

　　本书介绍了有关外贸、银行、运输、交往等方面的应用文字及必要知识，可以有效地帮助社会各界人士顺利开展外贸业务；多年来一直受到各界人士的欢迎。1993 年被中国书刊发行业协会评为全国优秀畅销书。

英语单词学得快系列丛书
ｋ ｋ 新概念英语　　　　　　　　32开　　6．50元
　　本书详细介绍了5种速记英语单词的方法、步骤，内容新颖，科学实用；可以帮助英语学习者尽快掌握大量英语单词，触类旁通，事半功倍。

英语单词学得快系列丛书
——许国璋英语　　　　　　　　32开　　5．50元
　　本书详细介绍了5种速记英语单词的方法、步骤，内容新颖，科学实用；可以帮助英语学习者尽快掌握大量英语单词，触类旁通，事半功倍。

汉英小词典　　　　　　　　　　64开　　6．90元
　　本词典系与香港中国经济文化出版社合作出版，共收词2万余条，在汉语条目的英文释义上加注国际音标，使传统的汉英词典和英汉词典融为一体，方便实用，适合大、中学生、英语自学者和现场翻译者使用。

全唐诗索引（贾岛卷）　　　　　16开　　32．90元
全唐诗索引（张籍卷）　　　　　16开　　40．50元
全唐诗索引（白居易卷）　　　　16开　261．50元
全唐诗索引（温庭筠卷）　　　　16开　　42．00元
全唐诗索引（陈子昂、张说卷）　16开　　57．40元
　　本书以《全唐诗索引》和《全唐诗外编》为底本，对上述诗人的全部作品进行了逐字索引，检索方便、迅速，是文学史研究者和文学爱好者的必备工具书。